真正要检验一座城市的现代化，
不要看花花绿绿的女人，
还是要看这座城市的白领。

女儿经
Daugnters

程乃珊 著

上海文艺出版社
Shanghai Literature & Art Publishing House

目 录

女儿经 _ 001

穷街 _ 097

风流人物 _ 165

秋天的盼望 _ 267

后记/严尔纯 _ 360

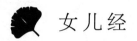女儿经

一

　　美乐村，地处闹中取静的康德路，从前是美乐保险公司的职员宿舍。如今，住户中的老美乐，已所存无几了。弄内三排三层楼的新式里弄房子，每幢房子的间隔还算宽敞明亮，因而虽则房前没有小花圃之类，整个弄堂还是显得整齐而有气派，不同于一般的租地造房的弄堂房子那样拥挤且嘈杂。须知，"美乐"从前，也是一家大企业呢！

　　当然，现今美乐村住户中极少是一家独居一幢的，因而哪家的厨房内，都起码横着三四架煤气灶。到了华灯初上的时刻，每一家的后门①内，都传出起油锅声、剁砧板声、聊天声，免不了还有吵架声，好不热闹。

　　在开始起第一阵西北风时，这种后门内传出的各种声响，在黑幽幽、冷飕飕的弄堂内更是清晰且富有吸引力，引得那些在人影稀少的弄内匆匆赶路的迟归者，更是加快步伐朝自家家门赶去，未及踩到门口就开始早早地摸索着钥匙。这种景象，会激得你不由自主地想哼一曲《甜蜜的家》！可惜中国人又有一句老话，叫"家家都有一本难念的经"！

　　此刻六号门牌的后门内，相对要冷清些，在这南北贴墙共搁着三只煤气灶的厨房内，只沈家姆妈一人在忙碌着。

　　沈家姆妈差两年就六十了，然而风姿犹存，让人一眼就看出年轻时

---

① 上海的厨房，一般都设在后门内。

准是出过风头的漂亮女人。她一头浓密的头发染烫得乌黑油亮，微微有点发福的身材使她显得很富态，白净生嫩的皮肤毫无老斑、色素之类的痕迹，以至人们都认为她顶多不出五十。她身穿家常的咖啡色滚本色边的小腰窄袖的中式衬绒袄，围着一条茶巾改制的颜色鲜亮的饭单，整个人显得干净利落，精明能干。这时，紧贴着她的另一口煤气灶上，文火炖着的一壶水开始咝咝作响了。

"吴家好婆，水开了！"沈家姆妈仰脖叫了一声，随着一声声苏州腔的小调声，吴家好婆，一位七十多岁却依然腰骨笔直，一头银发梳得一丝不乱的老太，进厨房了。

"今朝有点冷了，这西北风一吹，大闸蟹的壳就硬了，味道也好了。"

沈家姆妈麻利地三下两下盛起一碗浓油涮酱的红烧排骨，一边与老邻居敷衍着："大闸蟹是吃不起了，看行情今年不卖到二十元一斤，是过不了门的。"

吴老太开始细细地审视着沈家姆妈的夜饭菜："唔，小菜不错嘛，怎么，今朝请毛脚女婿①吃夜饭？对了，说起毛脚女婿，小唐好像长远没有来了，在忙着准备做新官人了？"

沈家姆妈把个水龙头开得好大，吴老太的后半句话，都淹没在哗哗的水流中了。

吴老太却依然一个劲地唠叨着："是得抓紧办，你们的老二也有三十三了吧？阿拉吴先生去台湾那阵，我也不过三十五，与你们的老大同年，老早三个小囡养好了！"吴先生解放前夕带着相好走了。虽然这是三十几年前的伤心账，但吴老太每每提起，总有点闷闷不乐。"还是你家沈先生好，老老实实的，看见你是一帖药！"她羡慕地对老邻居说。

"老实有啥用？一世发不了财！"沈家姆妈没好气地说。沈先生就是太老实，"美乐"合营后，调入人民银行。"反右"整风那阵，真的会老老实实向领导提啥意见，虽然"右派"帽子总算没戴上，到底后来给调

---

① 毛脚女婿：女儿的男朋友。

到东北林场的一家人民银行去做到如今。

"你这不好怪沈先生。沈先生他也是时运不好呀。从前，吴先生调台湾分公司时，不是原要带着沈先生一块走的，你们自己那时新婚，不愿分开嘛！否则……"

沈家姆妈不耐烦地打断了她的话头："人要真能算命就好了！"她最犯忌提"从前"了，一提"从前"，她就感到"触气"，觉得心里堵得难受。

"你沈先生快退休了吧？相差几年就早点退了算了，一个人在千里之外，可怜巴巴的。这两个铜钿，就不要去算它了！"吴老太就这点"拎不清"，讲话由着自己的性子，也不看看别人的脸色神情，揣摸一下人家是否愿意接这个话题。

果然，沈家姆妈脸有愠色了："我的吴家姆妈！我怎能和你比？你如今有丈夫和三个孩子月月给你寄侨汇，我可靠的是沈先生那几张死钞票开销了。如今自由市场上，鳊鱼都要卖到三元二角一斤，像阿拉这种既不是发还户头^①，又不会摆小摊头卖牛仔裤的，这两个铜钿再不算算用，这日子是没法过了！"

吴老太碰了只橡皮钉子，才感到自己话说得造次了，讪讪地转了话题。"喏，"她用嘴唇努了努北墙下那架孤零零、冷清清的煤气灶，"张家女人这几日天天绕着我转，你知道为的啥？原来要我给她的那个女儿介绍男朋友，点名是要外边的^②……"

这美乐村六号门牌里，吴老太原是开山祖，后来沈先生夫妇新婚，"美乐"新宿舍一时还未造好，就暂借在六号三楼住，为着两家丈夫都是老美乐的，沈吴两家相处得倒不错。岂料"文革"中，就搬进来个自称"领导阶级"的张家，把个开山祖吴家好婆给挤到亭子间去了。

"哼，伊拉的^③女儿跌煞铺盖^④般一只，上海人要她也不错了。"沈家姆妈摆出一副不屑一听的神情说。

---

① 发还户头：原工商业者。
② 外边的：指海外的。
③ 伊拉的：他们的。
④ 跌煞铺盖：指无身段。

"就是嘛。"吴老太连连点头表示赞同。

在这一点上，她俩的立场是绝对一致的。此刻，她俩同时怨怨地看着北窗下那架冷清清的煤气灶，颇有点像两位盟军的首脑，在忿忿地注视着一块敌军占领地似的，刚才的那点芥蒂，顿时冰释了。

"世界上的事就是这样滑稽。张家的女儿比你的老三还小？看着她嘴眼鼻子倒也长得端正，就是一副说不出讲不出的小户人家相，与你的三位千金相比，差远了！"吴家好婆这几句话，倒是实实在在的心里话，她和沈家姆妈几十年的老邻居了，是用不着互相吹喇叭、抬轿子的。

沈家姆妈终于憋不住了，长长地吐了一口气；她的三位千金，讲句良心话，无论是长相还是风度，在美乐村里几个女孩中排排队，都算第一块牌子的。无奈她们的年龄分别已为三十五、三十三、二十八，除老二蓓琼算有了男朋友外，老大蓓沁和小妹蓓菁，均还待字闺中呢！她的女儿们不是嫁不脱，而是，没有好的新官人来相配呢！亏得蓓琼，这个三姊妹中最老实的老二，倒不用为娘的费心，找到一门让沈家姆妈满意的对象——上海滩上的大户头唐家的后代，只是这样一来，她的还有两个女儿，就更难找对象了！

毕竟是老邻居了，吴老太挺谅解地拍拍沈家姆妈的背脊，说："当今好的男人也实在少。不过，我的意思是……"她顿了一下，作出一个颇有权威性的结论："要嫁就要嫁得好，要像小唐这种人家。否则，宁可不嫁！"

这话正中沈家姆妈的心怀，只是，女儿们的年龄正在一天一天、一月一月地递增，可"好的"却迟迟不露脸……

吴老太启口还想说什么，沈家姆妈立即警惕地打断了她。因为，她已听出小女儿蓓菁那石脚般的咚咚声从后门外由远而近地捶过来了，随即，门"嗵"一下被打开老大，夹进一股冷风，不及沈家姆妈叮嘱一句"把脚踩踩干净"，蓓菁已嚷嚷着进屋了："姆妈，可以吃饭了吗？肚子饿了！"

吴老太在一边皱了皱眉："小姑娘家，不作兴这样，弄惯了，婆太太可要吓煞了。"

蓓菁却满不在乎地顺手捞了把妈妈刚余好的花生米，大咧咧地回答："现在大多是自己分开过，不和婆太太一起住的。"

沈家前两胎都是女孩，蓓菁自小就给装扮成男孩，直到上学，就此养成这么一股大咧咧的男子气。为此，沈家姆妈直到今日还在后悔，男人嘛，都喜欢嗲一点的女人！再加上当初为了怕插队，蓓菁从小学开始，就被送到父亲那边——将来好歹可以待在父亲身边，不用孤苦一人去他乡挣工分！那东北的一段，又总让沈家姆妈感到，给蓓菁带上一股土气！……不过，她自忖，在过去那段日子里，她能把一切安顿得这样，也实在算应付得不错了！

蓓菁体态匀称健康，剪着浓密的日本式童花头，神情活泼开朗，谁能想到，她是一个让妈妈不安的"老姑娘"呢？不是说"瘌痢头儿子，还是自己的好"？沈家的种气，就是不一样。须知，沈先生当年，也是毕业于赫赫有名的圣约翰大学，然后早早地坐上了"美乐"科长的位置，要不是时局剧变，也就当上了经理了。她沈家姆妈当年的芳名为田映薇，也是上海最贵族化的中西女中的毕业生。他们的女儿们，硬是不同一般亭子间里、三层阁里出来的姑娘。拿蓓菁来说，虽谈不上漂亮，也不时髦，但那种娇憨之态和男子气两头扯扯——沈家姆妈这几十年老围着厨房转，已不大会说那种矛盾的统一这类学术性话语了——倒也别有一种风韵呢。

"大姐在后面，正在打电话呢！"蓓菁又捞了一把花生米，看来她确是饿了。然后又开始咚咚地捶着楼梯上楼了。

说话这工夫，蓓沁闪进屋了，只见她轻轻把门一关，亲热地与吴老太招呼了一声后，就搂着妈妈脖子开始撒娇了："妈，我刚才在富丽绸布店看中一块呢料，米黄色的，做大衣正合适，如果你能再找出一条你从前那种旧的毛皮领配上去，最好是黑色的，那准保更有气派……"

蓓沁是三姐妹中长得最像妈妈的一个，自然也是最漂亮的一个，妈妈最宠爱的一个，也是妈妈最不放心的一个！她适中的身材丰满而富有曲线，尽管已穿上厚实的秋衣，可那该隆起的部位依然毫不客气地突了起来，然后渐渐向腰部收缩，在身体的前后左右任何一个部位，都形成一对十分好看的弧度。

"妈，吴家好婆，你们眼光好，啥时抽空帮我去看看那块呢料，帮我做做参谋，吃二妹的喜酒时，我可要穿着出风头的。"她在讲这些话的时候，双手分别搭着妈妈和吴家好婆的双肩，从她们两个肩头间伸进自己的被冷风吹得红通通的白皙的脸面，并且像小孩子样嘟着舌尖讲话——这样的举止在上了年纪的老人面前，永远不会感到是做作，而且，谁也不忍心拒绝她提出的任何要求。

三十五岁的蓓沁，漂亮又会打扮，自然就更显得鲜亮出众了。此刻，她穿着双排扣咖啡色粗灯芯绒外套，极其普通的（既不是直筒裤，也不是小裤管）深咖啡裤子，一双半旧的栗色扎带皮鞋，在现今五花八门的时装队伍中，普通又普通，而妙就妙在她那似乎是随便围在脖上的一条老黄色的旧羊毛长围巾，特别是围巾两端两排五寸来长的流苏，不时随着她婀娜的动作而在她腰间款款摆动，给她这身不起眼的装束平添了一层亮色，显得风流又不俗，足以让男士们在与她擦身而过时多瞟她几眼了。

"电话打通了？"在女儿转身上楼时，妈妈拉住她谨慎又悄悄地问，"小唐等一下来吗？"

蓓沁闪过一抹得意的微笑："我这位大阿姐，小唐这点面子总归卖我的。"而那活泼的左顾右盼的眼风表现的却是另一种意思：哪个男人会不听我的？

上楼前，她又体贴地帮母亲把饭窝给捎上去了。长年来，沈家厨房在一楼，住在三楼，吃一顿饭，沈家姆妈不知上上下下要跑几趟楼梯，也只有蓓沁想得到这点，这孩子就这点让人疼，怨不得为母亲的要偏心她！

蓓沁走扶梯轻捷得很，她懂得该略略跷起前脚掌上楼梯。尽管她手中捧着饭窝，但却是脊背挺得笔直，头昂得高高的，那神情活像一位捧着首饰盒的公主。

连一向以挑剔而闻名于美乐村的吴老太，此刻也不禁用一种半赞赏半惋惜的口吻说："你们的蓓沁风头真健！要在从前，老板、小开还不是随着她挑的？"

唉，又是那令沈家姆妈烦心的"从前"，那么"现在"呢？应该说，现在，蓓沁也很可以再挑一下呢，只是……她已经三十五岁了！唉，那些个好男人，都躲到哪儿去了？

这时，沈家姆妈才想起，老二蓓琼今晚读夜书，按例是不回来吃饭了。于是她解下饭单，保养得极好的身段越发显得窈窕年轻，开始仰脖向楼上发出最高统帅的命令："吃饭了！"撤离厨房之前，她在煤气灶上炖上一壶水，然后把煤气开得比火柴头还小——她知道一个诀窍，煤气开得小，表上的指针几乎可以不走。很贪小是吗？可眼下这个家，就全仗着她这里省，那里挤的，总算还撑得像模像样的呢。从前沈家姆妈，不，田映薇小姐可也是很能花钱的，生活，真能改变一个人。但愿这样的厄运，可不要落到她的女儿们身上。

三楼这沈家一家，纯属一支娘子军，或者说，类似过去女青年会的宿舍——母亲带着三个女儿过，沈先生逢春节回来一次。吴老太也说得对，这么一大把年纪还孤身一人在外谋生，也实在罪过。但沈先生工资有一百几十，做得动就再做几年吧。

屋里鬼火样亮着一盏八瓦的日光台灯。这惨淡昏暗的灯光让沈家姆妈掩饰不住地打了个长长的呵欠。

"做啥不开那盏大日光灯？"她有点恼火了。

"开关松了。"蓓菁哭丧着脸说。

怨不得娘子军里还需要个洪常青，家里没个男人，真有种种的不方便；打地板蜡、背米这种重活没人做还在其次，最怕是电灯、水管之类坏了，那真一点办法也没有了。

蓓沁却催着吃饭了：反正不会吃到鼻子里。

蓓菁却是不堪忍受这种令人昏昏然的照明度，她揉着眼睛说："这暗暗的灯光，让人都要打瞌睡了。大姐，随便叫个'困勿醒'的来帮我们把开关修一修。"

"困勿醒"之语，是沈家的女儿们对向她们献殷勤的男性们的得意的称呼。

"你自己那个'困勿醒'呢？那个漂亮小伙子简雄呢？"大姐问。

"他出差去了。要他在上海，我差差他是绝对没有问题的。"蓓菁一下子可来了精神。她大学毕业后分入现在这厂才半年多。"我看着，你倒有点困勿醒了，一提到简雄，就如此的兴奋。"大姐揶揄着妹妹，把个蓓菁闹了个大红脸。但蓓沁依然半真半假地在妹妹鼻子前警告性地竖起一根食指，"当心他！简雄这种男人，上海滩上捞捞一大把了，不值得与他多搭讪。"

姐姐如此评价她的朋友和同事，尽管蓓菁与他根本没有什么瓜葛，但她还是很不忍心。她开始尽力为朋友辩解："他虽然是中专生，但已在夜大里读了四年，明年就可以拿到证书了。局里接待外宾，还常常请他去帮忙做翻译呢！"

蓓沁却用手掌不屑地在自己脸前来回扇动着，皱起鼻尖说："会扯几句英语啥了不起？我才不稀罕这呢！"蓓沁对男人，向来持明显的轻蔑之态，"一个月拿到手也不过那么六七张'大团结'，穷死了！"

"不过，除非像我们单位里那些老头工程师，才有十几张甚至二十几张的'大团结'呀！"蓓菁眨巴着眼，咬着筷子尖说。

蓓沁不耐烦地用手拨开妹妹的筷子，"又把这种外地人腔调摆出来了，不许咬筷子！妈，你好好教育下小妹，她老有这种不上台面的样子！"蓓沁应该说是很疼这位小妹妹的，不断给她置衣物，设计发型，尽力打扮她，可说心里话，她有时真有点嫌她，嫌她有时的举止会很失她这位做姐姐的面子。

"外地人怎样？"小妹不服气了，"别的不说，光我们东北林场上那几个男人，就是像真正的男人，哪像你们上海马路上那些头发吹得光溜溜、脸皮白净净的……男人，叫他们男人，我都为他们脸红呢！都是一个个小肚鸡肠的……"

"吃饭！烦死了！"妈妈打断了她们。忙碌了一天，耳朵边再听到这种叽叽喳喳的女孩儿的争执声，好比钢针刺着耳膜般的不舒服。每逢端起饭碗，看着三位年纪已不小又还未出嫁的女儿众星托月般围着她时，她心里就会升起一股无名的焦虑。问题就在这里，一般的小伙子一月就那么七八张"大团结"，要有十几张票子的，起码都有她老伴那般年龄了！当然也有例外，特别在上海滩，什么样的奇迹都会有，可是……

"大姐，"那边的话题又转了，蓓菁正在严肃地发问，"今天的晚报看过吗？没有？可是一件大新闻呢，告诉你，你可别伤心，"然后，她夸张地一字一句地说，"你的高仓健结婚了！"

果然，蓓沁一怔："真的？跟谁？"

"反正不是沈蓓沁。"

高仓健是蓓沁的偶像，她共看了三遍《追捕》和五遍《远山的呼唤》，还不算电视里的。

大姐穷追不舍的发问，弄得蓓菁很得意："可高仓健也不是上海人呀！是外地人呢！不过，票子肯定是不少。人家的老婆，你可是追不上的，是大明星倍赏千惠子呢！"

蓓沁却不以为然地站起身，挺认真挺自负地说："大明星又怎样？她这是近水楼台先得月。要我也跟高仓健合作，哼，看着我把她的高仓健给夺过来，事都是人做的嘛！"脱去了外套，蓓沁的身子，更显得线条分明，特别丰满的胸脯和圆滚滚的臀部，每一根弧线都显示着，这是一个熟透了的女人的身子。

妈妈既欣赏又忧虑地打量着蓓沁，她相信，女儿确有这样的本事呢！唉，要从前……又是那让她烦心的"从前"，带她去那些大户人家的 party 里去露露脸，送她去"中西"那样的高尚学校去读读书，不愁那些名门豪富不差媒人上门，那就远远不是十几张"大团结"的事了！

"当然，"蓓菁信服地点点头对姐说，"大姐有这点本事，可是，会有比你更有本事的女人的。而且，你会老的。"

蓓沁边梳头边回答："那还不简单，我拿出我所有的本事守着他，让他离不开我……等我老了，他也已习惯了我。"

"那除非你不用上班。"蓓菁开始收拾饭桌了。看光景，大姐晚上有节目，那洗碗刷锅之类的事，又轮上她了。

蓓沁没好气地横了一眼小妹，这小妹在外地不过就待了那么近十年，真有点土头土脑的，连问出的话也显得寿头寿脑。"要嫁到这等样的男人，谁还要你上班？侍候得他舒舒服服的是最重要的了！像楼下吴家姆妈……"蓓沁说。

"所以最后，当老头把她甩了，她就一点办法也没有了。"蓓菁开始认真地与大姐分辩了。不知为什么，三姐妹中，她老感到与大姐格格不入，老喜欢跟她，用北方话为"抬杠"。原先她很害怕自己是因为嫉妒大姐的漂亮，可扪心自问又感到根本不是这回事，那么是因为年龄的差距吗？……

"那就得看各人的本事了。吴老太功夫不到家，就活该让丈夫甩了。我不跟你争了，我晚上还有事呢！"蓓沁做了个暂停的手势，抱着一堆衣服进卫生间去了。这个风流的老大究竟有无男朋友，她葫芦里究竟卖的什么药，当母亲的是一概不得而知，虽说老大聪明活络，可那就更不放心了！

窗下响起一阵摩托声，不用猜，是毛脚女婿小唐驾到了。

沈家姆妈连忙扭亮了天花板中央的一盏装有三只二十五支光灯泡的大吊灯。沈家日常只开那吸在墙上的日光灯，逢年过节才启用大吊灯，无奈今天日光灯开关坏了，用这八瓦的小日光灯在毛婿前，实在太坍台了。

房里灯光一亮，再加上小唐未及进屋就在扶梯上发出的亲热的问候声，使沈家姆妈原先昏昏欲睡的精神状态也为之一振，她迅速地瞥了一下镜中的自己，拢了下头发，此时小唐已进来了。

小唐细细长长，一米八十的个子，长得细皮白肉，眉清目秀，典型的上海翩翩美少年形象，虽则他已年过三十，不"少"了。俗话说：丈母娘看女婿，越看越欢喜，再加上沈家姆妈没有儿子，这第一个上门的毛脚女婿，自然更是疼也疼不过来了。再讲，尽管外边在传说唐家此次发还了二十万三十万的，小唐却依然为人亲热诚恳，在沈家姆妈这间算小不算小，但与唐家的花园洋房比，是着实不能比的二十四平方里，他还是一个规规矩矩、一口一声"伯母"的听话女婿。为了他，沈家姆妈连原先不怎么疼的二女儿蓓琼，也开始疼爱起来了。

"怎么，蓓琼不在？"环顾一下屋里没有蓓琼的身影，小唐毫不掩饰失望之情。

一听小唐的口气，沈家姆妈心口就禁不住突突跳起来。蓓琼这孩子，真没有脑子到极点了。放着这样一个手里有钱、家里有房的当今上海滩上的女孩子都要活打活抢的男朋友，不知道好好陪陪他，讨他的欢喜，却去读什么夜校，还要常常和小唐斗气。这次两人就有两个礼拜不说话了。今天还是仗着蓓沁的面子，才把小唐请上门的。

"蓓琼明知我明天要去广州了，照样读她的书，也不来送送我。"小唐委屈地说。

"她马上要毕业了。要准备写毕业论文呢。"蓓菁很看不起这个二姐夫；人品是不坏，但豆芽菜般的个子，太纤细的性格，让人怀疑他的肩头究竟坚实不坚实。她欣赏北方人那种结实魁梧的个子。

"倒茶去。"妈妈把她支开了。

"她是很用功的。这点，我也是很钦佩她的。"小唐真心实意地点头说，"从前在学校里，大家都不读书，唯有她，认认真真的。读书这件事也怪，不是人人都读得进的。"

他和蓓琼同是六八届的初中生，其实正式读书才读到初一，"文化革命"就开始了。后来两人在一个农场里，姻缘也是那时结下的。当时的小唐，说得上是落难公子了。后来是小唐先调上来，在电影院里扯票根，但好歹是上海户口了。不过他也没有甩掉蓓琼。后来蓓琼自己考上中师考回上海，现在分在中学里任语文教师，倒也没有嫌小唐。为此，小唐也发奋再考过两次大学，只是年年落选。最近，小唐辞掉电影院的职务，和从前农场里的伙伴做卖洋货的生意，而蓓琼对他的不满，也就由此而生。

"看来，你的小生意，是做定了？"精明能干的沈家姆妈，小心地选择着措辞，但在吐出"小生意"三个字时，也不由得带着一股轻蔑之情。"其实，你就拿出一笔股金坐着做董事嘛，到时分分红，不就又省力又省事吗？何必自己亲自出马？"

说实话，沈家姆妈心里，也是十分不满意小唐这一决策的，考大学固然不是每个人都考得上，那就安心扯他的票根好了，只要沈家不嫌他，蓓琼不嫌他。他不喜欢扯票根，那就更干脆，不干事待在家里吃老本好了，何必也去摆摊头做生意，丢人现眼的呢？好歹是唐家的孙子呀！要是当初他的父母不自杀，现在是绝不会同意儿子做这荒唐事的。

"这不行。"小唐器宇轩昂地说，很难想象那样纤细文弱的他，竟也会吐出这样的三个字。他振振有词地接下去说，"从前听我阿爷讲，做生意的绝不能像房东那样跷起脚等房钱，非得自己去扒，自己去拼，否则，钞票被人家黑光了还蒙在鼓里呢！"

沈家姆妈心里一惊，她一直以为女婿是一头听话的小羊羔，现在看来未必，到底是唐家的子孙，倒也有点办企业的气势。

"做生意不好做呀！"的确，在沈家姆妈眼里，那些摆小摊头的，仿佛都是些红眼睛、绿眉毛，这斯斯文文的小唐，无论如何也与他们合不拢的呀！

"我想闯闯看。"小唐叉起自己十只细细长长的白皙的手指，轻声不失礼节地、然而又是坚决地回答着。

女婿究竟是外边人，做丈母娘的，讲话讲到一定地步，应适可而止了。再讲，他横竖是阔少爷开店，随他去开着玩玩吧，房子、钞票可少不了蓓琼那份。想到这里，她话题一转："我们蓓琼，就是小人脾气。最近，她又在向你使性子了？你让着她点吧，你们从小是同学，一起长大的……"唉，有啥办法呢？谁叫她养了这么个不识时务的女儿呀！

"我跟蓓琼说过，我样样可以听她的，但唯独这件事，请不要干涉我！这是我的志向……哪怕我们只能分道扬镳……"他那白皙的、下巴胡子修刮得光光的脸上的神情，开始变得锐利而坚毅起来，眼神也非常深沉。一直反骑着椅子在一边注视着他的蓓菁，第一次发现，这位未来的二姐夫与她原先想象的不一样，他并不软弱，而且还挺有主见的。"像佐罗！"她望着他那轮廓分明的嘴巴，暗自说。

沈家姆妈忙忙地挥了挥手阻住小唐："小孩子家总讲小孩子话！"嘴上这么说，心里却着实慌了一阵！

"唷，有那么严重吗！"卫生间的门"咔嚓"一响，身穿黑方格呢裙、黑毛衣，耳朵两侧扣上两颗大大圆圆的、鲜红鲜红的耳环的蓓沁出来了。那身装束与上班的那身风味迥然不同，俨然一派大家闺秀的风度，"我们二妹舍得与你分开，我可不舍得你这个妹夫呢。"蓓沁扭动着柔软的腰肢，得意地在小唐欣赏的注视下走动着，并不时故意地、又显得挺自然地闪一下裙子，卖弄着自己姣好的身段。挑逗男人，不管对象是谁，在她，是一种乐趣。

"唷，大姐打扮得这么漂亮，去参加舞会吗？"

"你请我？"蓓沁搁起瘦削小巧的脚，用软毛刷刷着自己那双细高跟的漆皮皮鞋。

"一句话，只怕大姐你不肯赏光！"小唐丝毫不掩饰对蓓沁的欣赏和崇拜，连他自己或许都没意识到，他之所以不敢轻视这间普通的居室，就是因为屋里有蓓沁和沈家姆妈母女俩，她们自有一种气势，足以压倒他自身一切人们公认的先天优势，"明天晚上在丽都花园有舞会，工商界举办的，你们一块去……"

"不，我老太婆了。"沈家姆妈忙忙摇手。同时很高兴小唐的情绪缓和下来了，"你带蓓琼去吧！"

"蓓琼，老摆出一副清高样，好像除了读书，其他的一切，都是不务正业……"小唐又开始诉说起来。

蓓沁哈哈一笑，打断了他："现代化的老板娘，也需有水平，有学历的，这几日，你就忍着点寂寞吧！"

"我向来不阻止她深造，希望她也要尊重我的意愿……"小唐那股犟劲又上来了。

蓓沁对他莞尔一笑，"得了得了，做啥像老太婆样翻来覆去个没完！男子汉大丈夫嘛，主意自己捏，面子上，总要有点骑士精神的，表面上顺着点她算了。今天她八点半放学，差不多工夫去等在她校门口，让她感动一番，再慢慢劝导她嘛。"蓓沁这番话完完全全把小唐给镇住了，沈家姆妈立时心里也稍稍松了口气。是呀，两人这种不讲话的局面再僵持下去，结局如何，她可不敢再往后面想呢！这次僵局，还得请小唐来打破呢！

"好呀，你先在这里歇一下，差不多时间去蓓琼那儿接她吧。我下去给你弄点点心……"沈家姆妈说着，就欲下楼去替他张罗。

蓓沁也挎上了手提包，"那我也少陪了。"

走到扶梯上，四顾无人，蓓沁凑着妈妈耳朵边说："妈，蓓琼的婚事怎么也得抓紧办掉，不一定要等到春节爸爸回来办，至少，要让他们先去登记，只怕夜长梦多呢！"

妈妈连连点头说对。妈妈把女儿送到后门口，却又连连叮嘱着："早点回来，当心点啊！"

当心什么呢？她自己也说不清。

二

蓓沁昂着头，挺着胸，双手斜插在大衣的口袋里，目不斜视地疾步快走着。她喜欢欧洲女人那种"行如风"的步子。那紧紧裹着双腿、长至膝盖的长皮靴，把她两条小腿的匀称线条清晰地勾勒了出来，她自己看着都挺满意。

嚓、嚓、嚓，她的漂亮的长皮靴不经心地踩在那些散落在路面的枯叶上，这是深秋里最后一批生命力最顽强的残叶了。一个年已三十五还是孤身一人的女人，面对着这片秋叶凋落的景色，是很会引起一阵凄苦寂寞的联想的；但是，蓓沁并没有。想着马上要见到一个她喜欢与他待在一起的男朋友，她的心绪很好。她认识他才三个月，她对他实在无可挑剔，无论是风度举止还是他的经济状况。须知，要让蓓沁打 OK 的男人是很少的。哪怕小唐这种现今市面上如此"抢手"的男人，在蓓沁，也是不屑一顾的。没有好的职业和高的学历且不提，晃着个一米八十的傻个子，连气派都没有，还想摆摊头搞什么企业，谁能想到他是赫赫唐家的后代？不过，老实巴交的蓓琼能有这样的婆家，也是她的福气呢！

她新交的那位男友乜唯平与小唐完全不能比了，虽说不及他有独幢洋房有钞票，但看着那气派，谁都相信他是个有身价的人！而且，他确是位有身价的绅士型男士。这位绅士，会让她摆布得神不守舍的！

她的嘴角泛起一丝得意的微笑。

漂亮又孑然一身，这令她在这条布满情侣的路上显得更触目了。不过她并没意识到，或许，她已习惯了这种注目：女人用眼梢边扫她，男人则干脆走过了还要回过头来看她。

迎面走来一群妙龄女郎，煞风景的是她们在边走边嗑瓜子。只见其中一个迅速地瞟了蓓沁一眼，随后碰碰女伴的肩膀，于是，一排目光极不礼貌地先扫着蓓沁的裙子，然后是靴子，最后，落到她脸上，那是羡慕又妒忌的目光。

她故意让细细的高跟叩得路面笃笃响，高傲地迎着她们的目光走。要是她们知道她是个三十五岁的未婚女子，肯定会幸灾乐祸地骂她一声"老姑娘"的。

她已确实到了让人骂"老姑娘"的年龄了。不过，她自信自己并不"老"，而且还很能让男人倾心。再说，家里又让妈妈给调理得舒舒服服，她没有必要，为了不当"老姑娘"，而贸贸然地瞎猫拖死老鼠地随便找个丈夫呢！

在熙熙攘攘的马路上，她看见在"老地方"，他已候在那儿了，正漫不经心地双手搁在背后慢慢踱着步。深色的人字呢大衣很潇洒地敞开着，脖子上是一条没打结的火红的羊毛围巾，这两种颜色挨在一起很触目，但效果极好！他选用色彩的胆略与接触女人的胆略是相等的。原因很简单：他极其自信。这种自信之感已压过蓓沁的了！

他看见她了，高兴地迎了上来。

"今天去哪?"她问，像每次与他会面时，在一开始总会感到那样不自然，而且她心里总会泛起一股苦涩的滋味；因为，他尽管漂亮，有身价，也有钱，可是，他有妻子！

"不问问清楚就赶来，不怕我把你拐了？"他伸手亲热又不失礼地揽着她的肩头。他身上老是散发出一股好闻的"力士"牌香皂味，那是一种唯有凭侨汇券供应的英国香皂。乜唯平虽则总是身上收拾得干干净净，既没讨人厌的香烟味，更没那种很多男人都有的汗气味，按理很容易让人与"小白脸"联系在一起，但在他身上表现的，却是不折不扣的男人味。

他对她轻声吹了个口哨，那轻轻的气流拂动了她几根发丝，随即说："你今晚真漂亮，惹得我此刻就想吻你了！"待要穿越马路时，他就把手移到她肘部轻轻扼着，殷勤又温柔。当今的乳臭未干的小伙子们，谁有他这一着妙呀？这也是最让蓓沁欣赏的一招，这种细小的枝节，是最能让女人测出对方的教养和对付女人的本事了，更何况蓓沁这样的、全盘接受了母亲当年在"中西"所学的全套manner的女人。

他和她这一对一定是十分般配的；他气度不凡，她风姿绰约、仪态高雅，惹得路人都纷纷向他们投来注目礼。有谁会想到，这里有那么点，不，很大的……不对头呢？

他是她的病人。那是三个多月以前的事了。

蓓沁是六六届的护校毕业生，现今，是很可以大模大样地坐在门诊间看看门诊，让病人尊称为"医生"了。其实像他们地段医院看门诊是最容易的了，疑难杂症往中心医院一转，一般不过是开开病假和在协定处方上划几根线的事。

那天，按例，她懒洋洋地取过一张病卡。

"下一个！"她有气无力地说。门诊看多了，她感到自己如同坐在一条流水作业线前：病人轮番在她右侧的方凳上坐下，然后离去，管它是男是女，她就是机械地听诊、看喉咙、开药方……反正病人这字眼对医生，纯属是个中性名词了。真不能想象，起初，她对检查男病人的腹股沟淋巴还捏手捏脚的。现在，她有时暂借到外科看门诊，对那些患有痔疮或阴囊湿疹的男病人，竟已经能用一种有如"请把灯关掉"的平淡语气说："把裤子脱下来！"

"哪里不舒服？"她用手掩着嘴巴，打了个长长的呵欠。按理医生应该戴口罩，但她所在那种地段医院，"按理"而不办的事多着呢！

没有回答，同时，她发现有两道强烈的目光在注视着她。尽管她一向是很习惯于这种注目的，但在工作的班上让病人这样打量，这似乎太不礼貌了。她有点恼了，狠狠地抬起目光，这时，她看见一张中年男人的脸：一张很饱满的挺有味的男人脸，浓浓的眉毛，一对眼窝下不时闪现着两个十分明显的"卧蚕"①，使得他那对眼睛总带着几分笑意。他牵起半边嘴角笑了，那笑容因此而带着几分诙谐和嘲弄的味。

而且她还发现，他的胡子该刮了。对了，如果不是那些该刮的胡子，他怎么也不像一个发着三十八度烧的病人。

她忽然意识到，他一定看出她在打量他了，他一定看出她对他注意了，真要命！她慌忙埋下头，同时迅速地瞄一下他病历卡上的名字、单位和年岁，呵，全在里面了：乜唯平，××织布厂花布设计师，四十四岁。哦，原来是个搞艺术的！她不禁又抬眼看他一下，发现他也正出神地瞧着她，当她与他的目光相遇时，他并不躲闪。

"这个姓很少，是吗？念'密'。"他的声音是很动听的男中音，"我头疼，嗓子疼，发了两天烧……"他诉说着病史，但他的埋在"卧蚕"里的眼神分明是在说："唷，你真漂亮！"她甚至都感到他那灼热的毫不畏缩的目光已落到她后颈部发鬓和汗毛的交界处，而且还在向裸露出她那长长的颈脖的衣领里引伸！

她有点慌神了，在与男人打交道时，她从没有过慌神的时候。她匆匆抓起处方要开药了。

"不听诊一下吗？"他却狡黠地笑了。说着解开他的夹克衫及衬衣上面几粒纽扣，向她袒露出他那游泳运动员一样宽阔壮健的胸脯。他的身体散发出一阵阵淡淡隐隐的馨香，后来她知道，他是常用"力士"牌英国香皂的。她生怕她的手无意中触到他的皮肤，有点拘束地在他结实的胸脯上移动着听诊器，在他左边乳头，她发现有一颗玫瑰色的痣。

他依然牵起半边嘴角狡黠地笑着，这家伙，他什么都明白！

她听见一阵阵强有力的、不安静的"咚咚"心跳声。

听诊完了，药也开好了，病假单也开过了，不过，她似乎不愿意一切结束得那样快。于是，竟没话找话说了句多余的话："你不大来看病的吧？看你的病历卡这样薄。"

---

① 卧蚕：眼轮，笑时下眼睫毛下方凸起部分。

"你翻翻我的病历，看的病除了牙科就没别的了。我身体一直很好，从前当过业余击剑运动员呢！"又在扔给她一个讯息：击剑运动，一种高雅的运动呢！

"再见！"离开时他说。

她差点没笑出来；病人绝少对医生说"再见"的。

从那天起，她每天坐在门诊间里，总会有意无意地留神着门外的候诊室，有无闪过一个壮实的男人身影。虽说自她来到这所地段医院，他是第一次在她手下看病，但她相信，有了这第一次，就会有第二次、第三次……他和她之间，肯定会发生些什么的。

她的心开始不安地颤动了，不同于初恋那种大气不敢透的怯怯的颤抖，而是一种因棋逢对手而得意兴奋的颤抖。

果然发生了"什么"了。

一个星期后，他出现了。带着一股隐隐的"力士"香皂味。

再过一个礼拜，他又出现了。

"看病看得真勤呀！"她开始揶揄他了。

"看次病，捞点药，比如调上一级工资。阿拉工资低，没别的办法。"他说着俏皮话，但他的语气分明在向她表示：他才不在乎那几十块工资呢。可不是，他手腕上那块漂亮的超薄型雷达表，身上那迎合国际最新潮流的小领子"阿罗"① 衬衫，都足以说明他属于上海滩上位数并不太少的、不靠薪水而可以过得很阔绰的幸运儿。

终于有一天，当她像老朋友般向他打着招呼："怎么，又来了！你吃药是像盐炒豆那样一把一把地吃的吗？"

他却环顾一下四周，然后轻声地但是直言不讳："我们除了门诊间，还有哪儿能见面？"

他单刀直入的问话却让她手足无措了。他却不管："今天晚上七点在上海音乐厅门口等你。"完了把票往她桌上一放就走了。

---

① "阿罗"："ARROW"，美国名牌衬衣。

他怎么一点也没顾虑到，假如她回绝了呢？假如她动怒了呢？甚至，假如她已结婚了呢？不过，他是吃准她不会回绝也不会生气的。就这样，他一步一步，迅速而且满有把握地向她进攻。

就是从那天起，她第一次把乜唯平和"丈夫"这个字眼联想起来。她当然也考虑过，他四十来岁了，既有好的工作又有好的经济条件——虽说他从没向她夸耀过自己的经济状况，但蓓沁是聪明的，从他的住址，从他的举止气质，她估计得到。但她唯独没估计到，他是有家室的。她一上来就捏定他是单身的，因为，他一直没有遇见过像她沈蓓沁那样的女人嘛！上帝是为了她才创造他的！她呀，真正是聪明一世，糊涂一时！

说良心话，他并没隐瞒，从一开始单独会面时，他就坦白告诉她了。

那是从音乐厅出来后，在凯歌咖啡室楼上，一个吸壁的雅座里。他很在行地执行着 Lady First① 的规定：体贴殷勤地给她斟咖啡，递牛奶罐，同时，也就把这些惯常是很难启口的话题，搅拌在牛奶、咖啡和方糖罐里一块儿送给她——

"这儿的小壶咖啡向来算煮得好的。我常爱一个人叫上一杯在这儿泡着，为此，我 wife 老跟我吵架……"他的开场白是这样的漫不经心！

wife！蓓沁心口一颤。怎么她就从来没想过，他有 wife！

"现在，我 wife 带着儿子去美国了，去了两年了。你喝咖啡喜欢加牛奶吗？稍微来一点吧……我 wife 是英语专业毕业的，去了那儿如鱼得水，我这是'臂'长莫及，管不了呢！将来，谁知她怎样！"

他极其聪明地用 wife 替代使她难堪的"爱人"或"妻子"之类的称呼。听他这话，似乎 wife 和他，有可能分手了，所以他就看上她蓓沁了。他 wife 是大学生，看来，长得一定也不错，有可能胜过她蓓沁吧？不过，年龄一定会比她大，女人，一上了年纪，总是……

"这儿的栗子蛋糕是特色点心，再吃一点呀，别怕发胖，我喜欢女人要丰满一点的……"

---

① Lady First："女性第一"，西方礼节，照顾女性的意思。

唉，就这样，因为夹带着牛奶、咖啡和蛋糕，使她把一些问题看得太简单太透明，以至使自己毫无准备地，或者是早有准备，只是心甘情愿地陷入她目前这种不尴不尬的处境之中！

"她带着孩子走了，你不寂寞吗？"她本想用打趣的口吻来试探一下他与 wife 之间的感情深度，但说出口后，发现自己紧张得嗓音都有点嘶哑了。"这儿的咖啡确实不错，请再给我加点热的，要牛奶！"该死，她也学会用这来掩饰自己的不安，冲淡一下严肃的话题了。他与她之间互相都在掩饰，掩饰什么呢？她不敢往下想。

他盯着自己燃着的烟头，随即哈哈一笑，用手抬了抬她的下巴颏："有你，我就不寂寞了！"这本来是个很轻浮的动作，但因为他的气派和身价，在蓓沁看来，这一着更显出他的洒脱和幽默感，正说明他挺宠着她呢！

她想过她应该马上离开这儿，结束这一段刚刚开始的浪漫史。但他的一套坐落在茂名路上的小公寓，他的与他分居有两年，而且听着是很有芥蒂的 wife，他口袋里厚厚一叠叠侨汇券和外币券……或许她当时并没想得那样露骨，但这一切也确确实实是她迟疑不定的理由，反正，她没有走开。

至今，三个多月过去了，他甚至已经吻过她了。那是在一个晚上，在她家附近一条僻静的马路上，在一辆大卡车的背后。生性高傲的蓓沁，是最看不得那些夜半躲在汽车后、暗角里喁喁私语和拥抱接吻的情侣们的。岂料一天自己也会参与这样的行列！当乜唯平用他强有力的臂膀把她拥到那辆大卡车后时，她连推却一下都没来得及，那是一个长长的撩拨得她耳热心跳的吻。完了，他微微喘着气，拍拍她脸颊说："我真喜欢你！下礼拜见！"就走了。

那晚，蓓沁躲在被窝里哭了！吻了她以后还不说"爱"，而只说"喜欢"，是为了回避确定与她的关系吗？是为了逃避一旦那关系确定下来后，他与她必须承担的义务吗？在与她交往中，他从来不提"将来"，只有"明天"，最远是"下礼拜"！

本来，蓓沁是不大介意这种不谈"将来"的恋爱的，不过现在，她三十五了，玩不起爱情游戏了！虽说，她并不为那难听的"老姑娘"烦恼，但并不是很容易能碰上乜唯平这样一个，可以很轻松地供养一个像她这样很能花费的妻子的男人的。

用如此冷静的态度来分析自己的爱情，这实在有点令她心寒，不过，那爱得如痴如醉的年华，在她，已是过去了！

蓓沁是多么喜欢大宾馆那种富丽堂皇的气氛！当路人都用一种可畏的眼色打量着那两扇装着玻璃的感应门时，她就在众目睽睽之下坦然地挽着乜唯平在门前一站，高傲地注视着那扇缓缓为她启动的大门！一切委屈和自责不安，在这大门向她敞开时也随之消失了，她一心只想着如何在舞厅中抓住众人的注意，做全场的中心……她太喜欢这种高贵的场合了！妈妈说的对，她天生是一个享受这一切的夫人，和妈妈一样！只是妈妈不幸丧失了机会，而她，可不能让自己错过机会！

十一楼收外币券的舞厅，乐队正在演奏那首著名的《你今晚寂寞吗？》。乜唯平洋洋得意地把她拥入舞池。渐渐地，她只是原地象征性地挪动着步子，而他的右手却开始轻轻地从她腰部往上移，随后一揽，她的上身就埋在他的怀里了。

"这儿好玩吗？明天再带你来玩！"他咬着舌头，像哄孩子般地在她耳边说。

忧郁、哀怨的旋律，让蓓沁心里充满一种空寂感；永远只限于"明天"！

……
你今晚寂寞吗？我不在了——
你思念我吗？

独奏小号在多情地倾诉着。蓓沁疲乏地闭上双眼，柔顺地把头埋在他怀里；以后怎么样，明天再看吧，要紧的是……现在！

三

星期天，沈家这女儿国的城门上，照样"铁将军"把门。蓓沁一早不知去向。蓓菁的厂休不是正礼拜。一大早，沈家姆妈就拖着蓓琼，再拉上吴老太，上南京路去替蓓琼置嫁妆了。沈家攀唐家，这门亲事是高攀了，因此女儿的嫁妆，也要拿得出，不能让人看不起的。

吴老太在一大堆呢绒绸缎中显得神采奕奕，不可一世，权威性地评价着各种料子的好次。沈家姆妈可是在细细地审视、平衡着各种料子的质地、陈色，还有更重要的，是它们的标价。

她一手捏到一块织锦缎，看看花色、价格都相当，回头想拉上蓓琼比划一番，才发现她不知钻哪儿去了。不怪为娘的偏心，蓓琼这孩子，就这样不知趣，这是她自己的事呀，倒好像一点都不放在心上！

蓓琼正站在布店门口吹凉风。店堂里又挤又闷，她还得不时被吴老太和妈妈唤来拖去的，把各式各样的料子往她身上搭，好像她是橱窗里的木头人似的，弄得她都要哭出来了。

蓓琼是不足月生的，因此，身量是三姐妹中最娇小的一个。排行老二，本就是一个两头不讨好的座次，为着她既没大姐漂亮，又没小妹机灵，在家里，自然更是不得宠了。

因为是中学教师，再加上她天性不爱打扮，她的服饰自然最普通不过的；不过，那种早没人穿的中式棉袄罩衫，穿在她娇小玲珑的身上，似别有一番风韵，再加上那斜挎在肩上的黑皮背包，令她看上去就像个斯文用功、安分守己的中学生。

"蓓琼，"一个很威武的小伙在她跟前站定，操着一口纯正普通话对她说，"在这儿傻愣着干吗？十点钟在俱乐部有文化茶座，请了你崇拜的女作家绿茵等好几个人呢。"这是她夜大的同学小雷。

每逢见到小雷，她总有点不自在，她也讲不出这是为什么。

"不行，我……现在没有空。"她红着脸回答。

"你的毕业论文不就是写的她的作品吗？"小雷瞅了一眼人头攒动的布店店堂，又不解地瞅一眼蓓琼，"你在等着买什么？"蓓琼脸更红了。

小雷笑了。他在部队文工团待过，这使他的举止很有点军人风度。他像原谅一个贪玩的小妹妹样拍拍她肩头："算了，算了，我不为难你。女人嘛，做漂亮衣服总是第一要紧的。"

蓓琼更是连后脖颈都涨红了。她开始明白了自己为何看见他要不安；就因为他老用一种"特别"的眼神和态度对待她，用大姐的话，就是对她有点"困勿醒"。可问题在于随着婚期的迫近，她越来越不能坦然地接受他这一切，否则，这似乎就是欺骗，罪恶……

"哟，你这位小姐，原来笃定在这里吹牛，找得你好苦呢！"妈妈突然出现在她和小雷的当中，同时警惕地注视了下小雷，又以高八度的嗓门说，"真正皇帝不急急煞太监！眼看春节要做新娘了！……"

小雷抱歉地笑了笑，连忙走了。蓓琼发现泪水正在自己眼眶里打转了！

"要么，再去淮海路看看！"妈妈征询着吴老太的意见。

蓓琼看了下表：十点差一刻。"你们去吧，我不去了，我另外有事。"

"你又有啥事？难得今天礼拜，回去帮我把你那几条被子翻一下，还有，裁缝那儿也该去量尺寸了！"看在女儿婆家的脸上，沈家姆妈硬是按着直往上冒的火气，连哄带劝地对她说。

蓓琼一如既往，垂着眼皮随母亲唠叨着，完了依旧固执地重复着："你们去吧，我不去了。"随即转身走了。她得去参加那个文化茶座，她要去见见那位她崇仰的女作家，她得用心写好这篇毕业论文。一旦她成家以后，这样的自由，就更少了！她不知道别的女孩子在婚前是怎么想的，反正她现在，憋得真想哭！小说中、电影里的婚礼，是和百合花、白纱礼服及忐忑不安的带甜味的焦虑在一起的，可没料到，它竟是这样实在：被子、织锦缎棉袄，和其他男性的疏远……

她扭身擅自穿过人丛走了。

"看，我那木头老二！"妈妈无可奈何地摇摇头。

"蛮不错了，这样的一个女婿给你觅来了！"吴老太说。

"女婿是不错的，不过……"沈家姆妈心里隐隐涌上一股不安；唯有把女儿塞进花轿，这事才算着落！

待沈家姆妈精疲力竭地回到美乐村后，发现后门信箱里有封信。信封上写着"试投美乐村6号，田映薇女士亲启"。沈家姆妈心头不由一颤；自婚后，人人都称她为沈太太，现在，又变成沈家姆妈了，很少有人再称她做姑娘时的芳名了。那几个字迹歪歪斜斜，似曾相识，捏捏里面，硬硬的，好像是照片之类……蓦地，她脑子里闪电般掠过几位年轻先生的叠影……谁不是打姑娘时过来的？即使命运不济，让当年的窈窕少女田映薇变成个不争气的、整日价围着饭单在厨房转的沈家姆妈，可她，还是有意无意地期待着、盼望着，在她那可能不再会发出光彩的"灰老太"生活中，出现一点奇迹！

她掩上房门，很庆幸蓓琼没有和她在一起。

呵，一张漂亮的烫金请帖；只是不是王子发的舞会请帖，而是她原属的那级中西同学联谊会发的，她与那帮老同学早没来往了，岂料她们并未忘掉她！请柬后面又加了一行钢笔字，是主持者金昆锦，也是一位老同学写的：亲爱的Miss Sweet，一定要来，等你呢！

呵，Miss Sweet！糖小姐！她都忘了自己曾有过一个如此迷人的雅号了！

中学时代的田映薇，聪明又迷人，而五十八年来，田映薇生活的顶峰，她的全部光彩，也就集中在中西求学的这一段里。

田家算不上豪富，但父亲开着五爿米行，也算财大气粗，就是名声粗俗一点。啥好东西她没见识过？啥大场面她映薇没经历过？无奈父亲毕竟是个没文化的粗人，高中毕业后就再也不供她深造了，认为有张中西的毕业文凭垫她的嫁妆箱，是很可以的了。这话其实也不假，映薇漂亮，又有如此好的程度，做媒的都快踏穿田家的门槛了，其中不乏李家、唐家、席家这样的上海滩上屈指可数的大户呢——眼下时兴如此的漂亮又懂洋文的少奶奶呀！

她要一辈子诅咒她父亲和那几个自私的兄弟，为了怕攀上大户陪嫁太花钱，他们径自回掉好几份大户的提亲，独独挑了现在这个不中用的沈先生！还哄她说，那些大户人家好不过三代，不如像沈先生那样的圣约翰大学毕业生，又捧上一只保险公司的银饭碗，年纪轻轻就当上"美乐"这种大企业的科长，将来准前途无量……真正是鬼话媒人，就此一锤头敲定，从此，当年可爱娇憨的"糖小姐"田映薇，就变成沈家姆妈了！

凭良心讲，她享过两年不到的少奶奶生活，且沈先生老家在宁波，上面无公婆，左右无小姑，那段日子，就整日和吴太太打打麻将，看看橱窗，开开派对，也算享了阵福。岂料世界会整个变了样！那些个大人家的，靠着定息，倒是非但不会破产败落，反而过得惬惬意意，比如金昆锦这样的阔太太。而独独苦了她沈家姆妈！"美乐"合营后，沈先生工资大大地革了一截，后来又被弄到东北去，一家人家分两地开支，而沈家这种人家，又是既要场面又要人情的……三十几年来，这个家，就她咬着牙关在挑呀！

人是逼出来的。当映薇不得不悄悄变卖点陪嫁首饰来维持这个家的门面时，当年手帕也不洗一块的糖小姐，毅然回掉保姆，自己扎上饭单，出现在锅台边了！然而对她的三位千金，特别是老大蓓沁，她则像只老母鸡样尽力护着她们，竭尽全力让她们像小公主般生活。她的三位千金，是"美乐村"公认的小美人。女儿们是她的寄托、希望！她们将来要远远嫁离"美乐村"，要到席家、荣家那种好人家去做媳妇，夺回她自己当年失去的一切！……

"啪!"一滴大大的泪珠落在烫金的请柬上,像怕火烙一样,她忙忙把请柬往抽斗里一扔,决定再也不想这事了;过去的就让它过去吧,谁也逃不过一个"命"字!她从大橱里掏出一包快完工的毛线活计;这是一斤半新买的花灰全毛细绒线,给小唐打的。将来的新女婿嘛,丈母娘多多少少得给点见面礼,这种老规矩,对向来要面子又好逞强的沈家姆妈,打死她,也破不了的。只是送小唐见面礼也实在是件难事,他什么都不缺呀,他有的是钱!于是费了一番心思,映薇才动着这个脑筋——给他打一件花色别致、做工不亚于冯秋萍①女士的毛衣。

和煦的冬日,透过两扇落地窗玻璃洒满了大半间房间,屋里暖洋洋的。这个女儿国的国都,地板蜡打得锃亮光洁,不成套的家具拭擦得一尘不染,一切都是井井有条的。再点缀着几盆吊兰、天竺之类,整个房间给人一种温暖、舒服的感觉。映薇可是费煞心思来布置这个"家"的。既然她没能力让家里达到"讲究"的水准,那么"舒适"总要想办法达到!

在阳光底下暖着,沈家姆妈自觉额头有点细汗蒙蒙了。看着这好太阳,她想起该给女儿们把被子晒一晒。她放下手中活计,一一把几床被子都捧到阳台的石栏杆上去拍松晒着。

这时,她发现隔壁的悦华新村弄堂里,停着一辆卡车,上面是淡绿色的东芝牌冰箱,全套元宝式沙发,还有钢琴……这种景象近年来也不少见。隔壁悦华新村都是独幢花园洋房,住着不少大户头,为此在"文革"中……

美乐村也多少沾了点光;与屋里藏着大把黄金美钞的大户头相比,美乐村那些薪水阶层简直是清汤寡水了,因此红卫兵们都愿意光临到悦华新村去。不过最近,随着私房政策的落实,悦华新村搬回来的人真不算少。

"哟,叶师母,回来了,恭喜恭喜。"

---

① 冯秋萍:上海著名毛线编结家。

"你们下边的那一家走了？"

"快了快了！"

"回来啦？好的好的，现在弄点房子多紧张！"

四邻五舍都走出来道喜了。沈家姆妈有如被毛毛虫触了一下，马上缩进头颈，然后"砰"一声关上落地窗。她重新捡起沙发上的活计，但接连打错了几针，她终于又烦躁地搁下活计。

原来隔壁搬回来的不是别人，正是蓓沁从前硬给她这个做娘的掐断了的男朋友叶医生一家。叶医生最近很出风头，报上常常有报道他的消息，心脏病学权威嘛！早知今日，蓓沁也不会有一段时间那么消瘦萎靡，让做娘的心疼担心。而且，蓓沁要真就嫁在隔壁悦华新村，又近又有照应的，亲家公又是名医，自己有个啥病痛找找医生也方便不少！还是这句话，人会算命就好了！当初叶医生一家，被扫到几条马路外的汽车间里。汽车间里一只化粪池，每星期，粪车的橡皮管子要伸进去"笃笃"抽粪的。这种日子，蓓沁能吃得消吗？再说小叶正值六八届大学生，天南地北的将来被分去哪都不晓得，她做娘的能让蓓沁跟着他吗？而最最要紧的是，小叶不知怎样戴了一顶"反动学生"的帽子，那年头，谁吃得消这顶帽子？看着蓓沁像灌了迷魂汤样，竟要跟着叶家的儿子去大西北，她做娘的只能拿出做娘的威势来，硬是让她和小叶断了。岂知今日一切又变过来了？

唉，上头变来变过去的，就苦了沈家姆妈这样的平民小百姓呀！

房门上"笃笃"响了几下，吴老太踅进来了。

"呃，隔壁弄堂里叶医生一家搬回来了。"吴老太热心地向她传达。

"晓得了，刚才阳台上都看见了。"映薇淡淡地说。

吴老太很失望自己的新闻没有引起重视，就压低嗓门，搬出第二套新闻："呃，今朝下面张家大请客呢。请毛脚女婿呢！"

映薇仍没表示多大兴趣，她自己的女婿都没着落呢！再讲，张家这种"造反"队味道十足的人家，会找到什么好女婿！

"是香港女婿呢！"吴老太拉长了每个字。

"哦?"沈家姆妈果然停了手中的活计,"香港女婿",这对上海每个有未嫁女儿的女人,多多少少有点诱惑力的。

"他们不是向来自称代代红,层层清,没有海外关系,哪里就蹦出个香港女婿?"映薇开始小心翼翼地打听。

"觅来的嘛!这种人,会钻得很呢!"

"那香港女婿做啥工作?"映薇也弄不清,为何一下对那毫不相干的隔壁女婿如此来兴趣!

"他们说是坐写字间的,我看那照片上的模样,像是个打工的。"吴老太的回答很中映薇的意。

"这工夫,张家老头去宾馆接他了。他们小妹,可是一跤跌到青云里了!"

"哼,这种打工仔,在香港也让人看不起的。我的女儿,是不会嫁给打工仔的。"映薇自己都听出话里那"狐狸吃不上葡萄,反怨葡萄酸"的味了,她为自己竟会嫉妒一个她平时不屑正眼扫一下的人而生自己的气。

真是说着曹操,曹操就到,只听后门一声汽车刹车声,接下来就是张家男人的大嗓门:"喏,介绍介绍,这位是十四号里的外婆,八号里的刘家姆妈……小妹的男朋友,香港来的梁……先生……"

沈家姆妈和吴家好婆躲在后窗里窥视,只见张家男人拎满了大包小包的印有"惠康"超级市场的提包,满面春风地扶着那香港人,倒好像他自己是女婿,对方才是泰山丈人似的。

"哼,看这香港人这身蹩脚西装,肯定是地摊上淘来的。我看这香港人一点噱头也没有,一个月挣一千多就算了不起了!"沈家姆妈细细地打量了半天,最后下结论道。

这时,张家女人带着女儿和几个儿子也迎出来,从汽车后座拎出一只印有"四喇叭"图样的纸盒,随后,又搬出一只估计是装着电视机的大纸盒。

"卖女儿!"映薇忿忿然离开窗户,表示再无兴趣了。她回到沙发上,重又拿起了活计。

"呃，刚才哪儿来的信?"吴家好婆就爱管个闲账。

"中西的同学会发来的帖子，我不去，再讲，也实在没有空。"映薇做出漠然的神情说。说真的，有啥去头?毕业四十年，她是 housewife(家庭妇女)一个，挤在里面一点味道也没有。

吴家好婆却不以为然，连连骂沈家姆妈聪明一世，糊涂一时:"我的沈家姆妈，要是你，这份老同学的路子，老早就要去走走了。'中西'出来的，不都是些大人家的太太吗?且不说她们自己的儿子们，就是她们自己常常走动的，也必是好人家的圈子，你还有两个没有主的女儿，就不知道替她们留心留心……"

几句话，说得映薇心里透亮透亮。说真的，她的三位千金，老大漂亮摩登，老二温文娴静，老三活泼开朗，真是各有千秋。做妈妈的，实在得替她们亮亮相，做做广告呢!唉，为了那三个女儿，她白头发都添了不少呢!

她正欲细细地与吴老太商量核计一番，吴老太却忙忙起身要下厨房去帮张家忙了。映薇很为她此刻不与自己站在同一条战壕而生气。想不到一个"香港女婿"这样一个小小的砝码，竟有那么大的分量!

屋里重又只剩下沈家姆妈一人。她再也无心做活计了，细细品味着吴老太那番劝导，她越品越觉得有理，她早就该为女儿们而去老同学堆里走动走动了。主意一定，她就开始盘算着自己那天的服饰穿着了。

四

午休时间到了，蓓菁拿着饭碗顺着人流往食堂走去，听见有人在唤她的名字。一个晒得黝黑的、健康的高个男人，在人丛中高兴地直对她点头，快乐地向她挤来。

"你回来了，简雄！"蓓菁由于意外的高兴而蹦了起来，"走，吃饭去。"

"就拿那食堂的大锅饭来请我呀？出差这两个礼拜，肚里的油水都刮光了！"简雄像个兄长般拍拍她的头，其实他只比她大一岁，因为没有大学文凭，虽则干着和蓓菁一样的工种，却还没取得职称。

"那好，请你吃西餐去吧！"蓓菁欣然地说，同时豪爽地甩一下手臂。她总是竭力在简雄面前摆出一副巾帼女子的气概，以示自己与他完全是一种纯粹同志式的交往。

"怎么你来请客？你是女人呀！"他不出声地朝她笑了笑。

"那我就不去。"她嘟着嘴唇，撒着娇，摇晃着身子。连她自己都感到不可理解，她越来越感到巾帼女子难扮演了。似乎与她作对，他正在用一种越来越强的男子气来压她这股"假小子"气，使她在他跟前变得温柔了，娇小了，无助了……

"别要小孩子气了。"他大哥哥般伸手在她头上拍了拍，惊得她忙四顾一下有无人在注意他这一举动。他耸了耸肩上沉甸甸的背包——他从火车站上直奔厂里！向她偏了偏头，那意思就是——开步走吧！

离厂部不远就是一家新开设的知青办的西餐馆。小小的店堂里挂着几幅油画，临街的橱窗上吊着白窗纱，还播着悠扬的乐曲，倒也显得别有情趣。

简雄笨拙地使用着刀叉，那锃亮的轻巧的镍制刀叉几乎埋没在他那双宽大的、关节上兴着一簇簇很浓的汗毛的极有男性感的手掌中，典型的男人的手掌！他正在香喷喷地品尝着一盆汉堡牛肉。

蓓菁手托着下巴隔着桌子看着他，看一个好胃口的男人进餐，会加倍感到自己是个懦弱的、需要帮助的女人。使她高兴的是，坐在她对面这位好胃口的男人，随时准备帮她的忙。这点，她是确信无疑的。

他直接把刀送进嘴里了。这要让大姐看到准会视为不登大雅之堂的，不过，蓓菁可不在乎。男人过于捏手捏脚的注重礼节，反而有股酸味，不像男人！看二姐那小唐就是。

"做啥直盯着我看？看我那一副馋相吗？"他放下刀叉，把一对大手平放在白桌布上问。她注意到，那双手虽然大，却是指甲修得干干净净，典型的文化人的手。

"东北怎样？这样的季节，雪下得很大了，就像贺年片上画的那样？……"她用一种可爱的、毫不做作的小孩子口吻发问。

二十八岁对女人来说，是一个不小的年龄了，但衡量一个女性的年龄，又往往不仅是凭她在世上度过了几个年头来决定的。二十八岁的蓓菁，由于是家中最小的，也由于是活泼好动而处处讨人喜欢的，或许也由于她在东北林区里度过一段时光，那种山林特有的泥土和空气，赋予她一种隽永的单纯和真挚，使二十八岁的蓓菁，处处显得像个不谙世事的小姑娘。令人见着她时，由不得不想着去保护她，帮助她。

简雄就是怀着这样的柔情，从兜里掏出一块巧克力——民航班机上发的——递给蓓菁。

"雪很大，可绝不像拜年片上那样富有诗意！我这次去了我插队的地方……"简雄在东北插过几年队，为此，他俩就特别谈得拢。

"我去找了那个人……记得吗？我告诉过你，为了早日调回上海，我连骗带无赖，逼着管这事的把别人的名字划去，填上我的……可惜，我没记全那被我挤掉的那个上海人的名字，这次没找到……假如现在，他依然因为我，而还留在那个山沟沟里，我会痛苦一辈子的！……"

"不，不会的。不少上海知青都回来了，除非已成家的……"她急急地劝阻他。

他苦笑了一下，摸出一支烟点上。

"你抽烟了？"

"回知青点时，老乡们热情地你一支我一支地敬烟，就这么上了瘾。你不喜欢我抽烟？"他悠悠地吐了一串烟，双眼在茫茫的烟雾中略略眯缝起来，仿佛疲倦透顶似的，嘴角边出现了两条浅浅的纹路，这可是新添的，是为了那好久以前让他挤下来的那个不相识的上海知青吗？蓓菁只感到心尖头一阵颤抖，带着一股无可抑制的柔情！

看着她一筹莫展地对着剥开了糖纸的巧克力，为他难受地蹙着双眉，他笑了："吃吧，快吃吧！看，高高兴兴来吃饭，我却败了你的兴。兴许是我自找烦恼，那个人早也回上海了，说不准也正在和一个漂亮的姑娘在一起进餐呢！"

"对，对！"她连连点头，并且咬了一口巧克力。她愿意对一切持一种美好的祝愿。

"蓓菁，你真善良！"

"……"她嚼着巧克力，茫然地盯着他。

他又笑了。

待他们走到店门口，才发现事情糟透了：当街的一个灭火水龙头坏了，直往外喷水，整整半条马路，都成为一片汪洋大海了。

蓓菁开始心疼自己脚上的一双新皮鞋了："都是你，看，我这双皮鞋算完了！"

"没问题！"简雄挽起裤管。

"我不！"蓓菁像小孩子样把双手藏在背后。

"听话！上班要迟到了。"他说。

"那你呢？你不也要浸湿了吗?"

他呵呵笑了，"我是男人啊!"

蓓菁顺从地伏在他肩上，一边不好意思地解释着："我挺重呢，要一百多斤呢!"

"还没命地吃巧克力。"他回过头说。

隔着他厚厚的毛衣，她感觉到了他坚实的肌肉，还清清楚楚看到他那绽着粗壮的青筋的结实的颈脖。她吃力地抬着自己的上身，尽量不让自己的胸脯贴着他的脊背。

"我是男人啊!"

听他说得多自豪，多自信! 关于"怎样才算男人"，她和大姐讨论过多次(二姐是老封建，从来不"男人男人"的提在口上)，现在她发现，决定男人气的关键不在于身高和肌肉，更不在于胡子和对女人的"奉承功夫"，而在于他的思索，经历，还有，他的肩头是否结实!

蓓菁发现对马路有几个本厂的女工正在蹓跶，急得直捶着简雄的结实的肩头："放下我，快放下我!"

简雄没理会她，直到蹚过水塘才放下她。

五

华西中学语文教研组内。

因为是午休时间，整幢教学大楼是最安静的时刻。办公室里，男教师们在一边下棋打牌，女教师们则聚在一起数落着自己的婆婆。而蓓琼，正在抓紧这午休时间备课。下个星期有一次公开课，区教育局领导都要来听的。为此，她得早早地准备。

办公桌上堆满了笔记本和书，蓓琼揉揉有点酸疼的双眼，又一次想起小雷。只要她开口，无论什么参考资料，包括他自己的心得体会，都会在最短的时间内整理好送来，可是自从那回，妈妈当着他的面提及她的婚事后，她就再也不差使他了。

"蓓琼，不休息一会?"别的女教师好心地招呼她。

"你自己多事。这种吃力不讨好的公开教育，你去揽这生意做啥?"还有位女教师，边绷着毛线边数落她。

蓓琼温顺地笑了笑，并不为自己分辩，重又埋头在教案里。

她从来是个用功的学生，学生时代，她年年成绩优秀。有时，长她两级的蓓沁，在学习上都要求教于她。如果不是"文化革命"，她的意愿是做女博士! 后来在农场中听说大学恢复招考了，她连着开夜车，毕竟因为功课荒废了好几年，以三分之差没入高等学校，被中等师范录取了，由于成绩优良，毕业后分到中学教初中。

教师这个职业，更取决于教师本人是否有孜孜不倦的上进心。四十五分钟一堂课，是很容易打发的。长年累月的，教材是不大改变的，一本教案可以连着几学期也能对付。只是，教师自身也会因此而变得拖拖沓沓，庸碌无才，不求上进，犹如此刻几个正在使劲地数落婆婆的女教师们：一个在嗑葵瓜子，一个男人般地架起二郎腿在绕毛线，另一个正在张着大嘴用小拇指剔着牙齿，还不住让人恶心地往地上乱"呸"。谁能想到，她们曾揣着大学本科的文凭呢！蓓琼真怕有一天，自己也会变成这样的俗女人！其实，就是妈妈、吴家好婆，包括楚楚动人的大姐，也都有那么一股让人不舒服的庸俗之气，只是表面上看着比她们文雅高尚点罢了。看大姐和妈妈对小唐那股殷勤样，她都为她们害臊！

唉，她真怕自己有一天也会变成一个如此庸俗、满脑子只有丈夫孩子的可笑女人！要避免如此，唯一的办法就是学习，用功，让自己有点内在的东西！为此，她毛遂自荐地接下了这次公开教学的任务，这样，她可以强迫自己多看点书，在教案上多下点苦功夫！

"沈蓓琼电话！"墙上的喇叭不识相地叫了起来，在同事们善意的笑声中，她极不情愿地中止了案头工作。

待她下楼去接电话，办公室里可议论开了：

"沈老师春节总归可以请我们吃糖了。听说男家条件好着呢，虹桥路上独幢的花园洋房！"

"挑到三十出头，不就等着这个！"也有人酸溜溜地说。

由于她们的毫不顾忌的大嗓门，蓓琼在走廊里都听得清清楚楚，那声音就像钢刺样直扎她的耳膜。是小唐打来的电话，上次，他挺诚恳地上"夜大"来接她，她也就不好意思再对他发脾气，暂时与他和解了，而对他的准备设摊营业，她还是不能同意。要让那帮多事的女同事们知道，她沈蓓琼的丈夫是做生意的，更不知会如何编派她呢！

"回来啦？晃了三个多星期，晃出点啥名堂？"她希望娇生惯养的小唐经不住这旅途的颠簸，就此断了做生意的念头。

"赚了，赚了！"话筒那边，小唐的声音出人意料地兴奋，"我伯伯给我弄来一套扩印彩色相片的装置，我的生意可越做越活了，我这番还带来一张'和气生财'的横匾，准保财源滚滚，生意兴旺。"

听那口气！蓓琼忙不耐烦地打断他。她最讨厌那种生意人的腔调！在家里，凡讲述到某人的俗气和不顺眼，妈妈、爸爸，包括大姐都会不屑地一声"像个生意人"来表示蔑视！岂料自己，竟也找上这样一个开口发财、闭口钞票的"生意人"！

"你就只知道发财！"她嗔怒地说。

"笑话，哪个办事业的不想发财？看人家步鑫生，真正是个人物……"他说。

天呀，听他提步鑫生的那语气！自然，作为个新闻人物，她佩服步鑫生的能干，但……对自己的未婚夫，她宁可他崇仰普希金、居里，或者杨振宁、李政道！……

"你又在生气了？蓓琼！不是每个人都是念书当知识分子的料子，我认为，唯有做生意，才能充分发挥我的长处……今晚来看看我，我们好好谈谈，不要再吵了，好吗？"电话那头，他诚恳地说，"我这会只剩二十分钟的时间，有一大堆事要做呢！就这样了！"他不及她回答，就"咔嚓"一下挂断了电话。往常，没听到她的表示已经不生气了的话，他总会像哄小孩般哄着她，直至她破涕为笑，只是这番……

小唐没有说错，自从他决定做生意后，就一改以往那种软弱多变的窝囊相，变得果断、自信和能干起来了。

回到办公室里，有几位就善意且又多事地向她打听了："沈老师，新房布置得差不多了？你福气真好，现今上海滩上，你找到的这份婆家，着实算是第一等了！"

"你头发也该去烫一烫了，快做新娘了！"

蓓琼好脾气地笑着，没有搭理大伙。这也是最让她犯忌的一着：大家都已一致公认她沈蓓琼快要结婚了……等一等，难道她果真有什么要求变动的打算吗？变动？唉，变动！要真能变动，要真能再重新选择？……蓓琼心里害怕地往下一沉，她算不算那种坏女人？她烦躁地打开笔记本备课，可却再也写不出一个字了。

快接近上课了，大楼里开始喧闹起来，一群扎红领巾的小不点儿们开始在办公室门缝里探头探脑，是蓓琼叫来准备给他们背书的。这群天真未泯的学生，把蓓琼从一种极端矛盾、痛苦又不能自拔的困境中解脱出来：有了工作，她就无暇顾及旁的了！

六

　　蓓沁一放下饭碗，就匆匆脱下白大褂，换上自己的便衣，今天下午是她法定的进修日，因此，满可以合法地早早离开医院。

　　她迈着悠然自得的步子，袅袅娜娜地走过长长的甬道，招来了早早地在候诊厅等着挂号的病人们的注目。

　　迎面走过一个神情倦怠的高个男医生，蓓沁矜持地对他点点头，继续高傲地迈着自己的步子。那位男医生没少追求过她，她差点答应跟他交往；那位医生当时长得很漂亮，在这所地段医院里，也算第一块美男子的牌子了。不过后来她与妈妈一商洽，妈妈坚决反对；一来当时知识分子大学生也不怎样吃香，二来这位大学生家里没底子，将来，这个小家庭是不会有任何外援的，这话让妈给说中了。看这位男医生后来也成家了，一切现代化的设施——还不包括眼下新时兴的空调和彩电，听说也置齐了，可看他那眼色，就知道准是从嘴巴里抠下来的钱，这样的日子，蓓沁可是决不能过的。人不能寒酸，看那位男医生，这一下，当年的潇洒劲全没了！真没法想象，他当年还会一日一封求爱信写给蓓沁呢！

　　说实在话，凭五官来说，他长得比乜唯平帅，但乜唯平看着，就是比他有气势，有派头，还不就是因为相差那几个钱吗？一个要算着花，一个花着不算！

　　今天真是个好太阳，一走出医院大门，她的双眼就被晃眼的阳光刺得眯缝起来。不过，她的原先干脆利索的步子也迟疑下来了；如果奉公守法的话，她就得往左拐弯，搭二十一路公共汽车去中华医学会，可是……前天乜唯平挂了电话来，让她今天下午去他家，那她就得到对面马路去搭无轨电车……她的心不踏实地跳了。她再次瞧瞧对面那个车站，一辆崭新的巨龙车正在缓缓靠站，而且，车厢很空，还有座位……"二十一路车老是很挤的！"她很高兴找到这样一个去乜唯平家的借口。可待她毅然穿越马路，赶到对面车站时，那辆车又离站了。而二十一路车也缓缓驶过，车厢却也很空——它将在那边拐弯处靠站，开往中华医学会，如果她抓紧追几步，许能赶得上！

蓓沁从来没有这样举棋不定过。

从接到乜唯平邀她的电话起，她就一直这样不安，连昨晚都没有好好安眠。就因为他扔了个电话来，说得那样轻松："来我家坐坐吧！天越来越冷，老在外边晃，吃不消！"不过，蓓沁完全明白，一切远没有这样简单，如他所轻描淡写的那样……为此，她特地换了那种进口的、镶着薄薄花边的胸衣，及同样用花边贴出一个小巧玲珑的鸡心的丝质内裤！

又一辆车靠站了，她咬咬牙，跨了上去！

乜唯平住在茂名南路①上一套讲究的公寓里，就是蓓沁不止一次听妈妈描绘过的，那种带水汀和柚木护壁柜的，厨房墙铺着白瓷砖的老公寓。妈妈向往着住进这样一套公寓，可是那种公寓挺贵，解放前光顶费就要十几根条子②了，不是一般薪水阶层所能住进的。

"文革"后，乜唯平只占其中一间了。但那有专人打扫擦拭得干干净净的扶梯，那种厚实的柚木质门框，其气势是远远压过"美乐村"了。

乜唯平自己来开的门，像对待男性朋友那样对她打着"哈哈"，但不知是蓓沁自己太敏感还是怎的，在通往各房的过道上，一个白发老太——乜唯平的老保姆，正坐在厨房门口拣菜。她那鹰隼样锐利的目光，烙得蓓沁的背脊发烧。直到她走进乜唯平的房间，掩上了房门，她还是感到那目光穿透厚厚的房门，烙在她背上。

---

① 茂名南路：高级住宅区之一。
② 条子：黄金。

"别……别锁门!"看着乜唯平伸手扳下"司必灵"时,她失声叫了起来。

"怎么?"他缓缓转过身问她。

"让人家……让那老太婆看见,她会怎么想的……你……你把门虚掩着吧。"她完全慌乱了手脚,不打自供……糟透了!她的脸顿时烧得通红。

他笑了,既狡黠又充满对她的柔情。"这是我的家呀,我要怎么就可以怎么,管人家怎么想!而且,她吃我的饭。"他说着,"咔嗒"一下别上了"司必灵"。

她惴惴不安地在长沙发上坐下,双手平放在膝头上,安分得像女学生。

这是一间收拾得十分干净、布置得很艺术化的房间,让妈妈看见了,准保能打"OK"的。双人床抛空置放,盖着垂着长长的流苏的植绒床罩,一头床头柜上是一盏精致的车料台灯,台灯一边是乜唯平一张单身头像照,另一头床头柜上,则是一架奶黄色的电话。靠窗的书桌上,摆着一溜《托福》、《九百句》之类,一包启封的三五牌纸烟及烟碟、打火机……衣架上挂着男式晨衣,三面镜子的梳妆台上,散放着剃须膏之类男用的化妆品。一句话,一间挺有味的单身汉的卧室。蓓沁相信,她有能力把这里改变成一间舒适的、有味的居家之室!

"怎么,发什么呆?把大衣脱了吧!"乜唯平穿着时下流行的粗棒针毛衣,身子更显得结实魁梧。当他在沙发上挨着她坐下,蓓沁透过自己的衣服,感觉得到他那热烘烘的身子时,她的心慌乱地跳了起来。他伸出温暖的手握住她冰凉的手,这时,蓓沁发现他极迅速地瞟了一眼手腕上的表,这是说明,他得抓紧时间进攻了。否则,时间来不及了……可是,她该怎么办呢?虽说他已给了她一天多的时间作考虑,他总是想得很周到又不露声色。可她呢?除了想到换一套精致的内衣外,却什么也没考虑呀!

"小傻瓜,"他疼爱地拍拍她的脸颊,"别这么不自在,这里就是你的家。你难道一点也感觉不出来，我多么喜欢你!"

他没有用"爱"! 在这样的时刻都没有!

"……小傻瓜，"他嘟嘟哝哝地说着，像一头在太阳下晒得十分舒服哼哼叫着的猫，她发觉他已触到那颗用天蓝色的花边编织出来的小心形了，突然，像黑暗中划过一道明亮的流星，她记起一颗血红血红的，用有机玻璃雕出来的心形，她把乜唯平猛一推。

"你生气了?"乜唯平抬起她的下颌问。

她默默地摇摇头，然后主动投入他怀里，两颗又大又烫的泪珠无声地滚了下来……

她等了三十五年了。她寂寞! 她孤单呀!

七

已有好久，映薇没有如此着意地修饰化妆了。她先对着镜子细细审视一番自己，自忖自己皮肤还保养得很光滑、白皙，扑了粉，反而显得矫饰了，于是，就只薄薄地涂上一层营养霜，随后把眉笔抹在指尖上，再抹到眉际，使眉色瞧着更自然。她选用的唇膏，是肉色的珠光唇膏，这淡雅的颜色很适合她的风采和年龄。

三位千金在一边目不转睛地注视着。

"妈，你的化妆术，满可以写成书去投稿了，准保受欢迎，这也是艺术呀！"蓓琼手托着腮巴，钦佩地说。

"当你做新娘时，就不用上美容院了，让妈来替你打扮。"映薇用软纸轻轻拭掉唇边些微溢出的唇膏，说。蓓琼没吭一声。

"唔，"蓓菁却是长长地吐了口气，说，"怪不得该有张梳妆台，坐着慢慢地弄，看看整整半个小时！"她说着，扭开一个香水瓶往身上洒了几滴香水。

唯有蓓沁一言不发，十分默契地传递给妈妈睫毛夹、冷霜和唇膏之类，就像一位熟练的手术室护士。

映薇依旧用挑剔的目光，左顾右盼地审视着镜中的自己，随后自语着："这一身黑毛衣颜色好像太重一点了！"

话音未落，蓓沁即从梳妆台抽斗里拿出一只精致的糖盒，里面盛着她的各种各样的胸针、发夹，她的手在里面拨弄了一番，当她的手指触到一枚用红色有机玻璃雕出来的心形时，像被火烙了一样，她忙忙地挑出一片金叶形胸针，就"啪"一下合上那个糖盒子。

她把那片小小的金叶片，仔细地别在妈妈的黑毛衣领边，恰到好处地衬托出映薇高贵、娴静的风韵。映薇穿上流行的三角跟皮鞋，试着在房里走了几步。

"妈妈，你简直像个总统夫人！"蓓菁合掌由衷地说。

"不，像教授夫人！"蓓琼纠正着。在她心目中，总统的地位，都不及一位学者或教授！

"夫人，妈妈天生就是一位夫人。谁也不会想到你是我们美乐村出来的；就是隔壁悦华新村，也走不出妈妈你这样有风度的夫人呢！"蓓沁小心地在妈妈刚刚做好的头发上，别上一只发夹。

映薇脸上泛起一层苦笑；她姣好的身材，天生瘦削的二十二号半的脚码，高尚的审美观，似乎就是为着当一名夫人而生的，岂料最终，却成为一个扎着围裙的"沈家姆妈"！她也弄不清为何要如此慎重对待这次"同学会"，是为了向旧日宣布"我田映薇并没被厄运压垮"，还是为着向金昆锦之类的阔太太挑战："我虽则没发财，不过，活得好好的！"

门在映薇身后重重地关上，扶梯上响起一阵"笃笃"的酷似蓓沁的脚步声，三姐妹难得听到妈妈这样的脚步声，她们屏声静气地倾听着，直到后门"砰"一声关上。

"妈妈到底是赫赫有名的'中西'出来的。看，到了六十岁了，还腰板笔直、风姿楚楚呢！我到了妈妈那样的年纪，准保腰也弯了，背也驼了。"蓓菁第一个打破了寂静。

"妈妈'中西'毕业后不升大学深造，是一个大大的失策！"蓓琼惋惜地说。

蓓沁什么也没说。妈妈全是运气不济，假如她当初不嫁给爸爸，假如当初她果断一点，合家漂洋过海，假如……她蓓沁可得牢牢记住妈妈这个教训！

"大姐，"蓓琼翻开了晚报，忽然叫了一声，"医学院夜校部开始招生了，五年制，毕业后发给证书呢。你不去试试？"

"下了班再读书，太累人了。"蓓沁漫不经心地卷着头发说。

"可是，你们单位不是快定职称了吗？有了文凭，你起码可以定上医士。"蓓琼不解地说。

"我要职称做啥？"

"那是你的资格呀！"

"我的资格？"蓓沁对着穿衣镜前后摆动下身子，笑盈盈地对着镜子中的自己飞了个媚眼，疼爱地拍拍二妹头发说，"你真是个死心眼。你以为男人稀罕的就是那职称、资格、学历吗？告诉你，你就是读那短命的夜大学，读得小唐差点与你吹了！要我是你，就该先早早地拿到结婚证书，再笃悠悠去拿毕业证书！"

"你把我看成什么了！"蓓琼感到自己受了侮辱，"你不是不知道，当初我在农场里和小唐好时，他可是什么也没有……"

"正因为如此，你不能太笃定，得使法拴住小唐的心。注意，三十岁的女人已不出风头了，可三十岁的男人，正出风头呢！"蓓沁往脸上涂上一层厚厚的按摩霜，看着颇像京剧里的白鼻子。

"不过，大姐，要拴住男人的心，似乎不仅仅只靠外貌，女人总要老的……"一直在一边的蓓菁，对着两位情场上都有经验的姐姐，也怯怯地插嘴说。

"你山沟沟里来的，多听少讲！什么外貌内貌的，别傻搬书上的那套了。男人，我可比你懂得多了！好生跟我学着点吧！"大姐根本不愿搭理小妹妹，蓓菁只能委屈地点下头。或许，她根本没权利在这里插嘴；她什么也没经历过。

"要不要拴男人的心，我还得看看这颗心值不值得我花费精力去拴！"蓓琼说。

"你到今天还在三心二意！"大姐停止了按摩脸部，吃惊地看着二妹，"这种玩笑可开不得的，你三十出头了，人又不灵活，失了这门亲事可就失去了一个机会了！小唐做生意，这是阔少爷开店，眼开眼闭随他去就是了。到嘴的肥肉可不能让别人叼去！"

"别烦我了！"蓓琼呻吟般地叫了一声。她只感到内心果真像吞进一块肥肉一样的恶心！

"你自去清高吧！"蓓沁紧接着说，"而今都讲实惠，像你这样死捧文凭、书本的，吃不开了！"

"我不要吃得开，我只希望活得有劲一点。"

在一边看着两个姐姐动了真怒，蓓菁有点害怕了。原则上她倾向二姐，不过，她有自己的看法，她感到二姐对小唐的看法太偏执了，你可以爱他，但不能干涉他选择自己的事业。爱不意味着主宰！

为了缓和一下空气，蓓菁放上一盘录音带：美国歌星蓓蒂·佩杰的歌。"听听吧，简雄新给我录的。"一阵华尔兹的节拍在房里回荡。蓓沁不禁在房里转起了舞步，那是《我参加了你的婚礼》，一首充满依依惜情的乐曲：

……我参加了你的婚礼
带着一种失却你的忧伤……

"这是一位从前的男朋友唱给新娘听的！"蓓菁说。

"不，是一位做姑娘时的女朋友唱给新娘听的。"蓓琼纠正道。

"肯定是男朋友唱的，你听：你微笑着瞥了我一眼，可我懂得那是在说：再见了，我的幸福！"

蓓沁在这时却哑了场，她的英语只为了时髦才学了几句"OK"、"cheap looking"之类。不过下面一句歌词，她们仁都听懂了：

……告别了，梦，梦，梦，往昔的梦……

这时，她们一致同意，这一定是一首女伴唱给新娘听的歌，因为她们相信，唯有女孩子，才能如此微妙地体会一位新娘的心情。

"天呀，我一辈子也不要出嫁！"蓓菁说。

蓓琼听着，两滴大大的泪珠滚了下来。

蓓沁优雅地高高搁起修长的双腿，心绪早已飞到很久很久以前，当她还是一个扎着小辫子、胆怯羞涩的女孩子时，叶明琦，那位年轻的大学生，递给她一枚用红色有机玻璃雕出来的心形……

忧郁像无可奈何的歌声：

你的母亲在哭泣，你的父亲在哭泣，
我也在哭泣，
因为，我们正在失却你……

听，从此世界上，少了一个纯洁无瑕的姑娘，她正在慢慢地远离自己的亲人，走入成年的行列，含辛茹苦的母亲的行列……

这最后一句，惹得三姐妹都眼圈红红的。

八

这是一条像隔壁"悦华新村"一样气派挺大的弄堂。随着音乐门铃悦耳的一声"叮咚",圆圆滚滚的金昆锦一把搂住了映薇,同时,颇带忿然不平的口吻说:"映薇,你怎么一点也不见老!"

屋里的陈设,那种唯有独家居住才可能收拾得一尘不染的扶梯,放着五件一套沙发、铺地毯、设空调的客厅,让映薇感到一种"久违"的感觉。

客厅里已坐着几位早客,看光景,她们与女主人是常在走动的。映薇暗暗比较一下,觉得自己在气度上决不逊于她们,而且数得上是佼佼者,她自感轻松了一点。真是世事茫茫,细细掐指算来,当年的同班同学有五位故了:一位殁于难产,还有四位死于"文革"。半数以上的同学在海外定居,剩下的几位,就几乎全在这客厅里了。别小看这几位头发已花白的"老"太太,大都是英才呢:妇科名医、女律师、特级英语教师,就是那几位没有工作的,也都是像金昆锦那样的阔太太。只有田映薇,既没有值得自夸的职业,也没有有作为的丈夫!

果然,她最担心的事发生了:

"映薇,你先生是做啥工作的?"

"在人民银行里。"她嘴里含着点心,极困难地吐出这几个字。

"你呢?"

"housewife!"她眼泪差点要挂下来了。

"那'文化革命'中大约呒啥吧，职员嘛……"

"哪里，"映薇喉咙响了起来，"抄家抄得我吓煞，房子都只抄剩一间了!"听那口气，仿佛映薇一家从前住着多少房子似的。也不知怎么一来，从前一提到"抄家"，总是大事化小事，小事化无事；现在一提起当初"抄家"，反而都欢喜把三分说成十分，仿佛抄得越结棍越有脸面，越光荣。

"房子的事你笃定，"圆球般的金昆锦捧着一托盘咖啡进来，"市里有文件的，抄去的房子年底前全部要解决的。"

"这种事难说得很，"映薇故意讪讪地说，"房子收回去容易，还出来难呀!"

"你是私房还是公房?"是提醒还是试探? 反正有人问了。

"从前美乐公司的房子。"映薇认为，讲"美乐"公司的房子比讲公房好像有面子点。

不过好像别人并不理解她这份心思，一声惋惜的"哦，是公房!"可让映薇听了难受极了。

"房子，一定要住自己的房子……"金昆锦说这句话的语气，活像在说：夏天，一定要用凉席! 不过她确是一个福气人。从前考试前老哭丧着脸来找映薇帮她"开夜车"，人又长得铺盖卷这样一只，现在看看，倒是福气最好。

"金昆锦福气自然好，想想看，人都困在金子堆里了![1]"老同学也都开起她玩笑来，金昆锦得意地呵呵笑了。

这时，话题转到儿辈们身上了。在这群"中西"毕业生中，生女儿并不是一件坍台的事，再讲，映薇的三位千金都还很拿得出呢。映薇就亮出她随手携带的一张三姐妹合影，这是今年春天小唐在阳台上给她们照的一张彩色照。蓓沁居中，两手搂着两个妹妹，有点卖俏似的对着镜头眯缝起双眼。蓓琼则抿着嘴巴有点羞怯地笑着，或许因为照相的是自

---

[1] 金昆锦：上海方言与金困金谐音。

己的未婚夫吧。蓓菁的笑，则如闻其声，仿佛正在边笑边对着镜头说什么，嘴巴都有点模糊了。

果然，老同学们都齐口称赞这三个女孩子。

"有啥话讲，妈妈漂亮，女儿自然漂亮嘛。"金昆锦直爽地说。

亮出了女儿，自然要问到有无对象。映薇揣度了一下，觉得讲没有对象似乎有点太没面子；有对象了，又怕失去这里的机会，说不准这些老同学那里倒可以托托呢，于是就模棱两可地回答："老二，就是左边那个，倒是快了，还有两个女儿，还没最后敲定，再看看有无好的……"

"那老二找了个什么样的对象？"她们关心又好奇地打听。

映薇发现坐了这么久，终于到了可以夸耀的时候了，就故意用平平的声调说："虹桥路唐家的孙子。"

别人反应如何尚不清楚，金昆锦第一个就先嚷了起来，又羡慕又惊讶："哦，唐家！就是虹桥路上那家唐家呀？我的映薇，你这门女婿觅得好，唐家与我家有点亲戚关系，这家人家我晓得，钞票多得很呢！"

映薇不觉挺了挺脊背，在沙发上坐得更舒服点，依旧故作淡然地说："我哪去觅，自己寻上门来的。"

"女孩子长得漂亮，总有福气的。"众人都附和着。

金昆锦则叹了口气，开始诉起苦来："我家毛毛就是性子太急，蛮好晚几年结婚，凭我们现在的条件，还不是随着他挑。"毛毛是她的独生子。

"你的媳妇怎么啦？"同学们关心地问。

"和毛毛在一家工厂做工的。"金昆锦懊丧着脸说。

"现在有啥，做什么工种还不是一样！"映薇开始安慰她。她很喜欢安慰别人，这说明自己在某方面还是比对方强。

"你们不晓得，我媳妇娘家差极了，住在江北棚棚里哪！"金昆锦跺脚叹息着。

"这又奇了，又不用让你们毛毛一块儿住过去呀！"人们不解她为什么要把这看得如此严重。

"攀上这样一门满口'这块那块'①的亲家，上门的阿姨、娘舅没有一个是有模有样，端得上台面的，这叫我这张面子往哪搁？喏，下礼拜我先生六十大寿，按理唯一的亲家总要请一请的，但你们替我想想看，我倒是请还是不请？说到媳妇的腔调，我又是看不惯的。"说到自己的隐痛，金昆锦一屁股坐在沙发把手上，眼圈也红了，"我总共这么一个独养儿子呀！"

"算啦，当初你既然同意下这门亲事了，且孙女也有七岁了……"映薇继续劝慰她。

"谁人晓得这房子还会还，钞票还会还！谁还晓得，你还有这样三位漂亮的千金藏着？都怪我们一直不来往呀！"金昆锦哭丧着脸数说着。那最后一句，直说到映薇的心眼里去了！

她暗暗庆幸着，觉得这次同学联谊会，对她那两个尚无对象的女儿们来说，是一个福音！

她姿势文雅地抚着茶具，美美地品了一口咖啡，决定找个合适的时候，把三姐妹都带到金昆锦的客厅里来！

---

① "这块那块"：苏北方言。

九

虹桥路小唐家新发还的宅第内。

舒适漂亮的客厅里,小唐正在和他的几位合作者商谈开张之事。他瘦削的身子因为兴奋,也因为室内的电炉开得太热,虽则只穿着一件绒布格子衬衫,还是热汗淋淋。他扬着双臂,越说越带劲:"信誉第一,这是最最要紧的。顾客买的时候,无论人头怎样拥挤,也要让他们挑个够……上海滩上的人,现在袋袋里钞票不少,就想买点进口货,买个稀奇的,这于我们、于他们,都有好处。凡扩印彩卷的,整卷扩印的,就要给予优惠价……"

蓓琼坐在沙发一角,发现自己对小唐越来越陌生了。他与从前那股懒散的、打发了今天再说明天的拖沓样,判若两人。可惜,他把全部的精力都耗在这小本生意的经营上!要是他能这样对待学业,那该……

"那活动房子设在闹市,熟面孔多来西,怎么办?"一位合伙者面有难色地问。唉,就小唐那几个合伙者,蓓琼一看就来气!与夜校里的小雷等完全风格各异。看他们穿着那磨得光光的邋里邋遢的牛仔裤,一看就是没文化的、没修养的!

"那有啥,我们又不偷又不抢……"小唐干干脆脆地切断了他的话题。

"不,我的意思是,万一熟人跟我们讨价还价呢?"

"没门!"小唐吐出一句硬铮铮的北方话,"生意经上有句话:只有强送的货，没有嗄卖①的货。阿拉的生意，不是靠'嗄'来拉客人，是靠'嗲'②来拉客人！"

"你得了吧，"蓓琼不耐烦地起身倒了杯茶，说，"看你讲得来劲的，又不让你当推销员！"

"说不准以后还得兼当推销员呢。现在，你也得学着点，这就叫夫唱妇随嘛！"小唐如今，越来越不怕惹她生气了。

边上几个小姑娘，在一边吃吃地笑起来。小唐正色对她们说："你们小姑娘做生意，不要板起脸孔，就好像个个客人都想调戏你们似的！要做得不卑不亢，这一招，让蓓琼的大阿姐来教教你们。她倒是个现成的经纪人的老婆：漂亮，能干，活络又泼辣……"话出口，他才感到自己失言了。

蓓琼倒呒介事③；她惊叹自己连嫉妒的劲头都没有了。

客人们感到了他们间又不对劲了，知趣地告辞了。顿时，宽敞的屋里，只剩下他和她两人。为了打破沉默，小唐按了下录音机。

……

放开我，

让我自由，

让我再爱一次吧！

艾尔文斯的撕肝裂胆的歌声。

"记得在农场那阵，我也弄到过这盘录音带，只是，那时还是那种801型的转盘录音机。记得吗？每逢节假日，知道我是无家可归时，你就常常放弃回沪休息，陪着我。那时仿佛要求不高，一盘艾尔文斯的磁带，就可以使我们欣喜若狂了！"小唐点燃了一支烟，不胜惋惜地追忆着。

---

① "嗄卖"：上海方言，贱卖。
② "嗲"：上海方言，好的意思，但在这里形容女性小鸟依人。
③ "呒介事"：上海方言，不当回事，不在乎。

隔着淡淡的烟雾，蓓琼发现，小唐额上有了第一抹很清晰的皱纹，她以前最不满意的，就是小唐那过于娇嫩的前额。现在，这第一抹皱纹终于来了，却不是她所希望的！……

是的，从前，她的要求真不高；大田里干了一天活后，伴着小唐，默默无言地沿着田埂漫步，那时她相信，她愿意伴他走一辈子！那是一个只求生存，没有欲望，没有追求的年月呀！后来小唐先上调回沪了，他诚挚地向她保证：如果她终究调不回沪，他就重返农场与她结婚……再也不离开她！光这一点，就让她感动。

"后来你考上了学校，而我，还在戏院扯票根，你却一点不嫌弃我，依旧爱我，为此，我永远不会忘记……"如同脑电波的传递，小唐拉起她的手贴在自己唇边，絮声说。

这时，蓓琼在心理上突然涌起一阵反感，她把手抽了回来。感到自己和小唐，就像两个抽大麻的吸毒鬼，得靠那种致幻剂来兴奋自己的情绪，而他们的致幻剂，就是那没完没了的"过去"。但令人伤心的是今天，那"过去"，也已经不灵了，无法弥补今天他与她的分歧与隔阂。

"你妈妈催着我们先去办理登记。"小唐叭哒叭哒地扳着自己的手关节说，"要不……等我忙过这一阵，等我的店铺开张之后再说吧？杂七杂八的事太多，定了的活动房子还没来……"他不住地诉说着，仿佛为了怕她插嘴要说什么。

蓓琼什么也没说，只是机械地把手中的糖纸撕碎揉烂了。

他俩又是一阵缄默，只有艾尔文斯依旧在苦苦哀求着：

放开我，让我再爱一次吧……

蓓琼再也坐不下去了，披上大衣告辞了，逃一样地关上门！

十

乜唯平的房里，取暖器烧得很旺，蓓沁穿着一件紫茄色的环领毛衣，那苗条修长的颈部更显得楚楚动人，正熟稔地在忙碌着，俨然是一名能干的主妇。她整理乜唯平的书桌，不让房里断了鲜花，基本上已知道，什么家什搁在哪里，在她的钥匙圈里，多了一枚这里的大门钥匙。

她开始在电炉上煎荷包蛋，她不愿去那几户合用的厨房抛头露脸。

"你荷包蛋爱吃淌黄的还是老一点的?"问这句话本身就给她一种不可言喻的欢乐。说真的，只要不撞见老保姆那双锐利的双目，她是极愿意来这儿的，不一定为着与乜唯平温存一番，哪怕仅仅为他煮一壶咖啡，收拾下房间，她也高兴，这让她体会到一种当主妇的快乐!

玻璃窗上蒙上一层浓浓的雾气，说明外面的气温可低了，这种天气，待在暖暖的屋里啜着咖啡，聊聊天，那才美呢! 可是，蓓沁看看手腕上的表，便起身要穿大衣了。

"这就走了? 再等一下吧。"乜唯平真心诚意地挽留着她，家里没有女人，这个家还成为家吗?

"不。连着几天都太晚走，你们那李妈又得拿眼睛瞪我了，再说……"再说什么呢，她迟早得走，她不能在这儿过夜，因为，她不是这里的女主人呵!

她像贼一样踮着脚轻轻走过过道，正在庆幸这回没碰到那老保姆，不料却在二楼拐角处遇见她拎着个垃圾畚箕上楼。她极尴尬地朝她笑了笑，她则漠然地看看她，然后，蓓沁在自己身后听见一声清晰的表示轻蔑的"哼"。按理，她是不能容忍一个保姆瞧不起她的，但是，既然她自身陷于这样一个尴尬的地位和处境……

走出门洞，她即刻发现，四周已是一片郁闷漆黑的寒意了，她感到全身都沉浸在毫无暖意的冰冷之中。真的，这样的天气，该待在家里，守着自己的丈夫和孩子，可她，却不得不孤身一人忍受着这难捱的寒意，在寂无一人的街面上踯躅，这意念如同一个闪电掠过她的脑膜，使她全身一阵颤抖，她抬眼望了下那个临街的窗，垂下的窗帘缝隙里闪着一丝柔光，那正是他的窗口，可是，为什么他依然闭口不谈"将来……"呢？刚才，他送她到门口时，只是说了句："明天再来吗？后天来？……"

蓓沁把半个脸面掩在翻起的大衣领里，任凭寒风吹舞自己的头发。她无法解释自己这几个月来所做的一切一切，不过，有一点她承认的，不管她以前自己如何矢口否认，她这是在企求爱情，一点点爱情，哪怕是偷来的，哪怕明知有点虚伪……

她若有所思地迈着步子，眼睛却下意识地在沿街橱窗上溜扫着，一双细脚伶仃的高跟鞋吸引住了她，她不由停住脚开始细细端详它，她的一些悦目的衣料、手套、皮包……都是在这样漫不经心的浏览中觅来的。

但是，她发现，在橱窗玻璃的映影里，有个男人在死死盯着她看，猛一回头，她呆了。

"看着就像你，你一点也没改变，还是那样年轻……"

哦，是他！叶名琦！自那年他硬被妈妈锁在房里无法与他道别算起，他们已有十二年没见面了！他穿着一件到处钻出白白的尼龙棉絮的风雪衫，一双翻皮的大头皮鞋，一只外地人喜欢背的两用包，风尘仆仆，好像刚下火车的模样。

"看我，活脱一副西北佬的模样了。不过，那是因为我刚出差回来，出差，是弄不整洁的……"他急急地解释着，就像好久好久以前，他匆匆从学校逃出来约会，有时因为正好在劳动，常带着一身的尘土，这时，他就会结结巴巴地向她解释着。

她激动得什么也说不出来。多少年来，她一直以为自己早已把他从记忆中抹掉了，岂料一见到他，满腔的抱怨、委屈、眷恋，一股脑儿都从心底冒出来，好像专等着他来向他诉说。

"我给你的信都收到了吗？为什么不给我回信？"她愤怒地问他。

他愣了愣，他没料到，分别后她劈头的第一句，就是这样的责问。

"我……我的问题到一九八〇年才彻底解决的。"憋了半天，他才憋出这样一句话。

"你为什么一个字也不写给我？"她依然死死地抠住这句话。

他无奈地笑了笑，好比面对一个正在怄气的小姑娘。"你还是这样任性。"

不少路人已开始注意他们了，叶名琦把她带到邻近的凯歌咖啡馆，他挑选的那个座位，正好是她第一次与乜唯平约会的那个座。

热咖啡使她平静了点。

"你们家搬回来了！"她说。

"我刚出差回来，还没回去过呢。"

"去哪儿出差了？"

"去西北收集资料，明年二月份去北欧考察。"

"你说过你喜欢北欧。"她说。她记起，他曾收集好多有关北欧风光的明信片和挂历，"你总算一切如愿了。"

他苦笑着耸耸肩。她发现，他的前额已经开始秃了。她发现他那双青筋绽出的、黝黑的双手，左手的小手指伤残了，僵硬地弯曲着。"采石场上八年的苦役造出来的一双手。"他说。

"别说了！"她心疼地闭上眼睛。他为此感动得眼睛热辣辣的。

"成家了吧？"她盯住自己的咖啡杯问。

他默默点点头。

她没问他爱人在哪工作，长得怎么样，这一切对她已是多余的了。

"你呢？"好像怕触疼她，他小心翼翼地用目光向她发问。

她摇摇头。

"有男朋友了吗?"这次,他用嘴巴发问了。

她考虑了一下,说:"有男朋友了,但不是未婚夫。"

他又开始担忧地用眼睛发问了。

她用眼睛恳求他别再追问了。

他抬抬手,似乎想摸一下她搁在桌上的手,但他的手仅仅只是挪动了一下位置。

"你是太苛求了吧!"

"我不知道……我没人可以商量,假如当初,当初……"她抬起双眼看着他,泪水涌了上来,"你能来封信,告诉我该怎么办……"

他受不住她这注视的分量,把脸埋在自己的手掌中。

她不忍心看他那伤残了的手指,把脸转到一边去,继续说:"如果你来一封信说:别管我,结婚去吧,我马上会去跟下一个求婚者结婚。不过,那时我更相信你会说:来吧,到我这儿来吧!那我一定会来的,你信不信?"

她是等过他的信,但她当时并没想得这么多,不过,她不认为自己此刻是在撒谎,她相信,那时的她,是这样想过,这样盼过的。她曾经也追求过,她并不是生来就甘于现在这样的,与乜唯平不尴不尬关系的糊涂女人呵!

"信,我怎能不信呢!"叶名琦震惊了,虽则此刻坐在他面前的,是位娇里娇气的时髦女郎,可他似乎已想象到,她穿着一件过分大的棉大衣,艰难地踩着过膝的积雪向他走来。

"……后来,我们护校生也临分配了,我想,没有你伴着,我哪儿也不敢去呀!这时,管分配的一位工宣队员向我献殷勤,我就与他来个假戏真做……我认为,反正我已爱过了,不会再有这样的真正的爱了……"

真的,她有什么好说呢?尽管她果真顺顺当当地分入一家离家不远的医院,尽管由于她的美貌,她很轻易地逃避了拉练、下乡巡回医疗等她几乎无法忍受的折磨……可她的心,却因此越来越冷,越来越粗糙……

蓓沁把手帕捂住嘴，伤心地饮泣起来。

他替她披上大衣："我们去江边走走吧！"

冬夜的江边，寒风凛冽，可沿江的石堤边，还是密密地伏满了对对情侣。过去，他们常上这儿来。

"告诉我，十一月二日下午，你做什么来着？"叶名琦忽然问她。

哦，他还记着……那阵，她曾问过他一个类似的问题……

唉，那时！

有一次，为着逃避那到处敲锣打鼓的噪声和高音喇叭的干扰，他们就花七分钱乘十五路车到徐家汇，然后沿着沪闵线慢慢踱步，当那些个竖在田间的喇叭暂时沉默的时候，坐在田埂上，或者一座废碉堡上，望着一片无际的葱绿，他和她，会暂时忘掉那残酷的年代。

"六六年的四月二十二日晚上，你正在做什么？"一天，她手托着腮问。

他愣了一下。

"想一想！"她恳求着。

"你先告诉我，为什么问这？"他固执地追问。

她却羞红了脸。

原来就是在那天晚上，当她做完功课后，伫立在阳台上望着这入夜的都市的晚景时，一个念头闪光般地打入她那十七岁的心：那些个繁星般闪烁着的窗户，哪一个后面，躲着她那未来的他呢？他将是个怎样的"他"呀？男的一般总比女的要大，说不准现在正在上大学？或许已经工作了？他知不知道世上有个沈蓓沁此刻正在惦念着他？唔，此刻，他会不会正伴着别的女孩子看电影？不过，不管他此刻在做什么，她都愿意原谅他，她要好好地爱他！……那是她心里，开始第一次萌发爱的需求！

叶名琦听了，激动地咽了口唾沫，很认真地思索了一阵，说："那阵我正在住院开扁桃腺，那天晚上，我很可能吃了安眠药，早早地上床了！"他很为糊里糊涂地早早过了那天而深表遗憾！

她长长地吐了一口气，羞怯地偎着他肩头说："我还怕……那天，你会跟别的女孩在一起呢！"

他笑了，她的嘴唇都感到那呵出来的热气。要是今天的她，一定会要求着：吻我吧！那她就没遗憾了。但在那一刹那，他俩突然都感到一种害怕，一种怕对方会因此小看自己的顾虑，他们忙忙起身离开了。

现在，轮到叶名琦问她：今年的十一月二日，她在干什么来着？她略略想了想，认为自己极可能是在乜唯平家里。

叶名琦望着对岸隐约的灯火（他为什么不敢看她呢？）说："哦，那天，我整理抽斗，正好理出几枚我自制的像章，我就想起你！……我就想，此刻你正在做什么呢？我想：这回，你该正是伴着另一个男人，你的丈夫了！不过，我一点也不嫉妒……真的。"

"哦……"蓓沁忙忙地打断了他，"那天，我正在门诊间值班呢！"她越来越相信，十一月二日那天，她确实在乜唯平家里！"不过，你给我的那枚红鸡心，我还保存着呢！"

真好比《项链》①里那位女主人公！

那个年月，既没胸针，也没有花边，唯一的装饰，就是像章。因此一天，当蓓沁看见一个女伴佩戴着一枚用红白蓝三色有机玻璃拼成的一只小帆船形徽章时——因为上面配着一块刻有"大海航行靠舵手"的红牌牌，这枚小帆船无形中就也是革命的了——就苦苦哀求女伴借她戴几天，谁知刚戴上的那个下午，在挤车时就把那枚徽章挤掉了。这有如失落钻石项链的女主人公那样，可把蓓沁急坏了，当时这样一枚别致的像章，可换诸如年历片等好多东西呀。她的女伴也慌了，因为她也是向它的制作者，她的一个邻居借的。蓓沁不得不央求女伴陪她去向制作者赔礼道歉。制作者就是叶名琦，一个装潢建筑系的六八届大学生。

---

① 《项链》：法国作家莫泊桑所著短篇小说。

那时叶家已扫地出门搬出"悦华新村"了，住在一个汽车间里，汽车间面积还不小，用被单布隔成几个小块，颇像外国电影里的露营地。蓓沁可是比《项链》里的女主人公幸运，她因为失落了项链而失去那么多；而蓓沁，却因为失落了一枚像章而得到了那么多……当那位年轻大学生向她们转过身来时，她就明白，他喜欢上她了，而她，也喜欢他。少男少女的互相眷恋，往往是凭直感的。

她嘟嘟哝哝地向他道歉，他却拿出一块大黑丝绒，上面别着许许多多各式各样花式的自制像章，他让她随意从中再挑选一个，就像王子拿出他的珠宝，献在一个漂亮姑娘的脚下。他告诉她，每一种样式，他只制一枚，因为，艺术品应该是举世无双的。

"啊，这枚好看！"她指着一枚红色有机玻璃雕刻成的心形，它原意本是"一颗红心忠于党"，但在蓓沁，这颗艳红的心形，却蕴藏着另一种温馨的含义。

"你喜欢这枚！"他的手指也落在那颗徽章上，差点触着她的手指，她忙移开自己的手指，抬头想招呼下自己的女伴，却发现她不知何时已离去了。于是，用得上小说里常说的那句话：一切就是这样开始的。

该回了，蓓沁让叶名琦先走；她是无所谓的，可是叶名琦，是有家室的。

"你……不感到寂寞吗？"叶名琦在转身的一瞬间，回过头去问她。

"哪儿的话！我感到这样挺自由的！"她拂拂头发，双手斜插入口袋，不经心地说。

"对，像你这样漂亮的女人，是永远不会寂寞的！"他注视着她说，然后，又轻轻加了一句，"答应我，好好地生活！"

她用力点点头。她很想追上他，告诉他，她很孤单、寂寞、无助！……

十一

"咔嚓"一声，"美乐村"六号后门轻轻扭开了，蓓菁一改往日那大幅度动作，轻手轻脚地踅进来，同时体贴地招呼跟在后面的简雄："等一下，让我先把扶梯口灯扭亮了。"

"你们的'司必灵'锁有点滑牙了。"简雄说。

"我家有毛病的地方多着呢：马桶漏水，电灯开关开不亮，三眼插板没人装……对，录音机老夹带，你今日一并替我们维修一下。"蓓菁用一种娇嗔的、绝对居高临下的口吻，得意地对他使唤着。

然而一打开房门，蓓菁失望地发现，蓓琼正坐在灯下！本来，今天妈妈去吃楼下张家女儿的喜酒，大姐晚上一般总是外出的，而二姐蓓琼，算下来今天应该去小唐家的呀！

"哟，二姐，你不去小唐家了吗?"蓓菁快快地问。

聪明的蓓琼马上悟到自己妨碍了妹妹，忙忙地收拾一番，就走了。

"你待着好了，二姐，没关系，真的没什么关系……"蓓菁忽地想到什么，追到扶梯口去叫住她，但蓓琼早已关上后门走了。

简雄开始摆开那一堆电工用具，修理那个坏了多日的开关，"你追她做啥? 人家轧男朋友去，还要你与她客套?"

"不……你不了解。她肯定不会去找小唐的，她一定去哪闲荡去了……"

"怎么，跟男朋友怄气了?"

"要严重得多！简雄，有时恋爱着的双方一旦告吹了，却很难说出究竟谁好谁坏，这是什么道理呢？"

简雄三下两下就修好了开关，"啪"的一下扭亮了大日光灯，房间里顿时明亮多了。简雄瞟了一眼蹙眉认真思索的蓓菁，差点没笑出来："又不是小孩子，还好人坏人的。世道太平了，人心就好。世道不太平，人心就恶……要不是争着赶时间回城，当初我会硬挤掉别人那个档吗？要你看到我当初那副凶神模样，你一定会以为我是个不折不扣的坏蛋了！怎么，还有哪里要我卖苦力？"他的右手轻巧地玩弄着一把分量不轻的钢丝钳，手背上隆起几根蚯蚓般的青筋，让蓓菁感到，似乎他手掌的力度，要超过那把钳子！

"对了，我们的浴缸渗水，害得楼下张家成天骂人。我们的抽水马桶水泵也有点毛病……"

"你真当我是水暖工呀！"简雄无可奈何地双手一摊，"我家没这设备，我不会修，包涵了。"

"哦，你家没有卫生设备！"她谅解地点点头。

"要我家有抽水马桶和洗澡盆，我早就结婚了！"简雄诙谐地吹了下口哨，但蓓菁还是发现，他脸上闪过一丝阴影。"不过，我看，"他说着走出这间沈家独用的、收拾得很干净的卫生间，说，"你也是非抽水马桶不嫁的！"说着，一对炯炯有神的目光扫了她一眼。她慌乱了，前言不搭后语地嗫嚅着："呵，不是的，不过……我也不知道，我得……"

"得问问妈妈去，是吗？"

"哦，我还得问问我大姐。"她红着脸，挺认真地瞧着地上说。

"你大姐？"

"她漂亮、聪明、能干……无论家里什么事，都是她和妈妈决定的。"她继续瞧着地板，困难地一字一字说，活像个小学生在背九九表。

她太当真了！简雄没料到自己一句玩笑话，她竟那么认真地对待……不过，难道自己仅仅是一句玩笑话吗？但是，她的认真态度让他感动，也让他可怜。

"跟你开玩笑呢！其实，我有女朋友了！"他开始摆弄那台老是夹带的录音机了。

"哦！"她半像叹口气，半像松口气。"她叫什么名字？"她问。

"倪光兰(上海话"耳光来"的谐音)。"他没好气地回答。

"倪光兰。"她机械地重复了一下，感到有什么不对劲，可又说不出。

"好了，"简雄把录音机又维修好了，按上一盘磁带，那是一曲快乐的华尔兹，"来，跳个舞！"

"我不会。"蓓菁回答。

"真是土！我教你。过来。"

蓓菁把手臂搭在他肩头，问："倪光兰会跳舞吗？"

"会。"

"跳得好吗？"

"好极了！"

这时门打开了，蓓沁进来了。蓓菁吓得忙欲从简雄肩头抽回自己的手，岂料简雄却故意还捏着她的手，依然保持着舞姿。

"大姐，这是简雄。"蓓菁不自然地笑着介绍着。

简雄倒挺大方地伸过手，蓓沁高傲地向他伸出两根手指头。"你们在跳舞！"她冷冷地说。

"你喜欢跳舞吗？周六晚上我有三张俱乐部的舞会票，我来接你们一块去吧！"简雄摆出一副挺潇洒的骑士风度。

"这种舞会！"蓓沁不屑地一扬眉，"活像坐在荠头店里！"

简雄和蓓菁互视一眼，不懂什么叫"荠头店"。

"你家住哪？"蓓沁今晚的脸色很不好，有点发青。

简雄报了个路名，蓓沁即皱了下眉："那边交通好不方便呀！"

"岂止交通不方便，那边房子也都是很差的，我刚才跟蓓菁说，没有煤卫设备。"简雄用一种讥诮的口气回答她，可蓓沁却没感到。她又发问了："你爸爸是做什么工作的？"

"自然是很普通的。公交公司的售票员，快退休了……"

"大姐，简雄有女朋友的。"蓓菁再也忍不住了，对着姐姐说。蓓沁这才感到问得太失礼了。

"这跟女朋友有什么关系，随便问问罢了。坐，请坐吧。"说着，她就走进洗澡间，"啪"一下关上了门。

简雄收拾一下工具袋，告辞了。

蓓菁哭丧着脸把他送下扶梯："真对不起，我大姐就是这样……她长得太漂亮了，所以……"

"是很漂亮，不过，一点也不可爱！她好像应当生活在另一个年代。没关系，以后有什么家具坏了，尽管来找我。当然，盥洗设备除外。"

回到房里，蓓菁问大姐："大姐，什么叫'荐头店'？"她怕这句话让简雄不高兴了。

"从前介绍佣人的店铺。那些佣人一排排在凳子上坐着等着让人家来挑。现在这种俱乐部之类组织的推板①舞会不也是这码事？女客人一排排地坐在凳子上，等着人家来邀舞，不是活像从前的荐头店……"

蓓菁生气了："那也唯有你才想到这里。"

"想不到的人才是屈死呢！"蓓沁一边仔细地往脸上抹鸡蛋清，一边冷冷地回答。由于鸡蛋清把脸上的皮肤绷得紧紧的，使她那张漂亮脸蛋带着一种冷酷的表情。

蓓菁气呼呼地拉开沙发床，说："你那一套，早就该跟着吴老太一块退休了。如今是八十年代了，你还'荐头店'……"

"所以，你就永远改不掉那股东北腔。告诉你，如今，西装、美容都进时新了，过去那一套，又吃得开了……"蓓沁洋洋得意地说。

"不管怎么说，那是我的朋友，你应该尊重我的朋友，这一点，你该懂得的。"她呜咽着，一切委屈和愤怨，都迸发出来。

"我怎么不懂得？你看小唐来，我多尊重他。这种阿屈死样的困勿醒的简雄，就要对他冷一点，让他断了这份心思。我们家的女孩子，是不

---

① 推板：差的意思。

会嫁到下只角①去的。"看着妹妹真动了怒，蓓沁温柔地拍着她肩头解释着，"别要孩子气了，现在人家都讲实惠，连楼下领导阶级的女儿，也要嫁香港人，更何况我们这样的人家？再讲，二妹的小唐已是一等一的人家，我自然，也不会挑一般的，你能找个差的吗？将来三个女婿一起，人家总要有个比较……明白那次妈去同学会为什么要这样精心打扮吗？其实，我们的妈是蛮争气的……"下半句话，她随同口水一块咽下去了，"所以，我们在这种终身大事上，绝不能马马虎虎。"

蓓菁疑惑地听着，然后插缝解释着："简雄有女朋友了。"

"不管是简雄还是谁，这种等级的男人，是不能进我们家的门的！"

"那……我该往哪找那种够格的男人？"蓓菁自嘲地问，"他们都躲到哪儿去了？"

"找吧，各自放本事找！"蓓沁起身开始卷头发了。

难道这是在玩"捉迷藏"吗？蓓菁困倦了，闭上了眼睛，忽地脑子里闪过"倪光兰"三个字，多别扭的名字！

蓓琼轻轻推门进来了。蓓沁对她笑了下，忽地又皱了下眉头，说："二妹，你该做件新大衣，让小唐给你做吧！这种风雪大衣，如今早过时了！怎么？什么时候去登记？小唐这回定下日子了吗？"

蓓琼没吭声，到卫生间去了，蓓沁追了进去，顺手把卫生间门在身后关实，卫生间常常是她们姐仨谈悄悄话的地方："注意，你不能如此麻痹，咬到嘴边的肉不能让它掉了！"

"别说得这样难听，姐。"蓓琼轻声哀求着她，蓓沁发现，她眼圈下有两个疲乏的黑影，这是失眠的痕迹。

蓓沁心软了，自己也叹了口气："还记得那首《我参加了你的婚礼》吗？结婚，就是这么回事！"

"可是，还有一首《夏威夷婚礼曲》呢！"

"傻二妹，那只不过是歌呀！"蓓沁端详下妹妹：她除了个头矮小点

---

① 下只角：上海方言，旧时棚户区。

外，真算得上个美人胚了，一种娴静的古典美。小唐这种男人真是有眼无珠，二妹这样的冷冰冰的漂亮女人，也是少见！这一对冤家！

"我想，我俩实在不合适！……"蓓琼说。真的，刚才为了让蓓菁，她硬着头皮撞到小唐那儿，小唐不在客厅里，也不在房里，后来家人告诉她，小唐正在汽车间盘货。她找到那儿，发现小唐光穿着件毛衣，在大汗淋淋地盘点货色，边上，一位年轻姑娘在帮他整理登记，他俩配合得那样默契、快乐，似乎正在做一场有趣的游戏。姑娘看着，很心疼他那大汗涔涔的样子，顺手掀开身边的一罐可口可乐，小唐就着她手上吸了几口，又忙开他的。

"……我申请的牌号叫'源昌'，当年我爷爷的商号，我喜欢这名字，有气势，又吉利……"他兴高采烈地对女伴说，"看着吧，将来只要政策允许，我要从活动房子开始办起，办成个全国各地有分公司的大商号，到了那时，这幢活动房子我还要保存着……"

"将来，我替你写商号史……"姑娘说。

"将来，这种事就请秘书来做了，我们还是做我们的生意！……"

蓓琼没有推门进去，悄悄离去了。看看时间还早，她溜进近头一家电影院买了张票坐进黑魆魆的场子里，捱到散场才出来。人丛中，她眼前晃过小雷和一个学生型的姑娘，只那么一眼，她就感到，姑娘的身影气质与自己很接近！……唉，要是没有小唐，或许小雷身边的就是她蓓琼呢？那么要是没有她蓓琼，小唐身边，为什么就不会是那个热心帮助他、懂得他的姑娘呢？

"别这样恼恨地盯着我，二妹，我有时也苦得很……"蓓沁受不住妹妹充满蔑视的目光，她双手按着太阳穴，就势在冷冰冰的浴缸边坐下，"还记得叶名琦吗？刚才我碰见他了……风尘仆仆的，老了不少！结婚了，有了两个孩子……"她想咧嘴做个无所谓的笑容，却变成一丝凄凉的苦笑。

"算了，姐。其实，你要真跟了叶名琦一起生活，肯定也是不幸福的，他是个学者型的，你不会喜欢他……其实，这样的结局是最美的了！双方都带着个美好的遗憾！"

蓓沁听了感激地一笑，顺势搂过妹妹的头颈，洗脸盆上方的镜子上，顿时出现两张俊俏又忧郁的面孔。

十二

厨房里，沈家姆妈正在推着一口小石磨，常言道，"可怜天下父母心"，对外精明能干、滴水不漏的沈家姆妈，对三个女儿，真可谓是老黄牛，连天天早上喝的豆浆汁，都是自己亲自用黄豆磨的。

张家女人进来了，穿着一套笔挺的料子衣，整个人活像给糊在盔甲里。自攀上个海外亲，她进进出出喉咙也比从前高三度。

"哟，沈家姆妈，你这样多吃力，我借你个家什，我女婿给捎来的，省力多了。"随即噔噔噔进屋，然后又一阵风似的出来，捧着个花花绿绿的纸盒。

映薇打眼角里瞟了它一眼，啥了不起，电磨器罢了，哟，倒是真正意大利货。但她嘴上还是淡淡地说："这种东西，从前就有了。"话没落音，目光触到自己正在使的那架黑不溜秋的旧石磨，又感到好像在打自己耳光；既然从前就有了，为啥你田映薇还使没使上手呢？

张家女人挺大方地说："你使吧。我出去一下。"走出后门，又听见她使着大嗓门在跟邻人搭讪："十二号外婆，回来了？我去华侨商店看看，有无新鲜花头……"

映薇眼睛都不朝那架意大利电磨器歪一歪，继续推着手中那架旧石磨，自己都感到固执得可悲。

"Miss Sweet！"有人敲后窗。

"昆锦！"

昆锦一进屋，就看见那台漂亮的淡咖啡色电磨器："你也弄了一台？打多少税？你怎么宁可推石磨！也是个死脑筋。"她讲话向来是自问自答，不容对方有回答的余地。

映薇含糊地应答着，到底没声明那是向别人借的。

昆锦跌跌绊绊地走上堆满杂物的扶梯，映薇跟在后面，直感到窘困得满脸发烧。幸好一进房间，昆锦就"啧啧"地称道："呵，收拾得真干净！这番，给你女儿做媒来了。"昆锦开门见山地说。

"什么，想吃十八只蹄髈了？"映薇嘴上打着趣，两只耳朵已经注意地竖起了。她客气地为昆锦脱去大衣，这件大衣真轻，全毛开司米的。昆锦的东西，就是讲究。

"给我儿子毛毛提亲来了。"

昆锦又开玩笑了，她毛毛不就早讨好了媳妇了。

昆锦却正色地说："我跟我们毛毛说穿了，跟她那棚户里出来的老婆离了算了，省得我天天看着触气。①"

"毛毛会肯？"映薇只感到一股寒气从脚跟升起；昆锦这一下太辣手了。

"他敢犟？吃、住都是我的。"昆锦几乎是恶狠狠地朝空中捏了捏拳头。

"你媳妇肯？"映薇明显地倾向那位陌生的女人，昆锦太势利眼。

"这种人，打发她点钱不就完了。"她说着把原先捏紧的拳头往后一甩手，好比往身后撒了几个零钱似的，"怎么？你们老大来还是老三来？"

映薇很生气，这位老同学太狂妄了，好像她田映薇的女儿们正眼巴巴地捧着彩球等着甩给她那尚未离婚的儿子似的。

昆锦毫不领会映薇的越来越难看的脸色，只见她拍着自己肉墩墩的胸脯说："我儿子那边的事我会处理的，你只要考虑你哪个来就好了。我的家嘛，你不是来过了吗？讲条件好不敢当，不过比起这里，总舒服一

---

① 触气：上海方言，不喜欢，讨厌；有时是雅谑话。

点，只要听我的话，总归是又当媳妇又当女儿的！"

映薇拉下脸了，把饭单甩得震天响，示意自己该忙着厨房活去了。然后冲着昆锦说："你不要如此一只手拿如意，一只手拿算盘了，好好与你的儿子媳妇过吧，当心将来老了，没有人在你边上送汤送水的。"

昆锦这才知道自己惹映薇生气了，便知趣地起身，艰难地扭着笨拙的身子套上大衣，映薇故意不帮她穿，摸索着下楼了。

映薇一头栽倒在沙发上，越想越生气，昆锦怎么敢如此轻看她，还不是为着她既寒酸又不得志吗？想到伤心处，她嘤嘤地哭了起来。

"妈，怎么了，谁欺侮你了？"刚下班的蓓菁慌忙扶着妈的肩头，焦急地问，"是不是楼下张家又要无赖了？"说着，狠狠地跺了下地板。

映薇便一五一十地把一切讲给蓓菁听。

"睬她呢！妈。我准保给你找一个比小唐还强的女婿，条件比昆锦家还好的婆家，那时，你带着我们双双上门去昆锦家做客，不，我们请她来我的婆家吃饭，气气她……"蓓菁越说越带劲，喉咙也越讲越响，急得映薇忙跺脚；小姑娘家对象还没有了，就这样哇啦哇啦叫"婆家"，不怕人家听了笑话！

底楼厨房里，吴老太正在厨房里淘米，张家女人回来了："哟，今朝的华侨商店，挤得我，吃奶的力气都用出来了……"

"今朝有啥稀奇的卖？我还有几张票没用掉，眼看着快过期了。"近来，吴老太与这位邻居的共同语言也多起来了。

"这种也叫侨汇商店，真是！里面有卖的，外边都能买。"张家女人说着，口气颇有点自命不凡的味道，自感现在已与靠侨汇过的吴老太平起平坐了，因此此刻，她居然也挺自信地端起只方凳，在吴老太前搬起沈家姆妈的是非了："这阵，他们那毛脚女婿小唐长远不上门了，咋了？他们算是登记好了？别是……"说着，她双手做了个"飞"的动作。

吴老太则神秘地用右手掌挡着伸出两根手指的左手掌，凑着邻居耳边说："沈家的这个女儿，木头一根！光有着一张漂亮皮子有啥用？到底三十朝外了。不是我卖老，她们几个，将来准是这个——"依然用右手掌遮着，左手掌的两根手指则迅速地换成一只大拇指，"最有出息，最有办法，你看着吧。我老早讲过了，要现在再像从前那样选啥'上海小姐'，她准能出风头。"

"那她到了三十五上，也还没嫁脱呀。"听着那么使劲地夸别人的女儿，张家女人有点酸溜溜了。

这时，沈家煤气灶上的灯泡霎时亮了，两女人这才停止了私话，待沈家姆妈出现在厨房里时，屋里反而呈现一片不正常的安静。

聪明的沈家姆妈即刻感到了，但仍不露声色地忙着淘米洗菜。

"刚才那位阔太太是找你的吧？老同学？"吴老太向来是有名的刀切豆腐两面光，敷衍功夫是一流的，这回，又亲热地转向沈家姆妈。"来给你们两位千金做媒的吧？"

"顺道来坐坐。"沈家姆妈用最没有感情色彩的口气说。

"淘这么点米！怎么吃？"吴老太没话找话。

"今朝就三人吃夜饭。蓓琼去小唐家了。"说这话时，映薇完完全全可以说，是用后脑勺"看"到，两位多事的女邻居飞快地交换了下眼色。屋里的空气，顿时显得有点"冷战"的味道。

十三

当蓓沁在晚餐桌上宣布："妈妈,我有男朋友了!"沈家姆妈并不感到突然。

"他的程度?……"蓓琼小心地问。

"当然是大学程度。"蓓沁回答。

"他一定很漂亮!"蓓菁向来崇拜大姐,在她印象中,凡大姐挑选的衣料、皮鞋之类,都是非同凡俗的,那么她挑选的未婚夫,自然也是不同一般的。

"别打岔,"妈妈权威性地制住女儿们七嘴八舌的发问,开始仔细地询问,"他的情况……"

蓓沁得意地甩甩头发,她何尝不想早日摘掉这顶"老处女"的桂冠呢?

"他呀,"蓓沁把筷子含在嘴里,开始考虑该怎样向家人描绘她这位不说"千里挑一",至少也是"百里挑一"的男朋友,"他家住在茂名南路的一套公寓里……"

"哦,那一带都是从前外国人造的公寓,考究着呢。"妈妈使劲地点点头,"顶费比买一般的房子还贵!"

"他住一套中的一间。"蓓沁补充着。

蓓菁则学起"文革"中流传着的有关陈阿大的笑话:"我是陈阿大——派来的。枪每人发一支——是木头的。"

母亲横了她一眼，继续对这位未来的大女婿做着评点："一间公寓也比一套新工房强，地段好，出脚方便。哦，兄弟姐妹、公婆也都不住在一起？太好了，自由着呢……"

"他虽是单身一人，但结过婚，"蓓沁又来了个补充。"wife 在美国，他正打算和她办离婚呢。"她也忌讳用"妻子"这个字眼，不知不觉也用了个 wife 来代替。

沈家姆妈积她五十多年的经验和见解，飞快地在自己脑子里平衡着、揣度着，最后，颇为满意地评价："挺好！结过婚也没什么。星期天请他来吃饭吧。"

"他这阵在住院，刚动过阑尾炎手术，等他出院了吧。"蓓沁这是第一次在人前亲昵地用"他"来称呼乜唯平，不管怎么说，反正，她认为自己很习惯他了，也很喜欢他。能当众宣布"我有男朋友"了，这令她忆起一首外国歌曲《妈妈，我有未婚夫了》，确实自豪、快乐。

"你还没说呢，他漂亮？"蓓菁还缠住这不放。

"怎么说呢？记得从前吴老太放在客厅的那台美国'西屋'牌落地机吗？"

她们当然记得那台胡桃木制的古色古香的老式唱机，沈家姆妈知道，那是四十年代最风行的式样。

"他就是这样，"蓓沁说，"牌子是名牌货，式样是老式的，但看着有气派。明白吗？就是四十年代的'西屋'牌落地机！"未及说完，她自己已笑得直不起腰了。

"那么小唐呢？"蓓菁忍着笑问。

蓓琼脸刷地白了。

"我家二姐夫，是个八十年代的保险柜，里面有取之不尽的财富呢！"蓓菁说着捧腹大笑。

沈家姆妈笑得直抹泪。她已有好久没有这样开怀笑过了；似乎一下子，又一个女儿有了个亮出来光鲜鲜、相配的女婿，那长年压在心头的重负一下给搬走大半，真有说不出的轻松。这里面也有她做娘的一份功劳呢，把女儿们个个调理得多漂亮动人呀！

大家这才发现，一直一言不发，在默默地用筷子扒饭粒的蓓琼，哭了。

"就你讲话不知轻重，这么大的姑娘，成日价这样没有脑筋，现在只剩下你了，再不改一下，留神做嫁不出的老姑娘！"做娘的心疼地抚慰一下二女儿，又回过来狠狠地训了顿小女儿。

蓓沁可顾不得更多了，饭碗一放，又要出去了。

"少嚼舌头了！快吃，吃好了洗碗，我要做毛线活了。"妈妈继续训着小女儿，同时心里合计着，又一件毛衣活等着要开工了！

蓓沁迈着轻捷的步子在大街上走着，她胜利了，彻底胜利了！乜唯平向她求婚了，他要娶她，他要与那位如断了线的鹞子般飞走的妻子办妥了离婚手续后，就把她娶来。

经过很简单，三天前，乜唯平来看门诊，这番，他可是真的病了，双手死死按着右腹部，整个脸痛楚地扭歪在一起。

阑尾炎！是个简单的没有危险性的手术。

可是，没人能代表家属签字。在人们筹划着要为乜唯平找一个亲属签字时，蓓沁则不耐烦地抓过手术单，在众目睽睽之下，签上自己的名字。

"我是他的好朋友。"完了，她把笔一扔，说。

这无疑等于给自己扔下一个炸弹，管人家怎么猜测，反正，她再也沉不住气了——乜唯平正痛得死去活来呢。这一个炸弹，同时也炸掉了一些障碍，手术后，她索性可以大大方方地到他病床边陪伴他，照顾他了。

一个病中的男子汉比什么时候都可爱。那种孱弱无助和因此显得有点羞涩的柔情，与男人的坚实魁梧的身子统一得那样和谐，较之情意绵绵的拥抱，更富有魅力。他乖乖地听任她把一勺勺稀饭、牛奶、橘子汁、药丸塞下去，听任她用毛巾搓上非"力士"牌香皂擦拭他的无法自由动弹的身子，就像个听话的小孩。她无暇顾及别人会如何想她，而且，当她在为他做这一切时，她相信，自己是爱他的！

就是今天，他握着她的手，噙着泪水望着她说："等我病好了，我就和我的 wife 办妥手续，我要娶你！"

"我要娶你，做我的妻子吧！"他紧紧地抓住她的手，似乎她不点头，他就不会放她。而且，好像是为了区别于他的前妻，这里，他用了"妻子"两字而不用"wife"。

蓓沁快步赶上一辆电车，她想快点赶到他身边去。她发誓从此要好好地生活，做一个好主妇，一个好妻子，让叶名琦不用再为她操心、不安！

十四

冬日的公园，一片萧条，阳光寒瑟地映照着，人影稀少。蓓琼和小唐沿着湖畔机械地迈着步，让人看着，根本不像一对情意绵绵的恋人，倒更像推着沉重的石磨，无尽无止无终点地走着的两匹驴子！

"去划船吗？"小唐彬彬有礼地问。

"太冷了。"

是呀，真冷。冷得蓓琼缩起双肩。

"记得在农场时有一年冬天，也是这么冷……"小唐刚开了口，发现蓓琼已不耐烦地把目光转向湖面上兴致勃勃的游客们的小舟上时，就把话截住了。

"你讲下去。"她歉意地把目光收回说。

"讲这，也没什么意思了。"小唐望着自己的鞋尖，忽然，只见他目光开始变得坚决起来，压低着嗓子，然而声音却是毫不含糊地开口道，"我想说一件事，有一个女孩子，比我小八岁，可不简单，我们挺合得来……"

"明白了。"

"你并没明白。请别以为我是陈世美式的，我只感到，与你在一起，我感到自己处处是个没文化的俗人，老怕我会讲错话，出洋相，以至让你小看了我！而与她在一起，就不一样，她让我感到自己像个男人，满有力量的。你不明白，这一阵，我也苦闷极了。"虽然，他在言语上表明着十分郁闷不乐的神气，不过话讲完后，却带着一种畅所欲言后的轻松感，蓓琼甚至已清晰地感到他长长地嘘了一口气。

蓓琼只感到遍身冰凉，这是一种预料中的袭击，她老早就料到，这一天迟早会来的。但临了，她还是那样迷离恍惚，神思摇曳。她记起，在农场里，她也曾把小唐看作一个男人，一个真正的男人！在挤长途车时，他总是抢先挤入车厢，为她冲杀出一块领地，然后从窗口伸出自己一对坚实的男子汉的臂膀拼命把她往上拉，有了他，她感到活得轻松多了！是从哪一天起，她开始感到他是挂在自个肩头一个越来越沉重的包袱的呢？是从高考制度恢复后，是从她童年的梦想有可能实现后，是从社会公开需求教授、研究生等学者后，她就开始不断用高考、用大学学位来折腾小唐。她真不讲理，确实，人生有各种途径，她何必非要指定小唐走她自己要走的路呢？不过……

不知不觉间，小唐已走到她前边了，银灰色涂塑的可体的风雪衣，使他那颀长的身影显得壮实了，这个她曾经十分熟悉的身子，此刻别具一番让她留恋的情韵；相识近十年了，她生命中有差不多三分之一的路程，是他伴着走过来的！

她忽地记起艾尔文斯那撕肝裂胆的呼号："放开我，让我重新再爱一次吧！"可是，为什么当一切如她所希望的发生了，她却忽然感到无所适从，而且，感到有点委屈。她万万没料到，这场决定命运的谈话，竟是由她向来视为窝囊的他来先挑起的。

灰暗的暮色笼罩着冬日的公园，令人感到充满着荒漠之感。蓓琼磕绊了一下，小唐忙伸手扶了她一把，就着他的手，她轻轻地、恋恋不舍地握了一握。一阵柔情在小唐心头荡开：如果蓓琼一直是这样含情脉脉，而不是像现在那样，老用各种厚厚的书本和唬人的学位来难为他……

"我是个男人，什么样的责任和重担，都应由我来肩负。所以，我不会让你为难、委屈的，只要你认为有必要，我们现在就可以去民政局登记结婚。"他直视着她的目光说。

"什么话，既然已经把纱布从疮面上揭开了，何必再覆上去！"她原以为自己会委屈地抽泣起来，没料到，内心，却是一片可怕的平静！

蓓琼推开房门时，蓓沁正穿着一件妈妈从箱底翻出来的旧灰背皮大衣，在镜前自我欣赏。那种耸肩头的三十年代流行的式样，终究与八十年代同样耸肩头的式样不一样，因此看着总有那么点怪。

"蓓琼，看，我像个贵妇人吗？圣诞节乜唯平请你、小唐和我们一块去和平饭店吃火鸡大餐，我就穿这件皮大衣去！如今市面上的裘皮大衣都是狗皮替代的，这件可是真正的灰背皮呢。"蓓沁笑盈盈地向妹妹转过身，身上带着一股浓烈的樟脑丸味，好像她自己也是刚刚从箱子底翻出来似的。

"到底老式了。得请裁缝改一改！"妈妈在一边审视着，又对蓓琼说，"我还有一件黄狼皮的，给你做嫁妆了……"

"妈，"蓓琼咬着嘴唇想了想，终于说，"我和小唐算数了，我们今天谈过话了！"说完后，她就直奔洗澡间，把门关上了。

沈家姆妈脸色霎时白了，重复地说着，声音带点嘶哑："我早料到了，我早就料到了！"一边手还机械地在那件快完工的毛衣上编结着，最后，大概意识到自己的工作已毫无意义了，索性停下来，手托着前额呻吟着："真是冤家，冤家呀！"

蓓沁呆了一下，立即"呼"的一下掀掉皮大衣，拼命地捶着卫生间的门："怎么回事，究竟怎么回事？没那么容易让他小唐这么轻松飞走的。我这就找他去。"

洗澡间门打开，蓓琼出来了，并不如家人料想的那样头发凌乱，双眼红肿，反而十分镇静。她对大姐说："找他做啥？"

"做啥？没有这么便当。"蓓沁说着披上大衣就欲开门，蓓琼抢上去用身子顶住门说："这是我自个的事，与你没有关系。"

"当然有关系。"蓓沁有点丧失理智了，歇斯底里般喊了起来，"我已约好乜唯平，元旦带他去虹桥小唐家做客，这下，叫我如何向他交代！"她自忖，自家在美乐村的家室太一般些，本想借妹夫家的气派来弥补一下那股"寒酸"气的。

"你叫我，从此怎么走得进'美乐村'这条弄堂！"沈家姆妈铁青着脸，拍着沙发把手，"还有我几个老同学，谁不晓得虹桥路唐家是我亲家！"

"看……你们把我当成什么了！"蓓琼终于哭出声了，那是伤心、绝望的恸哭，她身子顺着门框慢慢向地上滑去，犹如一片脱离了枝干的落叶。

蓓沁则没好气地把皮大衣往床上一扔，一屁股跌在沙发上，呼哧呼哧地出着粗气。

吓呆了的蓓菁怯怯地趋过去欲扶起二姐，二姐却把她一推，向她双手作拱说："小妹，现在看你了，好好找一个大姐样的阔女婿，最好是楼下张家的洋女婿，让妈妈光彩一番，我不争气，也没这份兴致！……"

蓓菁怔住了，也"妈妈呀"一声哭了出来。顿时，女儿国里一片哭声。

沈家姆妈恼怒地瞪了蓓琼一眼："把你养到三十三岁，做娘的也算对得起你了，以后的日子，我可再也管不到你了！"说着，又哽咽起来。

"本来，那是我自己的事！"

"好吧，那你就别再在这里占个床铺！"话音刚落，沈家姆妈才感到自己话说重了。只见蓓琼果真收拾起盥洗用具和替换衣服，她倒心慌了，一把拉住她说，"死丫头，这么气得我还不够，还要怎样？"

蓓沁也忙扯住妹妹的挎包："往哪去？"

蓓琼反倒感到平静了，只见她对镜拢拢自己略略有点凌乱的头发，说："我搬去学校住，晚上看看书也方便点。明年夏天，我准备去报考研究生，我想这，已想了好久了！"

沈家姆妈缓缓地松开手；女大留不住，随她去找自己的运星吧！然后，她回头怨艾地打量了蓓菁一眼，蓓菁只感到心头一沉——找个光彩的对象的重任，无疑落到她身上了。难道，结婚就是这么一回事吗？她有点恐惧地双手抱着自己的肩头，想找个人问一下，对，找简雄问一下，是不是这么回事！

十五

蓓沁小心地将盛着火腿鸽子汤的广口暖壶换了个手，摸出钥匙打开了乜唯平公寓的门。他虽早已出院了，但她仍经常给他煮点营养汤之类。蓓沁是个懂事的女人，她明白，一旦她和乜唯平的关系确定下来了，她就再也不随便对他撒娇斗气了，而是更多地关心他、照顾他，任什么，都得有个分寸呀。

"李妈，把这汤热一下，开小火炖着，留神别烧煳了。"自她确认自己是这儿未来的主妇后，她再也不怕那老保姆那对尖刻的眼睛，并且也开始泰然地使唤起她来。

李妈极不情愿地接过暖瓶，蓓沁觉察了，但她装作不在意，反正她打定主意，一旦她嫁过来，就要把她辞掉。

"先生出去了。"李妈在她背后说。

蓓沁径自往房里走去，乜唯平不在家，她也常进房的。

"我们师母要回来了。"李妈冷冷地说，"今天到。"

回来了？蓓沁一惊，怎么没听他提起？那好吧，到了开诚布公的时候了。蓓沁满不在乎地扭开了房门，意外地发现，房间收拾得十分干净，茶几上还搁着一个在这样的季节显得十分稀罕的玫瑰鲜花篮。

难道……她还得住在家里？睡在这张床上？

床边的电话铃响了，她迟延了一下，终于拎起电话，原来是乜唯平打来的。

"蓓沁吗？刚才打电话到你医院里，才知你已经来了。她已经到了，来得突然，我也没准备……以后再细谈吧，让李妈来听电话。"

蓓沁连忙追问一句："那我呢？留下还是……"

那边停顿了一下，她想象得出，乜唯平正在话筒那边沉吟，然后，他说："你先回家吧，待我慢慢与她谈。你让李妈来听电话。"

蓓沁的心凉了半截；原来，他还没和他 wife 谈过，而且，还得"慢慢谈"！

李妈接着电话，连连点头道是，乜唯平似乎宁可与老保姆多商量。她一下感到，自己受冷落了。只见李妈放下电话，对坐在写字桌前的蓓沁一声："请让让。"就从腰间拿出一大串钥匙开了抽斗，拿出一只照相架换下床边乜唯平原先那张单人照，蓓沁看见，那是一张他和 wife 俩的结婚照。但她不好意思当着李妈的面仔细看。

"先生关照的。"李妈继续头也不回地冷冷地说，神气地甩动着那沉甸甸的钥匙圈，然后又熟稔地打开另一个抽斗，取出一条绣花新床罩，又对已让到床边的蓓沁一声"对不起，让一下"，蓓沁忽然感到自己在这里那么多余，那么不自在，活像一个闯入人家家里的不相干的人。她蓦地感到自己受了愚弄。她旋风般地穿上大衣，披上围巾，刚摸到大门把手，李妈递上那个广口暖壶说："把这带回去吧，等一下师母问起来了，不好说呀！"

蓓沁满脸沮丧地走出公寓大门，竭力安慰着自己，或许乜唯平的 wife 回来的决定太突然，他来不及作出相应的措施，或许今晚，他就要和她慎重地提到他和她蓓沁的打算了，但是，那两人合影的照相，那张换上漂亮绣花床罩的大床……乜唯平，是不是只权当她是一个解闷的小玩意儿呀！她感到自己呼吸急促起来，耳膜都震得咚咚作响，不过，不会的，凭什么呢？……反正不可能，她沈蓓沁向来在这方面是胜者，不可能上人家当的！……唉，怎么办呢？她忽然有点心慌了……

十六

"我现在真怕待在家里，空气冷冰冰的，就像待在冰箱里一样！"

在上海展览馆前宽广的林荫道上，蓓菁双手斜插在夹克衫口袋里，像小孩子样沿着人行道边沿走着，对身旁的简雄说。

"对啦，今天你带来没有？"她又问。

"什么？"

"倪光兰的照片。又是没有。我就猜着。对啦，她知道我吗？你从来不跟她说起我？为什么？"

"怕她吃你的醋呀！"

"不过接下来，我可要告诉你一件事，你可别吃醋。"蓓菁继续小心地沿着自己划定的范围走，声音却由于过分紧张而有点颤抖。

"我们老邻居吴老太，给我介绍了个男朋友，是她女儿的同事，在澳大利亚……"她担心地看看他。

"找得真远！"他脸上显现出一丝嘲讽的神气。

"……比我大十岁，在一个汽车加油站工作。就是我好像感到他矮了点，才一米六九，男的这般身材，是属于很矮的了。你怎么了？生气了？你找了倪光兰，我都不生气！……"

"你这个笨蛋！你既不了解他，也不认识他，就这么同意了？"他怒冲冲地说。

"你以为我跟那些爱慕海外生活的姑娘们一样吗？哦，或许我也是那样。我关在这冷冰冰的三层楼里关腻了，我也想出去看看悉尼歌剧院，开开眼界……我们楼下的张家小妹，都去参加香港十日游了。"她嘟嘟哝哝地说着，不时飞快地扫他一眼，窥视一下他的表情。然后又悄悄加了一句，"如果有可能的话，我还想再继续深造一下。"

简雄没吭声，只是逐个扭捏着自己的手指关节，发出清脆的"啪啪"响，他手关节上的汗毛更兴，黑黑的，一簇一簇的。有这样的一双大手，理应让边上的女人感到安心、可靠。可此刻，他那双宽大的手掌，却显得有点一筹莫展。

蓓菁受不了那闷闷的扭手关节声。她又说："如果你认为不妥当，我可以不考虑……"

"你这说哪去了，"简雄这才岔开自己的双手，他的十个手指指端圆圆的、平平的，像十个小小的铲子，无声地显示着力度，"交往一下也好，世上哪有这么多骗子！只要人老实，大十岁也没关系，当然，最好先与他直接见见面。要可能的话，让我先过过目……"他瞟了她一眼，又加了一句："如果你信得过我的话。"

蓓菁只感到鼻子酸酸的，有一种不可思议的悲哀，不由自主一把抓住他的手。唉，这样一双典型的男人的手！这一辈子，还没一双男人的手接触过她的身子，如果这样一双粗壮富有力度的手触摸着她，那该是一番怎样的滋味呢？

简雄却迅速地抽回自己的手，瓮声瓮气地说一声："再见。"

"上哪儿去？"她感到很突然。

"找倪光兰去。"依然是瓮声瓮气的回答。然后他就急急地穿过排成一长串一长串的车列，消失在街拐角处的红绿灯下。

十七

"美乐村"六号厨房里，吴老太又正在帮沈家姆妈出点子。

"……那个澳洲人也太急了，两人才刚刚通了会子信，他就逼着要拍板敲定。路又这样远，我老实讲，也有点不放心。"沈家姆妈说。

原来那澳洲人正好有公差到上海，他建议，他来次上海也不容易，按他心思，一带两便，索性把婚事也办了，了却一桩事。这下，沈家姆妈可捏不定主意了。

"这有啥三心二意的，"吴老太同情地看着日见消瘦的沈家姆妈，"从前阿拉还不是花轿一顶，就给稀里糊涂抬走的，连个新郎嘴眼鼻子怎样也不知道呢！蓓琼的教训你可得记住；这下蓓菁，你可得自己捏定主意呀！"

话怎么能这样说呢？现在怎能和吴老太那时光比呀！但沈家姆妈又怕这里一松手，那外国女婿给别的户头抢去了，左思右忖也想不出个两全其美的办法，最后赌气一声："不管了。干脆买张火车票到她们爸那儿去。这里，随便三个女儿去搅了。"蓓沁这丫头，看着这几日也呆呆的，上了心事了，谁知又有什么事！沈家姆妈真后悔，早知有那么一大堆烦恼事，养这些小囡做啥！养一个还不够，还要养三个！

凯歌咖啡店楼上，还是那个靠壁的雅座，蓓沁和乜唯平面对面坐着，咖啡杯、牛奶壶摊了一桌子，桌子边上，搁着一把钥匙，蓓沁从钥匙圈上除下来的。

"咖啡都凉了，换两杯热的吧?"乜唯平问。

蓓沁制止了他。这番，她要严肃认真地与他好好谈谈，不要再让咖啡和方糖块搅拌在里面了。"就这样吧，以后，别再往我医院里挂电话了，快把钥匙收起来吧。"

"我也是为我和你着想的呀! 我和我 wife 再维持婚姻关系，我就可以作为移民取得美国国籍，然后，我再把你接出去……"

这更是飞机上吊大闸蟹，悬空八只脚的不着边际的话了，蓓沁懒得去拆穿他，只是冷冷地回答:"我不想漂洋过海了。"

"再说，我现在那房子，原是她家的，要我和她离了，是我提出而不是她提出，那……我也无法继续住下去了。"他躲避着她的视线，又很不自在地加了几句。

哦，这倒是全部问题的所在呢。

"这么说，你就是为了这套房子，甘心眼开眼闭看着你 wife 在外边寻欢作乐，而等着她来赶你走吗?"蓓沁怒气冲冲地瞪了他一眼。

"你又歇斯底里起来了。你应当喝点热浓茶。"乜唯平伸手玩着那把钥匙，又加了一句，"要是我没有这间公寓，想你，也不一定会愿意跟上我的吧?!"

蓓沁只觉得脊背上一阵冷战。她掀了几下嘴唇，感到一下子语塞了。这时，乜唯平已经很顺手地把钥匙放回自己的圈里了。

蓓沁忽然想起，这把钥匙大概已易了几次主人了? 她急急地站了起来，乜唯平周到地替她穿上大衣，并抢在她前面帮她推开那沉甸甸的玻璃弹簧门，不过此刻，这一套周到的礼仪，让蓓沁感到虚假、做作!

好容易摆脱了乜唯平的纠缠，她一个人走在热闹繁华的南京西路上，感到一种不可言喻的自由感。她忽然悟到，蓓琼为何离开家有万贯的小唐，宁可孤身一人了。要跟一个已经没有爱情的男人哪怕多相处一分钟，也是难捱的。想到这里，她很自责从前对妹妹的蛮横、专制和盛气凌人。想到今天正好将是蓓琼在夜大的最后一门考试，她就步入临近一家花店，为蓓琼精心挑了一束清香淡雅的水仙花。蓓琼如今长住在学校，唯有周日才回来一次。

晚上八点许，天上开始散散落落地飘起雪花来，蓓菁握着一顶小红尼龙伞，迟缓着走进厂里，在临时充当舞场的食堂门口站住，里面的舞会正当高潮之时，为了抵挡寒气，食堂的两扇门关得严严实实的。蓓菁踮起脚跟，贴着被屋里的热气蒙罩上一层迷雾的玻璃，往里搜寻着简雄。她从来没参加过被大姐贬之为"荐头店"的这种基层单位的舞会，因此，不敢贸然撞进去。再说，她今天晚上冒着大雪找到这儿来，可不是为着跳舞的。找了半天，也没找到简雄的身影，正纳闷着，有人在后面拍打下她的伞，她这才发现自己的双肩和绒线帽上，已盖满了雪花。

"怎么？下决心学跳舞了？澳洲去用得上呢！"简雄说着，欲伸手为她推门。

"你！人家冒着这大雪来找你，你尽讲这些怄人心的话！"她使劲地擤了下鼻子——哭了！

"走吧！"简雄接过她的伞说。

他们走出厂门，顺着僻静的小巷慢慢走着，蓓菁把那澳洲朋友的信塞在他手里。"你说，我该怎么办呢？"蓓菁盯着他问，神情仿佛在祈祷。

简雄就着微弱的路灯光，细细地斟酌一番信中的措辞，然后用一种冷峻的口气说："看来，这位先生办事为人还很实在，讲的也是实话，靠薪水过活，来一次中国也不容易，他这样的想法也是可以理解的。"

"可是……"蓓菁带着颤声说，"我根本不认识他！"

"以后，你会习惯他的。"

"一辈子也不会的！我不认识他，却要跟着他走那么远，离开家，离开姐，离开你！"

他像大哥哥样挽着她臂膀说："等他来了，我跟他好好谈谈，让他保证永远对你好，叫他不敢欺侮你。"

但是，蓓菁哭得更伤心了。

"别哭了，听我说，"他盯着她眼睛，很严肃地扳过她肩头说，"能出去开下眼界，这无疑是个很好的机会。万一，万一他待你不好，你依旧来找我好了，我是不在乎你有没有结过婚的。"

"那么……"她涨红着脸，急促而紧张地抬头看着他，"你的倪光兰会怎样想呢?"

"去你的'耳光来'，干脆'耳光去'，我这跟你说正经的!"他嚷了起来。

蓓菁眨巴着眼睛，嘴唇颤动了一阵，终于弯成一抹笑容："你是说，根本没有倪光兰吗?"

"是的，也没有职称，还没有抽水马桶、煤气灶……"简雄莫名其妙地烦躁起来，又开始扳起他那双粗大的手关节。

"假如，我不在乎呢?"她伸手温柔地把自己的手放在他的手里。然后抬起他的手，那汗毛很兴的手背，贴在自己火热的脸颊上。

十八

阳历年三十夜，然而美乐村六号的灶间并不见得怎样热闹，只沈家姆妈一人在忙碌着。沈家姆妈显然地消瘦了，双颊有些微的松弛，只是头发依然染烫得油亮乌黑。

吴老太进来冲热水袋，瞟了一眼忙碌着的沈家姆妈，说："哟，过阳历年三十也如此考究？请客呀？请谁呀？"

"蓓菁说，要在家里开个'派对'，请几个朋友。"

吴老太撇撇嘴："这巴掌大一点地方，怎么开'派对'？真是螺蛳壳里做道场了。喏，还是小唐家的地方大，开起'派对'来，可神气了！"

沈家姆妈紧抿着嘴巴表示沉默。

后门口钥匙"喀嚓"一响，蓓菁带着简雄进来了。简雄不像一般首次朝拜丈母娘的那些人，四式礼品一式也没有，却向映薇递上一簇在这隆冬季节很显稀罕的艳红的玫瑰。在映薇记忆中，婚后四十年没有人送过鲜花给她。

"我来过这儿。那些个开关，还好使吗？"他带着一种不卑不亢的微笑说。他的大衣领竖着，遮住三分之一的脸庞，因而使他那对眼睛显得十分突出：聪明、锐利，而且坚毅！沈家姆妈完全明白了，那个澳大利亚籍男子，根本不是眼前这位的对手！映薇感到自己也不禁对简雄有了好感。

"妈，你上楼去吧。这里的厨房活，我们包了，今天采取不劳动者不得食的原则。待一会，小唐和他女朋友也来帮忙呢!"

"小唐?!"映薇吓了一跳。

"这有什么! 爱不在了，情还在嘛! 我让蓓琼打电话约他和他女朋友一块来的，否则，我们的 party 客人太少了!"

吴老太表示愤慨地摇摇头，待蓓菁俩上楼，又开始数落了:"现在的青年人，真开通! 呃，她放走了那个澳洲人，觅到现在这位，他究竟好在哪里? 是专门修电灯的?"

"普普通通罢了!"映薇没好气地回答。

"我也没话说了。这叫篮里拣菜，越拣越烂。"说着，吴老太开始悻悻地哼起电影插曲《何日君再来》走了。

蓓琼也回来了，搓着冻僵的双手在厨房里转了一圈，到底找不出话茬子与妈妈交谈。自那天为着小唐的事和妈妈冲突以后，母女间总似还有芥蒂。

"等下，小唐兴许会来?"妈妈半是提醒、半是核实地发问。

"是的，没关系。"蓓琼接过妈妈手中的洋山芋，相帮着刨皮。看得出，她在努力解除那无形的芥蒂。

什么叫没关系? 映薇心里嘀咕了一下，却懒得再追问了。说话间，小唐带着女朋友来了。女朋友长得黑黑瘦瘦的，远远及不上蓓琼，有什么办法呢? 这叫没缘分! 沈家姆妈止不住哀怨地扫了蓓琼一眼，不料她却满大方地迎了上去，反显得小唐有几分窘迫和尴尬之情。

接着来的是蓓沁，还有蓓菁厂子里的几位朋友，男女共十二人，分散坐在沙发、椅子和大床上，正中那盏七十五支光的大吊灯也破例启用了，沿着灯罩向四周天花板拉开好几道彩带，这是蓓菁出的主意。加上屋里热闹的谈笑声，倒真有点晚会的气氛! 映薇没想到，自己那间陋室，倒还能举行这样热闹的"派对"。

然而这毕竟是青年人的聚会，映薇到底感到有点与之格格不入，她把自己隐在大橱和五斗橱间的角落里，依次打量着自己的三个女儿。她最喜欢在女儿们不经意的时候打量着她们。

蓓沁此刻正在两位青年男士的包围中，谈笑自若，风情万斛！但只有妈妈明白，近日来，她独自一人如何勇敢地忍受着那种无法启齿的痛苦。

蓓菁在餐桌上忙碌地招呼着众人，看不出，向来做事丢三落四的男孩子般的小女儿，将今晚的 party 主持得十分出色，完全不亚于老大。在忙碌的间歇，她不时飞一个滚烫的眼神给身边的简雄，这副局面，说明大势已定，她这个为母亲的，就是使出三头六臂的劲道，也是无济于事了！映薇想到这里，又瞟了眼简雄：这个小伙子"模子"真大，看来，那件毛衣起码得起二百八十针！很费工夫呢！

蓓琼手托着堆满各种菜肴的盘子，与小唐他们另开辟了一个角落，此刻正在津津有味地听小唐讲述他的生意经。蓓琼的脸色红润多了，长期挂在眼下的那两道黑圈，也消失了，不时扬脖发出几声舒心的笑声，并殷勤周到地替小唐俩递盘添菜，一切做得又自然又亲切，想不到这个向来笨嘴笨舌的老二，处事竟能如此大度得体。这几十年来，她这做娘的，真是在瞎忙；没有她，女儿们完全可以很好地打发日子，一切处理得合情合理。看着这会正在畅谈的小唐和蓓琼，映薇才刚刚悟到，有的人可以成为很投机的朋友，可却不能做一对志同道合的夫妻，而蓓琼，在这点上，早就能够而且坚定地认准了！或许，现在这样，反而更好。想到这里，她从五斗橱里拿出那件早已完工的毛衣，招呼小唐来试试身。

小唐像只木偶样任凭沈家姆妈扯袖子、拉衣领，唯有蓓琼发现，他的胸脯在急促地起伏着，连眼圈都有点泛红了，其实何止小唐，连蓓琼自己，也为妈这一举措感动。她继续不露声色地打量着这位往昔的恋人，他瘦了，黑了，老了……不，成熟了！也显得更锐气了。发现她在打量自己，小唐抬眼对她微微一笑，蓓琼只感到内心那根细细的弦，轻微地颤动了一下。她很感谢家里的新成员简雄把小唐邀来的建议，使她在自己的这一段罗曼史结尾，添上一个意味隽永的省略号。

简雄给蓓菁斟了满满一杯酒，示意她端过去敬妈妈一杯，蓓沁和蓓琼受启发，也先后跟上。于是三杯嫣红的葡萄酒举在映薇眼前。

"妈妈又为我们操了一年的心，谢谢妈妈！"

映薇依番又疼又怨地打量着三个俏丽可爱的女儿，虽说她们已到了报上说的"大年龄未婚青年"的年岁，但不知是因为"瘌痢头儿子自己的好"的原因，还是真的确实如此，她只感到这三张脸年轻又滋润，鲜艳又动人；老大漂亮矜持，老二楚楚动人，老三活泼开朗，对比之下，镜里的自己，眼皮也耷拉了，泪囊也大了，皮肤也松弛了……

"妈妈老啰。也操心不了你们多久了！"她长叹一声，眼圈倒红了。

简雄紧走两步上来，右手搂着蓓菁，说："沈伯母，你就放心把蓓菁交给我，这个心，我接着替你操，准保把她养得白又胖。"这最后一句俏皮话，他是学着香港歌星样唱出来的，把个映薇逗笑了。

这时，小唐拉可体合身的新毛衣，端着酒杯走来，严肃而深沉地说："伯母，往后有什么要帮忙的，我和我的……我们俩，一定会尽力相助的。蓓琼，相信我。有什么要帮忙的，找我……看，这儿是我的手！"蓓琼缓缓向他伸出自己的手，他们像兄妹样手拉手站在一起，还不着意地前后晃了一下。

蓓沁极无聊地用手指弹了下自己手中的酒杯——这一刹那，她感到自己孤独得很。聪明的二妹伸手抱住姐姐的肩头，想给她一些默默的安慰，但是，蓓沁双手一扬，挣脱了。蓓沁双手合掌，甜甜地扫了众人一眼，故作诙谐地说："女士们，先生们，别错过敲十二点！"

"对，大家快在钟敲十二下时许个愿。在这个时刻许的愿，总会实现！"蓓菁跳起来说，双颊烧着两朵红晕。

简雄侧首着意地欣赏着她的娇憨之态。

蓓沁一声不响地注视这幸福得顾不上第三者的一对，既替小妹高兴，又为小妹惋惜；婚礼一过，可爱的小妹妹会和其他姑娘一样，以可怜见的薪水来撑起一个家，半夜起来带孩子、上菜场，一个子儿一个子儿地扣下买沙发、冰箱的钱，然后迅速地衰老、憔悴下去！像《我参加了你的婚礼》所唱的。当然，他们有爱情……不过，世上真有这玩意吗？

"还有三分钟到准十二点，先来点音乐。我带着一盘极妙的《夏威夷婚礼曲》!"简雄说。

于是,屋里响起平·克劳斯贝诚挚、质朴的歌喉;蓓琼在一边轻轻地译着歌词大意:

这是我盼望已久的时刻,
不久,婚礼的钟声就要敲响,
……
应诺我,我们永远相爱,
应诺我,我们彼此永不分离……

蓓沁仰靠在沙发背上,闭上双眼,那如同爱的絮语般的歌声,令蓓沁内心升起一股不可抑制的强烈的欲望——对幸福的需求!蓓沁闭上双目,她忽然想到,等钟敲十二下时,她一定要许这么个愿:愿她的生活中,也有这样一个挚诚的声音,向她频频呼唤,执著地呼唤……

"注意,准备,还有二十秒钟,新年就到了!"蓓菁紧张地注视着录音机上的电子钟,宣布着。

明知是游戏,但蓓沁还是十分紧张;在这最后二十秒里,她得决定,她到底要什么?要一个诚挚的充满爱意的呼唤,还是?……

蓓琼则不慌不忙地数着电子钟上那小黑点一次次显示的次数"一、二、三……"她的心愿,早在半年前就考虑过了,她想考研究生。

蓓菁把手肘撑在简雄的大腿上,托着自己的下巴颏,她的心愿……唔,简直不能跟人说,包括简雄!她只想,快点让她和简雄俩单独在一处,她要好好地、轮流吻着他那双长着很兴的汗毛的男人的手!

沈家姆妈再一次轮番打量着自己三个千金,既没许愿,也没希望,只是一个劲地叨念着:再过二十秒,她的女儿们将是,三十六,三十四,二十九!

"滴答滴答",五斗橱上那台老式座钟不紧不慢地走着,好比一位严正的法官,胸有成竹地迈着他威严的步子,由远而近地走来……

 穷街

一

天下最苦恼的，就是必得穿自己不喜欢的衣服，必得置身于一个自己讨厌的环境……看，就因为今天是星期一，文习绣就得心疼地狠命用钢丝发刷把发卷梳直，其实她星期六刚让美发师收拾过头发呢，那种两鬓发梢略略往外翻飞的新发式，是最适合她那活泼洒脱的气质了。还有，正值初秋的气候，那条象牙色羊毛裙多合时！大红的衬衣，配这条裙子，再穿一双三角跟的白皮鞋，昨天星期天，她就是这样一身装束，又高雅又大方，惹得她自己都得意地对着镜子笑。不过对不起，此刻，她只能套上一条胯部肥得可以塞上一只老母鸡的"文革"时期生产的裤子——标准六寸的裤管，她明白自己这副样子有多邋遢多俗气，可有啥办法？怨她自己是个教师——其实她自己还天天要让妈妈教呢：不要追电车，宁可慢点来；不要随便和同事们太亲近，一来运动准倒霉；不要太惹那些有流飞习气的男生，这些人说不准身上都藏着小利刀……每天叮嘱一大套，好像文习绣不是担任三个初中毕业班的英语教学老师乃至班主任，却是个每天挟着书包上学的女学生似的！唉，光是教师也罢了，她家斜对面那所中学的那些个女教师，穿中跟鞋卷发的也多着呢，偏偏她文习绣所在的那座学校就是少见多怪，也难怪，它在一条穷街上嘛！

上海市浩光中学，好大的口气，还"浩光"呢，其实，就因为那条穷街叫浩光街！别往市区地图上找，找不到的。它太小太穷，都不好意思往大上海的版图上站呢！其实，市房建局也真该去那儿看看，那里的房子，早就该用推土机铲掉了。去报到那天，说来真让人不相信，整条街上的人都像看外宾那样向她行注目礼，特别那些年轻的姑娘们，甚至毫无顾忌地评论着她的发式、裙子，连脚上那双在五原路自由市场上买来的坡跟凉鞋都没放过。等到她找到那所浩光中学，更让她倒抽一口凉气！校牌下赫然晾着一只开口马桶，看样子，是学校贴邻那座平房内主人的私产。看，这就是文习绣的工作岗位。如果用园丁来比喻教师工作，那么她的花园，却连天井都不如，简直……就是一块荒地，真的，一块荒地。

"刚刚参加工作，自己注意点。教师间的矛盾，你别参与，与你不相干的，少管闲事，还有那个与你搭班的老师，就多听听他的，他要你去家访，就好歹走几家吧！你刚来，总得给人一个好印象……"在文习绣临出门上班前，妈又不失时机教她几下。

哼，妈妈讲讲才容易呢，"好歹走几家"，让她自己到这条穷街上来走一下，别看也是个退休老教师，光凭她那副金丝边眼镜和染烫过的头发，就会领教到那种评头论足的目光的威力了。这就是为什么至今，文习绣对访问学生家庭总是一拖又拖，成为一个沉重的精神负担的原因。即使她穿着那么一条裤管标准尺寸的肥裤子，于她也无济于事。一则因为她是新来的，二则因为她是年轻的，三则因为她是来自"上只角"①，这三点足以使她成为浩光街上的新闻人物了！

学校离家足足一小时的公共汽车路程，哼，这一小时的路，有如从第一世界步入第三世界，马路明显地窄了，两侧的建筑也矮了，各住户窗口伸出的晾衣竿也密了：袜子、被单乃至衬裤、胸罩，毫无顾忌地迎风招展，宛如轮船上的万国旗。下了车，在肉眼和嗓子眼都能感到"污染"的马路上，小心地绕过那一堆堆长年累月躺在马路仓库睡觉的铁块铁条，步行十来分钟，然后往右手一拐，就是浩光街的路牌，这块路牌极少有见天日的时光，上面老晾满了拖把和鞋子之类，而浩光中学，就是那幢

---

① "上只角"：上海人对高级住宅区的习惯称呼；反之，叫"下只角"。

颇有鹤立鸡群之感的灰色四层楼建筑。

没来这儿报到以前，文习绣都不相信，号称远东大城市之一的上海，竟会有这样一个被繁华遗忘的角落！

窄窄的路面上，都是来上学的学生，熙熙攘攘，好不热闹，学生们极有兴趣地打量着她，悄悄谈论着她，隐隐约约间她还听见他们在提她的绰号——"嗲妹妹"，有啥办法？她生就一张板不起来的脸，到这里来工作，实在是一场误会。三十六着，走为上着，从报到的第一天起她就在动脑筋瞅机会搞调动了，眼前，只能用这里学生常挂嘴上的一句粗话——混吧！

"早，小文！"

那是和她一起搭班的张祥麟，推着自行车走过来，接下来他准得问星期六她有无去家访的事，看来，这个张祥麟是全然不懂得那套 Lady First 的西方习俗，铁了心要她文习绣就范的。果然……

"陈根妹家去过吗？她已经有三天没来上学了。今天，无论如何得抽空去一次，就是她已经来上学了也得去……"

其实，学生三天不来上学，到了第三十天，准来！读书还得去请？不过，这话怎么说得出口？她是班主任呀！

唉，班主任！她妈妈就是班主任，一到春节，家里来的客人把所有能坐的地方都占了，她文习绣光泡茶都来不及呢，全是妈妈的学生。在"文革"期间也不例外。妈妈退休那天，学生来了好几批：五十年代的、六十年代的、七十年代的、八十年代的……但是，妈妈是在那所著名的第三中学里做班主任呀！那里出来的学生不是研究生就是留学生，起码也是大医生或工程师，哪能和她那所门口晾着开口马桶的浩光中学相比呢！从前妈妈每天上班前，都要对着镜子打量挑剔半天：皮鞋有没有擦亮，衬衣领和毛衣的颜色是不是协调，头发有没有蓬乱……妈妈说，站讲台与站舞台，是没有区别的。可她文习绣，尽管对衣着审美很在行，却只能穿着一条面粉袋样肥的裤子上讲台！就因为……是班主任！穷街上的班主任。

报到那天，校长把她打量了半天，然后从抽斗里递给她两条橡皮筋：

"我们是不准学生留披肩长发的。还有……你那件无领绸衬衣……颜色确实可爱，但我们这里习惯穿有领子的衬衣，再说，我们还打算安排你做初三年级的班主任呢。我们教导学生要生活朴素，为人师表嘛……再说，这里教师都很朴素。"

校长确属"为人师表"的典范：头发剪得笔直煞齐，令文习绣联想起油漆刷子；洗得发白的黑裤子，衣领上打着个补丁——文习绣老纳闷，而今衣服都是化纤之类，要穿到打补丁该穿多久了？这大约就是穷街的风格吧？

不过，渐渐地她发现，这所学校，这条街并不是没有钱，然而确确实实是穷……当然，这已是后话了。

"文老师！"几个男同学推搡着走到她跟前，那正处于变声阶段的嗓子听上去又别扭、又滑稽，但流露出的感情，却是让文习绣感动的真挚的问候，就像破晓时的空气那样清新。话说回来，这里的学生尽管看上去不那么彬彬有礼，但大都很坦诚，从不打听教师的学历和程度，也不像市中心的学生那样用难题来掂摸老师肚里的斤两。

"文先生。"因为姐姐在大学里读书，刘国良也因此喜欢处处标新立异，表示与众不同。他那特别的称谓把同学们惹笑了，他却不以为然，"笑个啥？大学里称老师都叫先生，我姐姐说的。有时叫得快一点，就光剩一个'生'呢！"

"要是有个老师姓钟，怎么办？"调皮鬼何福贵不露声色地问。

"钟生①嘛。"刘国良话说出口才发现自己上当了。

文习绣好容易才忍住不让自己也笑出来。可笑她自己还未摆脱尽学生时期的幼稚气，还得勉强顺应着这让人别扭的为人师表的生活。要按她自己的心愿，巴不得和他们一起纵声大笑一番才好呢。

"文先生，陈根妹再请两天事假，这是请假条。"刘国良说。

---

① 钟生：上海方言畜牲的同音。

看来，陈根妹家不去是不行了。她有五天没来上学了，文习绣感到自己再不闻不问，就太不像话了。但是她讨厌家访，她不愿意那些穷街上的居民毫无顾忌地当着她的面对她评头论足。其实这种事，要是与她搭班的张祥麟肯替她揽掉点就好了。没料到，这个看上去风度翩翩的张祥麟一点骑士精神都没有。

听说张祥麟是新近从外校调来的，比她只早来一个学期。起初她很纳闷，这个看上去挺精明能干的张祥麟为什么偏偏要往这浩光中学调？这是所既没升学率也不讲质量的中学，难道他不了解这是所多糟糕的学校！不过后来她明白了，他肯定是为了急于换个环境，因为他刚离了婚。一个漂亮的离了婚的男人，真够耐人寻味的了。特别在妈妈告诫她提防着点，因为"离婚的男人都不是好东西"以后，她对他更持几分神秘感，这是一种微妙的无从解释的心理。

那天宣布新学期的人事安排，她光听说自己和一个叫张祥麟的搭班。张祥麟，好俗气的名字，她正在揣摸那个"张祥麟"本人会不会和他的名字一样俗气时，一个顾长结实，剃刮得发青的下巴颏正中不时闪现出一个小坑的漂亮男子来向她自我介绍了，他学着日本人的样子，幽默地对她欠欠身子："张祥麟。请多多关照。单身住校，周末回家。有啥事，尽可以随叫随到。"说着眼睛笑成两条黑黑的弧线。文习绣当即心中一喜：有这样一个年富力壮的男教师做合作者，她的工作量准轻松。另外，这张祥麟一眼看上去就很有点味，她未曾料到在这条灰蒙蒙的穷街上，在一群衣着"朴素"的教师里，还能遇见这样一个挺有味的异性，与他合作很称她的心。这正应着弗洛伊德的两性学说呢。当然，这第二个理由纯粹是端不上台面的，只是她私下下意识的活动。

谁料到，他下巴上白白长了个迷人的小坑！他一点都不懂得女人的心理，他一点都不照顾文习绣！难怪他会离婚。

就拿这个令她讨厌的家访来说，虽说这是她做班主任的份内之事，可大凡稍有点骑士精神的聪明人，知道她对此有难色，完全可以帮她解决掉。她曾试着提示他："你骑上辆自行车帮我兜个圈子不就得了？我还得两条腿走过去……"谁料他对此却一点不动心："不，你是班主任，你得自己去！"

"我每天上下班走过那些敞开着的门口，都感到狼狈极了！"文习绣嘟着嘴唇委屈地说，想博得他的同情。

"多走几趟就习惯了！"他却毫不理会她那副委屈样，"啪"的一下合上那册学生登记本，就撂下她走了。气得她恨不得对他背影挥几个老拳才解恨呢，他算什么？就凭着下巴颏上长了个迷人的凹痕就这样神气活现！

早自修铃响了，她在长长的教室甬道上又与他相遇。

"唷，你的头发……"他抬抬眉毛，赞赏地说。

"怎么？不合适吗？"她紧张起来。

"不，挺漂亮的。"他偏侧着头打量一下，真心诚意地说。

那钢丝木梳终究制服不了电烫过的头发，从玻璃窗的映影里，文习绣看见自己的两鬓发梢又翻然翻起。唉，要是不穿这条肥口袋般的裤子，她还得让他吃惊呢，说不定这下倒可以把他镇住了，会乖乖地骑上自行车替她去家访呢！

"今天早自修你就别去了。"看，那翻起的发鬓起作用了，张祥麟开始向她献殷勤了，"我去吧。"

"不……"文习绣想客气一番。

"我去替他们补课。昨天测验，三十六个不及格！"

原来不是为了她的发式！但他的责任心让她感动。

"这下只角的学生，本身就不是读书的料子，补课也是白搭。我们这里反正是培养劳动大军的学校，他们大多是顶替的出路，倒马桶烘大饼的，也用不着念几何三角……"她安慰着他，其实也在安慰自己；上一节课英语测验，全班只有两个人及格，她都不好意思把记分册往教导处送。

"那……你幸亏没生在这里，生在这条穷街上。就为这一点，你每天都该为自己干杯呢。"他讥诮地毫不留情地说。

他挖苦人！她哪儿得罪他了？她这话是冲着学生的，与他相干什么？他进教室去了，习惯地昂着头，剪裁合身的衣装很好地勾勒出匀称的体魄，他穿得很普通，但很不"朴素"，简直有点扎眼。新来乍到，她很后悔就惹人生气了。妈妈不是再三叮嘱她要搞好人事关系吗？

二

浩光街真是一条穷街。

那坑坑洼洼、用碎石铺成的路面，既是把这里与繁华的上海市中心区相连的一条必经之路，又是街两侧居民们唯一的下水道：刷碗水和刷马桶水都往这里泼，因而这条路面从早到晚，一年四季都是湿漉漉、黏糊糊的。

街的西端通往一条柏油铺面的马路，从那里搭一小时公共汽车就能抵达上海的心脏——南京路，所以，那条路被这里的青年们称做"第二世界"，而把浩光街戏称为"第三世界"。街的东头则通往一条黑黢黢、泛着难闻的气味的小河滨——苏州河的一条支脉，自《尼罗河上的惨案》上映后，它有了个富有异国风味的名字——尼罗河！传说这条街的第一代开拓者就是从这里上了岸，搭了个滚地龙，安顿了下来。随后亲戚帮亲戚，朋友拉朋友，这里的居民就多了起来，形成了一条街，随着人数的增多，这条街又如蜘蛛网一样往四处延伸扩张，成了如今这么个迷宫样的支弄密布的居住网。

浩光街街口看着还不怎么窄，可勉强容纳一辆六人座的小轿车，那是几年前这里出去的一位衣锦还乡的老华侨坐的那辆"上海牌"新验证过的。可路面越往里越窄，最窄的地方连顶大号油布伞都无法撑开。所以你想，这里的居民们的门窗都成了象征性的东西，哪怕家里一个人也没有，尽可以放心敞开门窗，盗贼是绝不敢在这里作案的，前后左右都有人家呀。倒是整天关门闭窗的，却要引起周围邻里的疑心了：这家人家在搗什么鬼？怎么这样鬼鬼祟祟的？所以，这里的邻里关系，虽则少不了有打架吵嘴的，但总的说，正应了"一家有事，万家相帮"这句话了。这就是为什么有的居民好容易换成一套有煤气卫生间的单元房，还依依不舍考虑一番才决定搬走的原因。

看，这门牌一百五十六号是陈根妹家，屋里的来客，都给挤到门外，挤到左邻右舍的屋里了。客人们呷着茶，嗑着瓜子，谈笑风生，一听就知道是在办喜事。不错，今天，是陈根妹的姐姐出嫁妆呢。小小的十平方不到的堂屋里，从热水瓶到高脚痰盂，电视机到缝纫机，真是应有尽有，成了个小百货铺！

"新社会就是好！"陈根妹的妈妈，一个五十多岁的身体壮实的妇女正感慨地对何福贵的外婆说，"过去我们出嫁，哪有啥嫁妆？扯几尺洋布做件像样的衣服，就不错了！"

何福贵的外婆同意地点点头："我大女儿出嫁不就是这样！啥地方像现在青年人动不动就要买原套家具，一千一千五，眼睛都不眨一眨……好福气呀！"

陈根妹的妈妈用那双粗糙得像树皮样的手轻轻地抚摸着缝纫机上锃亮平滑的台板，从心里笑了出来。

"陈家姆妈，你也真不容易，四个女儿，嫁妆一个比一个强，也亏得你了……这下，这件喜事办完了，你自己也好好做几身像样的衣服，吃点好的……"

"没这福气。喏，还有个小女儿呢！"根妹妈似喜似嗔地朝根妹努努嘴，"她的事，总得比几个姐姐像样点，她最小呀！"

"你们根妹几年级了？"

"初三了，今年夏天就毕业了。快得很呢。就为了这个小冤家，我一直顶着没退休，我们菜场领导都对我有意见了！"

"让你们根妹顶替入菜场，你舍得？太苦了！"

"苦啥，就是得起早罢了，下午就没事了。奖金、工资不比别的行当少一分，实实惠惠。所以你看，我们根妹一顶替工作了，终身大事也快了。把她们一个个送走，我这身老骨头也差不多啰！"

根妹正在姑娘们那伙里起劲地谈着，一点没听到母亲的话。和大多数江淮一带的女孩子一样，根妹长得很俊秀：白里透红的皮肤和一对油黑晶亮的明目，可那两条经过人工修饰的眉毛却破坏了少女特有的天然的圣洁之光。而那件大红底宝蓝色花的港式针织尼龙连衣裙更无形中使她老气了几岁，不像个女学生，倒像个已踏入社会的女工。这里的女孩子，缺乏一种落落大方、华而不俗的审美观。

"我们厂里的一个小姐妹，她的婚事才风光呢；静安宾馆开二十桌，新房里，彩电、冰箱、双缸洗衣机都齐了，这辈子，他们就不用再撑什么家当了。"一个贺客介绍着。

"我上次吃喜酒的那新郎，路子可粗着呢，所有的客人他都一律用小车送到新房……"另一位也不甘表示孤闻寡见。

根妹伸长头颈听着，为自己还得在课桌后面挨一年而叹息。向来平平淡淡、貌不惊人的姐姐这一礼拜来简直成了这里人们的中心，像皇后娘娘一样地让人们供着，真正让她羡慕。今天车嫁妆，后天摆酒席，高潮还在后头呢！这工夫，姐姐穿着一套派力斯套装，大红高跟鞋，油光乌黑的头发，和平时真判若两人了。姐姐读中学时，也在浩光中学，由于家务多，又没啥好衣服，给根妹的印象就是邋里邋遢，可一进工厂，姐姐的"行头"就开始挺括了，皮鞋一双又一双，衣服一件又一件，听说都是男朋友给买的。交朋友就得交那些有工资的男朋友，出手才大呢。那些个男生们，包括连平时最会夸夸其谈的刘国良，除了请你看场电影或者吃个雪糕，就再没别的花样了！

姐姐正在把自己的新娘装，一件大红丝绒滚金边的旗袍炫给女朋友们看，根妹真羡慕死了！哪天，才能轮上她出风头？上星期她陪姐姐去照新娘礼服，那白纱裙就像电影里的西洋贵妇人穿的，惹得她也想穿上那身白纱裙照一张相，才五块钱一张，乐得敲一下姐夫的竹杠。哪知照相馆有规定，拍这照还得凭结婚证！

姐姐咯咯的笑声不停，仿佛已经醉了！

　　说这条街穷，也真冤枉！几乎每个低矮简陋的住房内，都飞出流行的立体声音乐，让人担心那薄薄的板壁会不会被强烈的"贝斯"震塌了！许多敞开着的大门内，都显露出一角很现代化的居室；满置着各种洋娃娃之类小摆设的玻璃橱，或者有一盏鲜亮的乔其纱灯罩的落地灯！但文习绣还是感到，这一切遮障不住那种一言难尽的穷相！

　　时值下午四点多，许是省俭灯油的早期开发者留下的遗风，这里的市面下得特别早，两边住户的门口，不少已捧上饭碗了，他们边扒拉着饭边饶有趣味地打量着她，就跟她的小侄子边吃饭边看《阿童木》一样的兴味盎然。

　　文习绣匆匆地走着，一心只想躲开那些落在她身上的芒刺般的目光。但是，那蛛网般延伸开的支弄已令她晕头转向了。

　　"找谁家？"一个声音发自她头顶上方，原来二楼——假如那能称为是二楼的话——那比一人略高一点的窗口，一个女人正伸出她的头在梳自个的长波浪，"根妹家？往前走拐弯……老虎灶隔壁……"

　　随着头顶上那一声声梳子接触头皮的"刷刷"响，文习绣似乎感到梳落下的头皮屑都掉进她的头发和衣领里了。于是不等彻底弄清地理方位，她就匆匆起步走了，慌忙中又踢翻了门口的一张小板凳。

　　"文先生！"小巷拐弯处走出了刘国良，"上谁家？"

　　遇到个小向导，可太好了。

　　"我们这儿，打起仗来，可以打地道战了！"刘国良领着老师，很得意地说。他是个体魄和精神都发育成熟得超过年龄的小伙子。初三的学生不过十五六岁的年纪，可他的嗓子已开始变得浑厚深沉了，"敌人一走进来，准摸不着出口。"他忽然觉察到自己的比喻不恰当，尴尬地摸摸自己的脑袋瓜笑了。这班学生，在校外比校内更可爱。

　　刘国良告诉老师，他去弄口等姐姐。姐姐和根妹的姐姐从小是好朋友，只是自姐姐考进了重点中学后，开始与根妹姐姐疏远了，进大学后，更是难得见面了。今天根妹的姐姐出嫁妆，妈妈要她无论如何回家来向好朋友道个喜。

"我姐姐不愿来。她说她讨厌这种场合。再说姐姐功课忙，平时星期天都不大回来的。"

"你姐姐是对的。"

"但她上了大学，丢了老朋友，也不对呀。"当弟弟的很有自己的主张。

"你姐姐读什么？"

"无线电专业。"刘国良很为姐姐自豪。

不容易。处处都能见到奋斗者的足迹，就在穷街上也不例外！

远远望去，陈根妹家门口热闹极了，未及文习绣抵门口，屋里就"嗵"一下飞出一个大炮竹，把她吓了一跳。但更让她吓一跳的是那个眉毛修得细细长长的陈根妹。她正风风火火地从屋里冲出来，嘴上嚷得震天响，似乎恨不得让全世界都知道似的："怎么？叫的轿车还没到！"

猛一下与班主任打了个照面，她有点意外，但并不惊慌。"妈，老师来了。"她回头嚷了一下，言下之意，似乎一切有我妈在呢！

"呵，老师来了。"根妹的母亲从里屋热情地迎了出来，拖了把椅子习惯地用手掌抹了把很干净的椅面，请文习绣坐，"她姐这几天办事情，家里杂事多，就让根妹请几天假在家里帮个忙呀！"

文习绣对这位糊涂母亲有点生气了："陈根妹的成绩已够差了，再脱那么多课……"

"这……"当母亲的惴惴不安地望了一眼满屋子的客人，然后似乎吐露什么秘密似的，轻声对文习绣说，"不瞒你老师讲，我们根妹也不是读书的料，我对她也不存什么希望，将来能顶替我就行了。请老师原谅点了！"

这最后一句话让习绣觉得哭笑不得。

"我们这里，哪出得了状元……"陈根妹的妈妈话音未落，文习绣就打住了她：

"刘国良的姐姐不是考上大学了?"

"哦，她呀，"陈根妹的妈妈做了个意味深长的表情，"做上了大学生，这也看不惯，那也看不上，可不是，今天根妹姐出嫁妆她都不来道个喜。平时还三天两头让大人给她做衣服买书的，这样的大学生，皇后娘娘样，我们也供不起呀！"

刘国良很不愿意别人这样当众奚落自己的姐姐，不过姐姐在今天这样的日子都不回来道个喜，也太过分了。不管什么铺张不铺张，这好歹是浩光街的规矩！瞧着众人不注意，他又悄悄溜出去等姐姐去了。

陈根妹的母亲扯着文习绣的袖子轻声说："我们这种人家的女孩子，说到底，针线活拿得起，字能认几个，就蛮可以了……我们又不是那种住洋楼的人家。"

四周没事嗑着瓜子听闲话的大婶大嫂们附和着，文习绣可真没话说了。

这时一个小男孩飞快地从门外奔进来："车来了，在路口等着呢!"

根妹妈飞快地抓了一包"红双喜"塞在小男孩手中："快，送去给司机，叫人家一声爷叔，央他把车开进来。"

"我求过了，可司机不肯，他说路面太窄了。"

"没的事。今年九十六号嫁女儿，汽车不是直开到支弄口的? 去，再跟司机花几句。"根妹妈说着又往男孩手上添了包"牡丹"。

眼看那辆小轿车让整个屋子的人都忙乱开了，文习绣却被人们遗忘了。人们只顾忙着清点那小百货摊样的嫁妆。她只好快快地离去。走过根妹身边时，她禁不住轻声在她耳边说："好好抓紧初中这最后一年，不能只为着……"她本想说"出嫁"，后来感到太直言了，就改成："……顶替招工呀！"

陈根妹正小心翼翼地捧着一台"三五牌"台钟，只见她使劲地点点头，其实她只是想早早把老师打发掉，此刻她所有的思绪，都集中在那辆已经停在路口的漂亮的小轿车上，她急不可待地渴望着在邻里们的注目中，穿着这身好不容易借来的漂亮连衣裙，风风光光地步入那辆轿车……她盼着这一天已有好久了！

犹如行星总有自己的轨迹，文习绣感到自己在这里十分不对劲，总有一股强大的离心力把她从这里往外推。不管今天这家访让她感到有多难堪多别扭，可她好歹总算可以交差了。于是，好像释下一副重担似的，她深深地嘘了口气，借着渐渐暗下来的天色的遮障，快步穿过那路两侧继续投往她身上的好奇的目光，向"第二世界"走去。

"怎么样，没走丢吧？"

从另一条支弄里闪出了张祥麟的自行车。

"哼，白白费了一个多小时去陈根妹家看嫁妆去了！"她本来想冲着他发作一番，可不知为什么，话出口后却变得如此委屈和带点……撒娇样了。

他那样对着你不出声地嘿嘿笑，你好意思对他发火？

"所以你必得去他们家跑跑，他们过着与你完全不同的生活呢！不了解他们，就无法对他们进行工作。我刚才去了何福贵家，帮他补课！真正是皇帝不急急煞太监。这次语文测验他只考了二十三分，我去那工夫，他倒笃笃定定和他爸在打家具呢。"

这有什么稀奇，如果刚来浩光中学的那些天，文习绣可能还会为这消息所惊讶，现在对不起，她已司空见惯了，这就是穷街上的生活节奏嘛。

"这样下去，可不成呀！"他还在摇头叹息，"这些孩子……"

"刘国良的姐姐倒不错，是大学生，有出息。"她想起了刘国良的姐姐，一个女孩子如此有志气，也难得呀！

"不过……"张祥麟沉思着，"你知道吗，刘国良家里条件很困难，父亲出工伤亡故了，为了供姐姐上学有漂亮的衣服，甚至为了让姐姐假日去外出旅游，他母子俩，每天要拆纱头拆到深夜呢！你知道拆一斤纱头才多少钱？"

文习绣茫然地摇摇头。

"六毛一斤，而一斤纱头，有这么大一堆呢。"

"那……他们何苦呢？现在又不是解放前，上大学非得打扮得花枝招展的。"文习绣感到刘国良母子俩太宠这个大学生了。说到底，大学生啥稀奇？不就多读了几年书？

"你呀，"张祥麟嘿嘿地笑了，"真该多做做家访工作！抽个空与刘国良母亲聊聊。"他瞧着她，那神气就像瞧一个幼儿园的小女孩，太看不起人了。不过，说实在的，在不生气的时候，他很随和。

"你会烧饭吗？"他握着车把手，突然冒出一句。

"烧饭？不知道。或许……"她支支吾吾地回答，她从没下过厨房，当然也不知道自己究竟会不会烧饭。

他看着她憋得通红的脸，不禁笑了出来。这个班主任，看上去比班上的女同学都要嫩，不经世事。怪不得连家访都那么害怕，一拖再拖的。她实在还是个孩子，早上他不该奚落她。他老恨自己这个嘴上不肯饶人的脾气。他的自尊太强了！

"家访这个关迟早得过。长这么大，你没到这种棚户区去过吧？看看也挺有意思的，人在哪儿都能生活呀！"

"你家住哪里？"她饶有兴趣地问。按上海人的习俗，住在哪儿就可以推算出一个人的经济状况和社会地位了。她很想了解一下，这个在浩光中学一百来名员工中挺有光彩的张祥麟，究竟是何许人。

"岳阳路。"

"哦，好地段呀。"

"我是例外，我住在大墙后面。"

文习绣眨巴着眼，没听懂。

"再见！"他跨上了自行车。驶出不多远又回头看看她。她正埋头蹙眉专心地在高低不平的窄路上跨自己的步子，那条半旧的肥裤子和朴素的白衬衣遮掩不住她特有的那种娇媚之态，就像一个调皮的女孩子穿着大人衣服那样显出一种滑稽相。

"眼睛生？看小姑娘看得起劲，当心碰到'大眼睛'①……"迎面驶来一辆自行车在窄窄的路面上差点与他相撞。骑车人狠狠地数落他几句。

张祥麟并不生气，这种人他熟悉得很，骂人是有口无心的，谁知他刚才正遇到什么不顺心的事呢。

"小姑娘长得好看当然想多看看。动物园里的动物，长得好看点的看的人都多，别说人哪！"他诙谐地回了他几句，快速蹬着车子走了。

自从见到文习绣后，她那种羞涩、娇憨的模样老令他忆起自己与刚离婚的妻子认识相爱的那一段时光，虽说他的婚姻是一个悲剧，但不可否认，那段时光，还是他生活中色彩斑斓、欢乐的一页！

文习绣和他的离了婚的妻子真像！包括那种时时得让人在后面推一巴掌才干得成事的怯懦性格。

他很喜欢和这样一个女教师合作。

正是下班时候，主要交通干道上，电车、公共汽车、面包车、轿车汇集成一条长龙，都被一盏红灯卡住了。拥挤的车厢里，透过敞开的车窗，文习绣瞥见旁边一辆面包车里堆满五颜六色的被子，正是陈根妹姐姐的嫁妆车。后车座上，陈根妹依然小心翼翼地捧着那台"三五牌"大座钟，眉开眼笑地与快当新娘的姐姐交谈着。

文习绣纳闷地盯着新娘看，这个与自己相差一两岁的同龄人，她感到很幸福很满足了？当新婚的热闹劲儿过去以后，她还会像今天这样，再被众人小心地捧着簇着吗？如果唯有出嫁才能使人看到自己的光彩，那……未免太惨了。

张祥麟说的"人在哪儿都能生活"一点不假，每人都以自己的习惯生活着。不过，她不喜欢浩光街上的生活习惯和节奏，要不是今天她亲眼看到，她会以为报上那种指责"结婚铺张"的文章，是一种空对空的宣传呢。

---

① 大眼睛：上海人指大卡车之类。

三

那些个苏北口音极重的学生们，怎么样也发不好有[k]、[g]、[t]、[d]等音素的单词，让人听着就像在爆米花，"毕哩啪啦"的，念得连英国人都听不出这是英语了。

文习绣纠正了几遍都没用，她都有点绝望了。下面的学生也开始不耐烦了，尤其何福贵，故意把 vegetable 这个单词念成"饭吃饱了"，引起一场哄笑。

"你干吗?"文习绣火了。

"我不懂呀!"何福贵装聋作哑。

"不懂就该好好听着，少捣蛋。"

"我反正将来不当翻译。"完全是一副毫不在乎的口气。

"哼，'当翻译'，你就不想想，就凭你那满口苏北腔，还会有人请你当翻译? 听不懂就干脆闭上嘴巴养息一下，别再丢丑卖乖了，省下你的力气回去干你的木匠活吧，你也就只这么点出息罢了。"文习绣反唇相讥。

"好，你老师看不起人!"何福贵勃然大怒了。

"老师看不起阿拉苏北人，啥思想!"班里有人公开不满地说。随着这句话，几十双眼睛都刷的一下对着文习绣，教室里顿时鸦雀无声了，那种默然的带有责备性的目光让文习绣感到十分慌张，连她自个都听得见心在怦怦地直跳。

幸而下课铃响了，她逃一样离开了教室。

坐在办公室里，她还在想着刚才课上的事，那样的目光比兜里藏着小利刀的流飞学生更让她感到害怕。

"怎么，又让学生气饱了？"旁的老师同情地问她。

她不置可否地笑了笑。

唉，一切全然不如她以前所想象的。当初区教育局负责同志对她打过招呼：由于社会的和历史的原因，浩光中学的学生是比较特殊的。当时她轻轻松松地说：没事。她刚看过《乡村女教师》，还看过《我的老师》，娇小的瓦尔华拉连醉汉都能征服，她就对付不了几个学生？当时她想象着，她给学生们读好听的诗，带他们去看美术展览会，带他们去认识大自然……哼，想得倒美！一切根本不像电影里写的那样富有诗意。她算明白了，当教师，不但要装下教科书本身所提供的全部知识，还得对付日常生活中时时会冒出的种种难题。

"文先生，"刘国良轻轻推门进来，"今天学的几个单词，再教我念一遍好吗？"

他念得很努力，可由于习惯口音，发音还是不行。这时文习绣才发现，他们念英语确有着天生的语言上的障碍。

"这么多科目，我感到英语最没把握。难极了。一回到家就全忘了。连个问问的人都没有。"刘国良抱怨着。他穿得很朴素，别看这是条穷街，在男学生中可找不到刘国良这种袖口已磨毛了的灰涤卡制服装了。如今连那种拉链式的击剑衫和越野鞋，也从"第一世界"渗透到这里了。唯有老师们还老老实实地不敢在式样上"轻举妄动"。可刘国良的衣着，岂止是朴素，应当说是寒酸了。想到他还要拆纱头贴补家用，文习绣就为他心疼。她对这种生活太陌生了，或许也用得上"少见多怪"这四个字吧。

"你天天晚上拆纱头吗？"她问，同时想起自己家弄堂里那些跟他同年的孩子，大冬天还天天一块紫雪糕呢！

"那是轻松活。"他好像并不在意老师那种过分的怜悯，"一个晚上可以拆一大堆呢。"

"没有父亲的生活，很难吧?"文习绣真从心眼里服了刘国良。

"是呀，家里就我一个男的，妈身体也不好。姐姐一进大学，家里开支也大了。又要添衣服，又要出去旅游。"他俨然一副当家人的模样。怨不得开学初的家长会，是他自己来开的。他说他自己是自己的家长。文习绣起先还以为他在开她玩笑，后来张祥麟却很严肃地邀他和众家长一起入座。

"其实，进大学也没什么特别了不得。并不是非得做新衣服外出旅游不可!"她说。

"老师，你不懂!"刘国良毫不客气地说，"人家都去旅游她不去，人家都穿得时髦她穿得土，会让人笑话的。特别阿拉是住在这浩光街下只角的。"

"太爱虚荣了。"文习绣不以为然地摇摇头。

"老师，你没在我们这里待过，你不懂。"刘国良无奈地摇摇头说。

不懂，文习绣实在不懂。她记起自己上大学时也有一个家住闸北区①的女同学，衣着和被褥都是崭新的，连搽脸的油膏都是最贵的珍珠霜，其实何必呢? 她很看不起那位女同学。

虽说文习绣每天要长途跋涉来回两小时到这里上班，工作量又较一般别的中学要大，但她还是幸运的。她一天只有三分之一的时间是属于这条穷街的，余下的三分之二，属于生活优越、物质富裕的"第一世界"!

四时三刻一到，她就准备下班了。

路过操场，张祥麟正在和何福贵他们打排球。他穿着白背心，露出一身结实黝黑的肌肉，那生气勃勃的神态令人很难想到，他的个人生活曾经受过重大的波折。她停下远远地眺望了他一阵，原先她以为他一点不懂得讨好女人，现在看来，她估计错了。他挺会呢! 比那些她称为"小蛋糕"的男大学生们会多了。他招手向她打了个招呼，几个男同学也

---

① 闸北区: 上海工人集中居住区。

对她招招手，她微笑着回答了他们。说实在的，虽说为了这倒霉的教师工作，她得套上一身自己不喜欢的服装，可她还是感到，这教师工作比厂里做工有劲多了。天天是新的内容，新的情况，接触的是活生生的人，哪像厂里，整天和那些面孔一成不变的死板板的零件、车床打交道，她可受不了。

何福贵在操场里冷冷地瞟她一眼，又是那种让她受不了的眼神。要在"文革"中，他准会斗她的，她的心咯噔一下，不自在极了。

她快快地离开了操场。没来报到前，她憧憬着教师的充满高尚情趣的生活；她相信她会爱孩子的——长这么大，她还没恨过谁。她希望孩子们也爱她！可你瞧，与张祥麟相比，一样是班主任，她在这里显得多孤独和多余，并且有点束手无策。在大学里，她是班里的优等生呢。可现在，多狼狈；教出的学生只有两个及格。上课的情景，又老让她哭笑不得。要是换一个单位，她一定会干得比现在好的！

经过一小时的汽车路，她又从第三世界回到第一世界。她那颗飘忽不定的心，也好像因此安定了下来。

这里原是英租界，铁门后偌大的一块地皮就造了三幢英国式的三层楼公寓，楼与楼之间，则是一片葱郁的绿化地带，文习绣从祖父母一代起，就在这里占着一套三开间的公寓。"文革"中父母铁了心要与这套住出感情了的居室共存亡，不惜变卖所存不多的家什和从牙缝里抠下那点可怜的生活费，坚持按时交纳了一月三十六元的昂贵房租，才保住这套舒适的住宅。

文习绣一口气登上三层楼，明明口袋里有钥匙，也举起双拳像擂鼓样在门上乱打一通。

"妈，有啥吃的没有？人家肚子都饿死了。"她走进大门，路过穿堂，随后走进会客室，就这么一路把提包、刚从信箱取回的当天的晚报和路上买的一袋酒心巧克力顺手搁在手能够到的椅子背、沙发和小茶几上，然后两只脚互相一挤，就把那双在穷街上踩得泥迹斑斑的皮鞋当路脱下，赤着脚去鞋柜前换了拖鞋，顺势往长沙发上一躺，十分放肆地把双腿搁在沙发把手上。每天刚到家的几分钟，是她最快乐的时光。

从母亲敞开的屋门里，传来一老一少朗读英语的声音，那是母亲的学生——楼下高教授的四年级的小孙子在跟文习绣的母亲学英语呢。高家有意在外语方面培养自己的后代，从幼儿园起，这小男孩就上这儿来读英语了，现在已把四册"Active English"学完了。

出于职业习惯，尽管文习绣任英语教师不过才一个月，还是歪着脑袋饶有兴趣地听着小男孩和妈妈富有表情地朗读一首有关猫和老鼠的儿童诗，这一老一少朗诵得有声有色，趣味盎然，与其说是在上课，不如说在做游戏。这……才是上课呢！哪像她文习绣，她自己听着都感到不像上课，倒像在街头叫卖"棒冰吃棒冰"了。

小男孩把某个单词的重音弄错了，只听见妈妈轻轻的"唔"一声，小男孩立即纠正了过来。

真聪明！教这样的学生才有趣呢。而文习绣的教学，简直是在做无用功，任凭她备课怎么充分，记分册上还是一片红。班上能数数的唯有刘国良，但发音是远远及不上这个高家的小孙子。说句不该说的话，那里的学生，就是粗笨。或许造物主就是这样安排的：一部分人天生应该沿着小学、中学、大学的梯子往上登，还有一部分人，天生就得为社会提供劳动力。小时候她很幼稚，在听过忆苦思甜报告后一本正经问妈妈：现在解放了，人人都读得起大学了，那么谁去扫马路呢？后来"文化革命"了，她的大哥哥，曾是区数学竞赛第一名的获奖者，却被分配到菜场卖咸菜，现在他当然早已离开菜场，考上公费留学生了。那么，陈根妹去菜场可是注定的了，她要能考上高中，除非是出了奇迹了。看来，谁落生在穷街上，就算他倒霉了！

文习绣抬眼望着天花板上那盏紫罗兰色的车料灯罩，心里忽地涌起一股侥幸之情；要她不巧落生在浩光街的一幢小平房里，那她将会怎么样呢？她不禁打了个寒战。或许，她真该为自己的好运气干杯呢。

电话响了，是她的女朋友约她去看芭蕾舞！

穷街的夜晚，比这个大城市的其他街道来得更早一点，才八点敲过，整条街已寂然无声了，然而"尼罗河"边却热闹非凡；何福贵家的木工组，搬到这儿来干活了；这儿地方大，不怕木屑刨花满天飞，还有现成免费的路灯照明呢。

何福贵正学着给那架刚完工的小玻璃柜上蜡克。

"到底自己做便宜呀，去木行掏点旧木料做做，三十元碰顶了，去家具店买一架，起码得近百元！"何福贵的父亲得意地打量着即告完工的小玻璃柜说，"一架的钱可抵两架呢。完了问人家要几个茅台酒瓶往里一搁，不就是一架酒柜了？第二层让他妈放点花露水瓶什么的……"

"底下那层让我放只船模。"何福贵插了一句。

"做事时别分心，小赤佬，"当父亲的亲昵地骂了句儿子，猛然想起什么，"喂，今天功课做完了吗？"

"早完了。"何福贵不露声色地说，其实，他的书包回到家里就没打开过。

"过几天，去厂里拖一根旧自来水管来，用砂皮打一下，喷上油漆，就是一根落地灯的柱子了……"父亲又美美地计划起来。

"何师傅，现在你家沙发、酒柜，再加落地灯，可算是现代化了。"邻里们打趣着他，"可不怕把你那点豆腐干大的地方给撑破了？"

"那不关我的事。什么叫翻身？现在八十年代，我们平民老百姓，也该享享福。像我们爷老头那样房里只有一副铺板和长条凳，太没台型①了。至于房子小我也呒没办法，是国家呒没台型。"何师傅不以为然的玩笑惹得大家都笑了起来。

刘国良不知什么时候也溜出来了，羡慕地看着何福贵的手艺："你真行，阿福！我看你将来就靠这行当吃饭算了。"

"你门槛最精。自己功课做好溜出来玩一圈，啥人不知道你是准备读

---

① 台型：面子。

大学的？倒来讹我将来做木工，好等你办事时免费替你服务。"何福贵用一双油手触触刘国良的鼻子，半真半假地说，"喂，朋友替我帮个忙。今天哆妹妹布置的洋文作业我一点也没抄下来，明天你抽个空借我抄一抄，干脆，你帮我做好就得了。"

"小赤佬不像话，怎么作业也要人家做，懒得要出蛆了。"何师傅朝儿子头上敲了个麻栗子。

"你明天不是要我相帮砂那根自来水管子吗？我哪有空。"儿子抗议了，"不就为了你那根落地灯管吗？"

"鬼才知道你功课都没做好。明天不砂灯管了，做你的功课。"何师傅说着又冲着邻里数落开了，"现在这班子小爷叔，读书太轻松了，回来好像没功课的。哪像我们那阵，老师要打手心的……罢了罢了，反正不指望他考状元，否则，看我不打死他！"

"听见吗？作业本在我书包里，要不交账，星期一又得让哆妹妹数落，不给我面子了。这口气我咽不下。哼，想个法子煞煞她的神气。"何福贵凑着刘国良耳边说。

今天是周末，也是张祥麟惯常回家的日子。

张祥麟的家就在这座西区^①著名的公寓大楼里。只不过，他得走边门，因为他的家在大楼后边，这里的房间比前面的低矮和狭小，密密麻麻的像鸽子笼，原属这座公寓的下房，是车夫、厨子和佣人们居住的。解放以后，前面的房客有出国的、搬迁的，还有被关押的，另外又迁进许多高级干部，原先的房客有了很大的变动，而他们的厨子佣人等依然住在后边，大多在这里安居立业、繁衍后代，于是年复一年，这幢公寓里同时存在着两个截然不同的世界。

张祥麟的母亲早先是为前面一家做女佣的，父亲则是这家的三轮车夫，解放后，东家出国了，父亲进了运输车队蹬三轮货车，母亲则依然

---

① 上海西区：高等住宅云集的地方。

替人家当保姆。

"今天怎么晚了？留着大鱼头等着你回来吃呢！"母亲疼爱地打量着一个礼拜才见到一次的儿子说，随后右手摸摸口袋，一副欲言又止的样子。

"妈，有什么事吗？"

"吃饭，先吃饭吧。"

"妈，"张祥麟挽着母亲的胳膊把她扶到床边坐下，"不是早跟你说过了，妈，跟我有什么就说什么，还跟从前我小时候一样。早在……"他迟疑了一下："结婚时，我就跟你和爸说过了，我还是你们的儿子呀，更何况现在，我……只有你了，妈！"

为了儿子那几句从心里掏出来的话，妈的眼圈又泛红了。她从口袋里掏出一封揉皱了的信："她有信来。芹芹的照片。"

芹芹，他的女儿！

女儿穿着红格子苏格兰呢裙子，白色中筒羊毛袜，披着长发，俨然一副外国女孩子的打扮。照片后面是他的离了婚的妻子的笔迹："芹芹七岁了。已能讲一口流利的英语，大家都以为她是日本女孩。"还是这个脾气：什么都是外国的好，连别人以为女儿是日本女孩也感到那么得意。能讲一口流利的英语固然值得高兴，但她的上海话会不会就此永远忘掉？

他把照片又翻过来细细打量着女儿，女儿的眉眼没什么大变化，还是三年前跟妈妈出国时那模样，只是尺码却放大了一圈。最后一行妻子写着：已领到了绿卡①，女儿有望入美国籍了！

恋爱、成家、离婚、出国、入美国籍……他的过去离他越来越远了，消逝到另一个截然不同的国度了，是不是因为，原先，他和她的起点，就是截然不同的？她在南边大楼，而他在下房，用那位新来的女教师的话说，他也属穷街！

他苦笑了一下，小心地将女儿的照片放进票夹里。

---

① 绿卡：美国移民局发给非本国公民的居住证。

一晃三年过去了，女儿还会记得他这个爸爸吗？当初在机场上送别她们母女俩时，他对早已成了陌路人的离了婚的妻子的离去，已没有一点留恋了，只是感叹自己白白浪费了一次感情。而对女儿，骨肉情深，他实在依依难舍，特别当女儿踏上舷梯，频频回头向他招呼"爸爸再见"时，他只是举手苦涩地对她笑了笑，终于没有说出"再见"两字，因为他已意识到，这辈子怕是再也见不到女儿了。

在决定两人分手之前，女儿跟谁，他和妻子是认真考虑过的。他曾强烈要求过，让女儿跟他。但丈人的话不得不引起他深思，丈人说："能有这么个机会，就让芹芹跟着她妈妈走吧，以后形势要再变，就出不去了。再说……"丈人其实后面什么也没说，只是默默地抽烟，但张祥麟已懂得后面的潜台词了：既然他和妻子已决定离婚了，他当然得从丈人的南楼迁回自己从小长大的后楼。按法律条文，法院可以判给他一间，但是，他绝不可能提出这样的要求，这不成了讹诈了？这一来，芹芹也准得随他搬回后楼祖母家去，这会令住在南楼的她的外祖父母感到多么尴尬多么心疼！因此最完美的决定，就是让芹芹跟着母亲远走高飞吧！再说，丈人家早就为这场不理想的婚姻后悔莫及了，既然现在能把这一切都结束掉，何苦还要留着一条令人痛苦的尾巴呢？

只是……女儿，他的骨肉，他的至亲，从此永远离开他了。就像一只嘴里衔着种子的小鸟，由于一次误会，一种错觉，一个疏忽，一张嘴，那颗种子就掉下来了，但这块土地不是这只小鸟的栖息之地，它只能依依不舍地瞅着这棵已经萌芽了的种子，继续寻觅自己另外的栖息之地……可是，能找到吗？在何时何地？

他发现妈在心疼地注视着他。为了不愿让妈妈感到他心里在烦闷，他装着嘴馋掀开砂锅盖："哟，多香的大鱼头！吃饭吧，我饿了！"

母亲没言语，只是伸手轻轻摸了下儿子的眉心，那里起了三条明显的皱纹。

"妈！"他轻轻地把妈的手拉下，就像小时候在外边受了别人欺负，回来要在妈那儿得到抚慰一样，他真想把头埋在这双长年被肥皂水浸泡得发红的手里。

"孩子，你总不能，老一个人过！"妈妈忧心忡忡地看看他，心疼地说。她明白，三十多岁的男人，光靠母亲的爱，是不够的！

"怕什么，你不知道如今的市面，女多男少呢！"他开玩笑地说。

"可你条件差，又是二婚头，阿拉家里又没房子……怪我们做父母的没本事……"

"别这样说，妈！"张祥麟轻轻揽过母亲，"我永远感谢你们，在当时家里那么困难的情况下，还节衣缩食地培养我，依我心愿送我上高中，没让我早早地去做工挣钱。我至今难忘，三年自然灾害时，你把粮食从口边省下来给正在发育的我们弟兄俩……再说，我会找到爱我的人的。只是我们还在互相寻找……"

"说起上学，我都有点后悔了。或许当初不该让你上大学……"妈一头斑白的头发轻轻触着他的下巴颏。他心疼地看到，妈头顶的白发稀薄得已看得清头皮了，"至今工资奖金加在一起准比你现在拿的多，而且，你也不会遇上前楼那个扫帚星了。"

张祥麟笑了，他明白妈妈的意思。原先，假如他不上大学，那就是早早地工作，然后娶上一个身子结实、任劳任怨的妻子，沿着他们后楼父辈们的生活轨道安分守己地过，享尽天年……不，亏得他选择了另一条路。或许应该承认，假如他不上大学，他的婚姻还不会是悲剧性的。后楼曾有一个姑娘，又忠厚又勤劳，妈爸都暗中把她许为未来的儿媳，或许本来，她就会成为他的妻子。但是，知识使他在爱情上有了新的追求，他钟情那种天真甜美的、富有艺术修养的另一类女孩子，而这样的女孩子，往往却生活在南楼。高中时，他就爱上了小芹的妈妈。因为她热爱文学，他就决定报考中文系，因为她住在南楼，他暗自发誓怎么也得跳出后楼……她根本不屑于睐他，他却极力让她注意他；通过老师评讲他的作文，通过学生会文艺会演朗诵他的诗歌，极力让她注意他。现在，在他已有了一点年纪后，他才发现，悲剧的所在也正在这里：他的爱情，带有一种强烈的挑战性，一种不成熟的青年人的虚荣性，正因为如此，当他最后终于提到她时，他心里不踏实极了，他发现他甚至还不了解她。现在他心里明白了，他和她的结合，不是由于他自身的光彩，她所见到的，只是由于当时"文化大革命"运动贴在他身上的一些荣耀。做新郎前夕，伙伴们开他玩笑："阿祥搬到南楼大洋房去了，可别忘了我们后楼的朋友……"虽是玩笑话，可让他感到自己有一种遗弃他们的内疚之感……当那段历史加给他的荣耀退去之后，悲剧也随即发生了。

悲剧，纯粹是一场悲剧；但是，那黄昏后的约会，寒风凛冽中的等候，羞怯怯的手的触摸……这些都充满一种甜酸苦辣的回味。谁说的？悲剧比没有剧要好呀！与其浑浑噩噩地沿着一成不变的旧轨道运行，不如越轨而行，闯出一条新路，即使栽了跟头，可也领略了一番人生呀！想到浩光中学的那些活蹦乱跳的孩子，还都在自觉不自觉地沿着这条陈旧的轨道运行时，他实在为他们难受，他们应该出来看看真正的世界呀！

"你一回家，我心里就踏实了。"妈妈说。

他很高兴能让妈妈快乐。可惜家里地方太小，弟弟成亲后，他都没地方睡，只能住到学校里，不能天天伴着妈妈。弟弟和弟妇都很体谅他，知道他和母亲可能有体己话要说，于是每星期六，就带着孩子挤到丈人家去。为此，张祥麟很感谢弟妇，兄弟和睦与否，全在弟妇呀！

"小牛最近学习怎样？"他问。

小牛是他的侄子，自女儿离开他后，他把爱全转到小牛身上了。

"前天刚让他爸给打了一顿。"

"为什么？不及格？"

"不。他自己说在学生登记表上，把老家江苏盐城改成浙江宁波。"

张祥麟心陡地一沉，起身踱到窗边。视野都让前边那幢十二层高的主楼挡住，目所能视的，就是这幢主楼的背部，由于多年没粉刷——因为这是背部，而靠马路的那部却是三年五载就粉刷一次——它显得很陈旧黯然。

"打他干什么。"他心疼地说。

"老祖宗都不想认了,这还得了,该打!"母亲态度鲜明地说,"阿拉苏北人,人穷志不短!"

话是这么说,但能怪这个才上三年级的小孩吗?他想起白天,何福贵他们一帮学生如何气呼呼地拥到他办公室里来告文老师的状,"她看不起我们苏北人。"这帮学生就敢毫不含糊地道出"我们苏北人"几个字,虽则他们住在名为穷街的浩光街上,但他们在精神上,是互相平等的。而小侄子的处境,他完全懂得,他的童年就是在这样一种痛苦中过来的,想想看,只相隔那么个大天井,前后却是两个截然不同的世界,这种畸形的居住状况,在他自个童年时就感到一种说不出的压抑和屈辱了,现在,又轮上他的小侄子,得什么时候才能彻底改变!

"别怪他,妈妈。他还太小,没有认识自己。我上中学时,人家问我住哪儿,我就点点那幢南楼,羞于道出我是住在后楼下房里。现在,我就不会为此害羞了。"他对妈妈说。

晚饭后,他开始备课了。马上要上梁启超的《少年中国说》,他特别喜欢上这课课文,听:"今日之责任,不在他人,而全在我少年。少年智则国智,少年富则国富,少年强则国强……"多帅的句子!但愿他的学生们都能懂得其中蕴藏着的期望与爱!听说这次进修学院想就这课举行一次教学实践课,他很想争取一下。浩光中学向来是轮不上上教学实践课的,可为什么不能试一下呢?

妈妈悄然把饭桌收拾干净,然后拿起一只鞋底隐在背光处默默地扎了起来。鞋子是给阿祥做的,虽说如今都时兴皮鞋呀旅游鞋的,可她还是执意要替儿子做一双棉鞋,布底棉鞋比塑料底棉鞋暖和,再说,让儿子蹬上母亲亲手做的鞋,好让他心里踏实一点——还是有人在爱他的!母亲下意识地一下一下扎着鞋底,灯影下儿子全神贯注地工作着,这让她感到很安心——不管怎样,儿子没有垮掉,他生活得很踏实呢。看来,有学问,就是好事!

浩光街的一间小平房里，刘国良正和母亲在灯下相对拆纱头。拆下的纱头像小山一样堆在地上。

"你去睡吧，累了一天了。"母亲心疼地对儿子说。

"还是你去睡吧，你明天还得上班呢，这点活计，我来解决掉。"刘国良说着快乐地吹起了口哨，仿佛这项工作很有趣，很有味。其实，长时间地垂着颈脖干活，他的颈脖都发酸了。但自从父亲过世后，他已学会了忍耐。他的一双手熟稔地扯着纱头，母亲发现儿子的手背再也不是胖乎乎、圆墩墩的，而是筋骨暴露、关节有力的成人的手了。亏得有了儿子这双手，她这当母亲的才能支撑下来呢。

"也好，你把剩下的那点结束掉，我趁这工夫把你姐姐那件花呢外套的纽扣眼开好。天转凉了，她说不定哪天就要穿了。"

刘国良没吭声。姐姐已有三个礼拜没回家了。姐姐回来的周期越来越长，现在，基本上回来就是为了取衣服，自进大学后，姐姐对这个家的感情，似乎越来越淡薄了。

"国良，昨天你打电话给姐姐，姐姐怎么说来着？她说她大约什么时候回家？"

"她没说一定，这阵功课忙呀，要期中考试了。"刘国良安慰着妈，同时心疼地看着妈费力地一针一线地锁着纽孔。姐姐曾在电话里告诉他，让他设法替她把那块花呢让掉，因为如今已不时兴呢子衣服了。谁知妈妈为了怕姐姐换季节没衣服穿，竟早早地替姐姐裁剪好了，这番又在熬夜替姐姐锁纽孔……刘国良真不忍心把姐姐的话传给妈妈。

"早点睡吧，妈。"他又劝着妈。

"快了，就两个纽眼了。"妈推推老花眼镜，把那件外套放到灯光下欣赏一番，满意地说，"你姐姐皮色白嫩，穿这铁锈红色正合适呢。一定更漂亮了。"

姐姐是漂亮，看看那边墙上挂着的那张照片，还是去年夏天姐姐去青岛度暑假时在船上照的。海风吹乱了她的头发，姐姐对着镜头微微笑着，胸前的校徽给照得清清楚楚的，似乎照相机的焦距，本是对着那枚校徽。

邻居们说姐姐的考大学像考状元，这话可是一点不假。记得那阵姐姐光喝汤，不吃饭，说是喝汤省时间，不用嚼。这样考大学可把刘国良给看怕了，这简直是受罪。但姐姐却说，这叫"重新设计自我"。随着姐姐读书成绩的上升，她的话也越来越听不懂了。现在，姐姐似乎根本不愿和他交谈了，而以前，姐姐向来把他当作保护人的。

大约就是为了这"重新设计自我"，姐姐对衣着和生活的要求也越来越高。为了姐姐进大学，妈特地向左邻右舍凑钱给姐置办了一套新被褥，但两个礼拜后，姐姐拿回那条丹凤朝阳图案的被单，非要换一条全白的床单去，妈嫌白床单难看——像医院里用的，且又不耐脏，但姐姐不依，于是，妈让刘国良临时去百货店买了条白床单给姐送去。待刘国良去了姐姐宿舍后，发现屋子里六个铺位，没有一个是用花床单的，有一张床上还罩着绣花床单。每张铺位的墙上都有小摆设：有的是一把吉他；有的是一把网拍；还有一张床位上，一溜吊着四个金发洋娃娃，听说是一个名演员的女儿的。姐姐的铺位在这中间，虽样样是崭新的，但那大红大绿的被子和枕巾，看着总那样突出。

"她们五个，全是干部呀、医生呀、演员呀的家庭。"姐姐羡慕地指着那一张张干净别致的床铺对弟弟说。

刘国良明白姐姐的话。他不怨姐姐。他也心疼妈妈。唉，要是他是哥哥，姐姐是妹妹就好了，他可以去做工，可以给姐姐做更多的衣服。谁叫他是家中唯一的男人呢？

夜深了，细弯的新月在城市的上空高高挂起，清澈的柔光既投射在穷街低矮房屋的窗棂上，也轻洒到那些西班牙式或英国式住宅的白纱窗上，大自然，毕竟是公正的！

四

文习绣有这么种预感：每逢教室门口拥满了人，那就说明班里出事了。

这节正是她的英语课。今天可是她最累的一天：早上六点半就出家门，然后赶上七点一刻的早自修，随后是早操，接下来就是两节课，她都没坐下歇过一会。这工夫远远望见教室门口围满了人，她的心不禁嗵嗵地跳了起来。

果然，门口几个男同学嬉皮笑脸地对她说："老师，我们教室成为女厕所了，我们可不进去。"文习绣抬眼一看，差点没被气昏过去。教室门口原来那块标着"初三(四)"的牌子不知让哪个促狭鬼学生与对面女厕所的牌子对换了。

"庸俗！"文习绣气得脸色发白，"谁摘的谁给换下来，我没有在厕所上课的胃口！"然而话一说出口，她就后悔了。肇事者才不会在众目睽睽之下乖乖地出来认错呢，这里的学生才不把她那几句光有响度、没有力度的训话放在心上。坏了，她弄得自己没台阶下了。

"怎么？没人出来承认？"她故作威严地又重复了一句，连自己都感到话语中的软弱和没有把握。此刻，她真希望出现一位……犹如童话中的那些能排除万难的王子来帮助她才好呢。她已看见何福贵他们脸上露出一种"看你怎么办"的狡黠的微笑了。怎么办呢？

"都进教室去。"

是张祥麟沉着的、严厉的声音。那帮嬉皮笑脸的男生立即收敛起来，默默地进了教室。张祥麟拖过一张课桌，不等他踩上去，何福贵抢先踩上去把那张女厕所牌子取下来，然后又把课桌拖到对面女厕所门口，这时他回头望了一下坐着全班同学的教室，迟疑了一下。陈根妹霍地站了起来，踩到桌子上去，把那块"初三（四）"的牌子换了下来。

"放学后，全班留在教室里。"张祥麟一字一字地说，听得出，不是在发火，而是十分生气。发火和生气是两码事，一般说，生气更能引起对方的内疚——如果事端是由对方挑起的。教室里瞬时鸦雀无声。

这次，他帮文习绣下了个多难的台阶，王子也不过如此了！文习绣感激地回头看他一眼，岂料看到的是一张气得铁青的脸，文习绣似乎感觉到，他那坚实的躯体内的那颗心，在隐隐颤抖！她没料到，他的感情原来竟是这样的脆弱！

由于出了这样一起非常事件，这节课的纪律竟然是出奇的安静，这些永远无法理解的学生！

下课后，文习绣赶到张祥麟的办公室里。

"我们得想个法子，把那个出恶点子的人查出来。"她说。

"问题不在于查肇事者，我们又不是公安局。而是得教育他们，这是一件多下流、多庸俗的丑恶行为。他们怎么想得出来！"他痛心地擂擂桌子。

放学后，全班乖乖地留在教室里准备挨训。

作为正班主任，文习绣先开始了训话，从五讲四美讲起，直到精神文明，学生们乖乖地听着，静得一根针掉到地上都听得出。但文习绣清楚，自己还是失败的，因为有张祥麟在边上"压场"，正应了"狐假虎威"这句成语。

"我想，给大家讲讲我的故事……"张祥麟双手交叉着，坐在第一排课桌的一小角上，似乎忘记了留下他们是为了训话，而开始与他们拉起了家常……

那也真是一条穷街，尽管与前面的大楼只相隔一个天井。房门外窄窄的甬道上，像列兵一样排着一长溜煤炉，呛人的煤饼气不住顺着合不上槽的门缝往屋里钻，而一进屋，就得脱鞋上床，因为实在没有多余的空间可以容纳他，于是，他整天就像放羊似的被放牧在下面的大天井里，足够的户外活动使他黝黑健壮得像头小牛犊。

家里只有一张桌子，既是吃饭用的，又是母亲切菜切肉的场所，还得放置油瓶盐缸，又是他做功课的唯一桌子，因此他的练习本难免弄得油污不洁，再加上一次忘记收好，又让弟弟给封面上的两个红领巾加上两撇大胡子。于是一天，老师把他的本子拿出来示众了："看，多脏！"

同学们哄地笑了，把他笑得头都抬不起。

"他是住在后楼的，当然脏。小江北嘛！"

坐在他前面的一个娇里娇气的女孩子蔑视地朝他撇撇嘴，奚落着他。原来不久前，她一件漂亮的花边衬衣，就是让张祥麟给恶作剧地洒上了几点墨水迹。

张祥麟像一头发怒的小狮子，也不顾是在上课，当即冲出桌位一把拉住这个女生："你干净，我让你干净。"说着死命把她往门后的废纸篓边拖，同学们都惊呼起来，连老师都拦不住。

当天晚上，女孩子的母亲拉着女孩子上门告状了。母亲望着女孩子乌青斑斑的手腕，歉意地一再向她们道歉。

告了半天状，女孩子的母亲还没走的意思，似乎非得等着看张祥麟挨一顿打似的。

"她骂人你也管管她。她要再骂我是后楼的小江北，我还打。"张祥麟可不服气。

"你是江北人嘛，她骂错了吗？"女孩母亲还那样咄咄逼人。

张祥麟的母亲可不买账了：现在毕竟是新社会，可不是她过去低声下气做佣人的时光。

"江北人怎样？江北人就不是人了？"母亲愤愤不平地说。

"江北人怎样，问问你儿子。哪一样比得上我们女儿？语文？算术？

还是自然、地理？就会打架、骂人、撒野，缺乏教养！"小女孩母亲这几句话就像一把尖刀，狠狠地在小祥麟心上扎了一刀。

小女孩母亲一走，妈妈就拿起生炉子的火夹狠狠地打他："你这个不争气的小杂种，你这个只会给我丢脸的现世宝呀！"

火夹把他的小腿打得青一块紫一块，他咬着牙一声也不哭，因为他感到自己该打，他太伤母亲的心了。母亲打累了，把火夹一扔，才发现儿子身上已伤痕累累了，她这才清醒过来，一把抱住儿子伤心地哭了起来。

"别哭，妈妈，我以后会替你争气的。"他伏在妈妈耳边轻声说，用手指轻轻拭掉妈妈的眼泪。妈妈的眼泪更多了。

从此，他变了。每次做作业时，总先在桌上摊上一张旧报纸，以免桌上的油污又弄脏了本子。他再也不去天井里野了，他开始用功了。由于父母都没文化，他花的时间特别长。父亲嫌他每天做功课做得太晚了，耗电灯，他就端着个小板凳就着路灯看书。

他认准那个娇里娇气的女孩子的成绩，一分一分地赶上来了。

终于有一天，像放人造卫星一样，老师当着全班的面举起一张卷面工整清洁的满分考卷：

"看，全班唯一的满分，猜猜是谁？张祥麟！"

全班的目光顿时都扫向他，包括那个女同学的。他感到又得意又舒服，胸膛也挺得比平时高几分。

"妈，全班就只我一个满分，全班第一。那小丫头可神气不起来了。"回去他高兴地把考卷塞在妈鼻子底下。

妈得意地欣赏着这张她一字不识的纸片，听到他奚落那个小姑娘，却又在他头顶上轻轻拍了一下："别去笑话人家，马有落槽，人有失手嘛！"

从此他发现，优良的成绩比拳头和嗓门更容易博得威信。小学毕业时，他的成绩是全班最优秀的。他考上了重点中学，而那个女生却因三分之差没考上重点。她嘤嘤地哭得好伤心。他也因此很不安，似乎他占了她的名额。一九六五年，他考上了赫赫有名的复旦大学中文系！把整个后楼都震动了，伙伴们把他高高抬起，还放起了鞭炮，惹得前楼的居民都推开窗子往天井看，这正中他们的心怀：瞧瞧吧，我们这里也出了个大学生呢。尽管这些伙伴自己都是厂里的小艺徒，可他们那样真诚地为他庆贺为他高兴，丝毫没有半点妒忌和酸溜溜的成分。呵，这就是他们苏北人的性格：粗鲁甚至有时似乎蛮不讲理，他们的心地，却是水晶样的坦诚！

虽说爸爸依然照常天天去蹬三轮货车，妈妈还挨家轮户去替人家洗衣服，可前面邻里们看他们的目光也两样了！"哟，张妈，你儿子不容易呀！""阿张，你眼光远！"他们老夫妇俩也就此感到腰背挺直了。

"……我就这样挟起简单的行李卷去大学报到了。我只感到一种醉人的快乐淹没了我，这是我的日出，我生命的新的起点，我真想振臂高呼：万岁！"

文习绣坐在最后一排的一张空座位上，完完全全被他的故事迷住了。她这是第一次仔仔细细地正面"审视"他，因为以前，她老不敢正眼看他。他的目光中有一种逼人的灼光，现在看来，就是那激烈的好胜心和自信心？他不能忍受别人低看他！那种气质是那样强烈和不可抑制，就像光和热的辐射一样强烈和无法抵挡。怪不得几次她轻蔑地提到这条穷街上的孩子们，他那样地讥讽和嘲笑了她！

"……大学报到时，我在籍贯栏里，写上大大的江苏盐城几个字。我虽说一次也没去过那里，但那里贫瘠的土地养活了我的父母、祖父母，我的祖先……尽管社会上有人看不起我们的籍贯，我偏偏要为我们的祖先争气，堵堵那帮俗人的嘴，但是我们自己……也要尽力改正历史留给我们的愚昧、落后和无知，因为时代不同了！"

何福贵不自然地在座位上扭了扭身子，好像被人触到什么痛处似的。奇怪，平时，他可是不愿意别人惹得他不痛快的，可这次，他一声不吭地用指甲划着桌子上的槽槽，感到不安得很。

"老师，你成绩最糟的时候，几门不及格?"有人怯怯地发问，话音刚落，博得全场大笑，空气活跃起来了。

"我? 最糟的时候，语文、算术都不及格。三年级有一次，甚至踢球踢得把考试都忘了，等我光着背汗淋淋地赶到学校时，人家都考完了。于是那一年，我语文、算术得了两个鸭蛋!"

"可你又赶上来了?"

"赶上了!"

"老师为我们苏北人争气了。"刘国良带头鼓起了掌。

"不，我们不搞民族分裂，"张祥麟诙谐地说，"只是，我们大家都要向上，再向上，我们马上要读一课梁启超的《少年中国说》，不能那样糊糊涂涂地混日子，不能……! 我们在世上只活一次，我们活着就要有活着的样子……"

他越讲越严肃，一双深不可测的眼睛逐个在学生们脸上停留，似乎要他们挨个回答，甚至，在文习绣的脸上也不例外地逗留了一下。文习绣慌乱地垂下了眼睛；她只从换牌子想到要抓肇事者，说得透彻点，无非是泄私愤，而他，才是实实在在的教育，一点不假，教育。

文习绣坐在最后一排的空座位上，手托着腮帮出神地听着，她怎么也没料到，他也是来自穷街，怨不得他说他是生长在大墙后面!

那些放羊一样成天野在弄堂里的男孩子她并不陌生，她小时候最怕弄堂后边住在汽车间里的那些男孩子了，他们也是浑身晒得黝黑，瞪着一双大眼成天想寻她们这些胆怯的前弄堂的女孩子的茬，故意把小足球往她们身上踢，要弄上个大斑迹他们还会为此笑弯了腰……原来，他，也曾是这样……她几乎想象得出他把那可怜的小女孩往垃圾堆里拖时的模样了……她笑了!

他也笑了：自信，欣然，那下巴上的笑窝深深地陷了进去，这是成功者的微笑! 他走出来了! 他是个男人，男人就得像他这样。她发现自己对他有了一种崭新的认识，她很惊讶，还有点恐慌!

"等一等，"在张祥麟宣布要解散前，文习绣站起了身子，"英语课上，我侮辱了何福贵，这……就像刚才张老师说的那个女孩子的母亲那样讨厌、庸俗……势利！"对了，她向来最痛恨的不就是势利眼吗？自己什么时候也沾上这势利气了？人就是这样，对别人的不足，特别敏感，对自己的，却是浑然不觉。"你们有什么不懂，尽可以来找我，我在办公室里。我们可以从音标学起……"她越讲越轻，神态越忸怩不自然，一点也不像个班主任，倒像个在老师前认错的学生。奇怪的是，全班肃静，没有一个人笑了，何福贵脸涨得通红。

张祥麟感到很意外，他没料到，平时看着娇怯委婉的文习绣会这么爽直。他赞赏地看着她，带头鼓起了掌，学生们也都跟着鼓起掌，越鼓越响，文习绣反而害羞了。

结束后，已五点半了。到家该六点半了，这里的工作量是太大了，要想处理班里一件事，就非得到这时间才能结束。不过，文习绣心里很舒坦，特别何福贵在走过她身边时，不自然地拉拉帽檐，用洋泾浜英语道一声："古得拜，老师。"

真的，为啥非得抓出肇事者不可呢？只要一切能圆满地解决。

"你为人真诚坦率，小文。"张祥麟感慨地说，"我都没这个魄力，敢于在学生前认错。我这个人，自尊心太强了！"

"可是英语课上的事，是我不对呀。"她睁起一双清澈的大眼，认真地说。

"像水晶一样！"张祥麟暗道一声。

他发现她真像他热恋时的妻子，不过，文习绣比她多一点进取心。

她不明白他为什么要为这样一件小事而如此赞扬她："你这是在鼓励我，不要为这块倒霉的牌子事而灰心丧气吧？告诉你，我早把这件事给忘了！"说毕，她给他一个天真的盯视，折身轻盈地飞下扶梯。

张祥麟心中忽然冒出几句诗："……我把双手放在你头上，祝你永远那样纯洁美丽……"

他不禁回过头又打量下她的背影。"又在看女人了。不过，漂亮的女人，确实值得看！"他解嘲般对自己说。

五

楼下高教授的客厅里，坐着教授夫妇、文习绣和她的母亲，还有一个戴着金丝边眼镜、身材修长的小伙子。

"这个学生可是我近年来最得意的一个。他今年夏天就要毕业了，我准备留他做我的助手。"高教授满带着赞赏的口气介绍着这位腼腆的小伙子，同时不断地向小伙子使眼色，示意他开口讲几句。于是，小伙子红着脸开口：

"文……文老师，在哪个学校教书？哦，那么远的路！那里的学生比较难教吧？"

不言而喻，这是在介绍对象。由于彼此间不熟悉，因此气氛显得有点沉闷、呆滞，常常讲不了几句就又会出现令人尴尬的冷场。

"还记得从前同仁医院那位邱医师吗？就是他的爷爷。记得那阵，邱医师不是一直给府上老太爷出诊的？"作为介绍人的教授夫人，为了使场面融洽一点，设法寻找着旧交情、老关系。

"哦，原来是邱医师的孙子！邱医师可是个第一流的肺科专家！这么说，我们还是世交了。"文习绣的母亲为这个新关系的发现而十分高兴，看来，她已十分满意这个用功得很有成果的研究生了。

文习绣坐在沙发上沉默不言，倒不是因为害羞，只是感到尴尬……难道爱情可以这样来寻觅？

小伙子正在背履历表般向她妈妈汇报自己的家庭状况，心不在焉的文习绣只断断续续听到他说……家中三口人，住在三楼，二楼和一楼还被别人占着……言谈之中，一口一个"妈妈说"，看来也跟文习绣一样，每天出门都得让妈叮嘱一大堆话，也是个离了妈妈就失去准心的大孩子，虽说比她还大四岁！

双方的长辈越谈越投机，而两个年轻人却感到越坐越尴尬，文习绣再也坐不下了，起身告辞了。

走到楼道口，妈妈就迫不及待地问："怎样？我看着挺合适，正正派派又用功。家里条件也与我们家相当，还是世交……"

"又是经济呀，条件呀，俗气死了。"文习绣厌烦地堵住了妈的嘴。

"小鬼，就你清高。"妈妈有点生气了，"你样样都是有现成的啰，自然可以不讲经济了。把你嫁到你那条穷街上，天天早上得起来刷马桶拎自来水，不成天抹眼泪才怪呢。看你再去清高去。"

"就这么见一面，话也没讲啥，就要定下来，我不……"

"别发傻了，妈又不是老封建，看着合适，就与他交往一段，妈已请他后天上我家来吃饭。别嘟着嘴巴了，交一般的男朋友，妈哪干涉过你？但考虑对象，就得慎重一点，全面一点，讲得通俗点，也就不得不俗气一点！"

"好吧！"文习绣向来是妈妈的听话女儿，她感到那个研究生小伙子也不错，她没有什么理由拒绝与他交往。她毕竟不是孩子了，尽管她有不少异性朋友，但她心里明白，假如挑选丈夫的话，就得考虑对方的学历、家庭状况，而今天的小伙子在这两点上是很合适的。他也明白，而今社会上姑娘是过剩的，也不是很容易能碰上一个基本点都与她相适合的理想对象的。她应当和他交往，互相了解一下，顺理成章，然后迁入他家那幢宽敞舒适的房子里，什么也不用她操心，什么也不用她努力，样样享受她都不会缺乏，就像在娘家一样！她的姐姐和哥哥不就是这样的吗？当然，她们家才不会在结婚时大摆酒席、大车嫁妆呢，记得嫂子的嫁妆是专拣晚上车来的，为的就怕让别人看见太招摇了。但是结局，结局还不是一样——仅仅是生儿育女？她不是曾想过吗，假如仅仅就为这，那她宁可一个人生活！

她读过好多爱情小说，她也明白，小说和生活是两码事，但是，她还是想：等一等，等一等吧！自从她知道有这么条穷街，有这么个男人，含辛茹苦地从穷街上走了出来，而且，还在千方百计地想把那些留在那里的孩子领出来……他为什么要与他的妻子分别呢？是不理解？没有爱？还是由于误会？他……不感到孤独吗？她发现自己想得太远了！

"我将来出嫁，说什么也要嫁到上只角去，嫁个家里有钱的。看我姐姐多苦，一结婚就得愁还债，没意思极了。"陈根妹就着路灯的光，熟稔地钩着手中的活计。

"话不能这么说。你姐姐好歹风头出过了，汽车也坐过了，做人嘛，不就为了一张面子？"另一个女孩子故作世故，"你一心想嫁到上只角去，人家上只角的人要不要你？上只角也有小姑娘呢。"

"我就要嫁上只角的，"根妹坚决地说，"家里有彩电，有冰箱，有许多许多漂亮的衣服……"她索性放下手中的活计，像祈祷许愿般颤抖着声音数说着，神情十分认真。

"还要有空调，有汽车……"女伴嘲笑着她，但最后连她自己也叹了口气，"都在做梦！"

"呃，上次在办公室里听别的老师讲，嗲妹妹家里就是这样的，高级着呢。"似乎想起了什么，根妹说。

"那还用说，肯定的。我数过了，开学到现在，她换了十二件衬衣，五件毛衣……衣领的样子都和我们不一样。"

"去向她借个样子来，我们也裁一件。我想做件衬衣，老没好样子。"有人认真地说。

"去你的。你去借。"另一个干脆地回绝了。

这时，根妹却颇感兴趣地问："你们说，嗲妹妹要挑对象，挑怎样的？"

"那还用说，尽拣好的挑吧！"那回答的口气，都有点酸溜溜的了，

"拣那有大洋房、彩电、洗衣机的人家挑……"

"那嗲妹妹的嫁妆，摆起来，总有一条南京路那样长。"

"当然！"

这是晚上的"尼罗河"畔，这里，是穷街中学生的世界。

这些中学生们，到了该有自己的交际的年龄，可家里豆腐干一块，连他们日益长高的身子都不能容纳了，哪还轮得上给他们提供交际场所？有收入的青年工人，可以去市中心坐咖啡馆，泡电影院，而他们这些口袋里钱不多的中学生们，就唯能聚到这不收费的地方来。这里虽说河面泛起的那股味不大好闻，而且，入秋了，那风吹上来也有点凉意了，但这里可是他们的世界。这里听不到大人的叱骂声，也绝不用担心会有什么秘密的谈话内容让他们给截去，还可以尽兴谈一些在学校里不能公开谈论的话题，倒也痛快。说真的，别看这些学生们在家里还被大人亲昵地称为"小赤佬"、"小把戏"，其实，他们一小时一小时地在长大，在成熟。这些女孩子们的谈话要让他们的父母听到，不掴他们几个耳光才怪呢。

"说正经的，根妹，听说你有朋友了，是吗？"一个女伴诡秘地用肘子撞撞根妹，"说，坦白点，是谁？你们班上的何福贵？"说着轻轻朝那边男生堆里努努嘴。

"哼，我才不找这些男生呢，"根妹轻蔑地撇撇嘴，"他们派头都没有，用钱缩手缩脚的，我要找，就找那种有工作的，那气派可大呢。"

"都说你跟何福贵好，"女伴不放过她，"不然，你怎么那天愿意帮他摘女厕所牌子？"

陈根妹摆出一副豪爽的样子："那有啥。叫他在那么多人前往女厕所钻，他不狼狈？我就帮他个忙啰。"

"说实在的，你们那回整嗲妹妹，也整得太过分了。"

"不过，张老师说的对，"陈根妹似乎很不愿再提那件事，"别尽做没意思的事让人家笑话阿拉苏北人。"

"后来你们老师就不追查了？"

"没有。"

"上路[①]!"女伴们竖起大拇指说。

那边的男孩子们，话题自然比女孩子们更广更深了。

"这几天我弄到一本《安娜·卡列尼娜》，好看。"刘国良拍拍手中那本厚甸甸的书，又在卖弄了。

"哦，我看过电视了，没意思透了，那安娜是个大傻瓜，家里条件这么好，住房这么大，丈夫又这样办事上路，她还要寻死，真是!"何福贵接过刘国良手中的书，把它垫到自己屁股底下去。

"你别尽讲傻话了，给我们苏北人丢丑，那是世界名著呢!"

"我不管什么名著不名著，反正我要娶老婆，就不娶这种疯疯癫癫的女人!"

"皮厚! 也不想想人家愿不愿嫁你?"刘国良向他扔了一把沙子奚落着他，"就冲着你摘女厕所牌子那胆量?"

"得了，不愿嫁我愿意嫁你?"何福贵反唇相讥。

"说不准。我要学学我们张老师，将来考上个大学，说不定就能娶上个好老婆。"刘国良起先是用着开玩笑的口气，到后来，却是正儿八经的。

"得了，没听说，老张还是光棍一根呢。听说离婚了。"

"那不管，"刘国良说，"我就服他。他有点高仓健那个味。反正这辈子，我不甘心就困在这里，守着这尼罗河……"

这话可说到大家心眼里了，顿时大家都不吭声了，唯有河水轻轻拍击着堤岸的哗哗声，还有远远传来一两声船上的汽笛声。

"×的。"何福贵狠狠地骂了句粗话。话说回来，他们骂粗话实在是有口无心，粗话在他们早已失去了原先的下流意义，只是代表一种感慨，一种表达心情的感叹词而已，"谁不想让当父母的挣点脸子，可谁叫我

---

① 上路：上海话，意为懂行情，有办法。

笨，笨！这次英语测验又是鸭蛋！"

"我这次考了八十二分，比上次多了十分。"刘国良望着天幕上的星星，"下次再加十分，九十二分，然后考重点高中，大学，我……认准了！"

"×的你这小子，倒真打起如意算盘来了。"何福贵羡慕地望着他。

有人掏出了香烟："来来来，光讲话有什么意思？反正这里没多嘴告状的，一人一支。男子汉不抽烟，比小姑娘长胡子还难看呢。"

刘国良偷偷瞥了一眼隔开不远的那堆女生，然后故意大着嗓子说："来，给我一支。"

虽说他早已吸过烟了，但毕竟吸得不多，因此刚吸了一口就让烟给呛了一下。其实他不大喜欢那股呛人的香烟味，他吸烟只是为了一条不成文的规定：抽烟标志着成熟。

"唷，这儿可真热闹。"

没等他们想起要扔掉手中的香烟，张老师的大巴掌已落到何福贵肩上了。张老师穿着一件羊皮夹克，比在课堂里更显得随便洒脱。

"借个火。"张老师从何福贵手指中抽出那根香烟点亮了自己的，然后又把香烟递还给他，何福贵当然不会再伸手去接，于是他就把那支烟扔入"尼罗河"去了，随后从口袋里掏出几粒水果糖来分给那些早已悄悄把香烟扔掉的男孩子："对你们，水果糖更合适。"他说。

女孩子们那边发出一阵笑声，男孩子们尴尬地剥着糖纸……

"过来，初三(四)班的学生都集中过来，"张祥麟习惯地做了个整队的意思，"下星期区里有一次公开教学，我想为我们班争取一个机会……"

同学们又惊讶又自嘲地哄了起来。

"哟！就凭我们？不怕给你老师出洋相？"何福贵伸长着脖子在人堆里说。

"谁说这没出息的话，谁？"张祥麟厉声说，他有点生气了，"干吗这样看不起自己？全体立正！听着，这次公开教学我们没什么其他目的，也不用你们个个都装出优等生的脸孔，平时我们怎么上，就怎么上，既然别的学校能轮上，我们浩光中学当然也得轮上……对不对？"

"对！"同学们机械地、没有把握地回答着。

张祥麟不满意这样的回答。

"我说，除了换厕所牌子之类的事——原谅我揭了你们的短，我们能不能干点博得别人好感的正经事？"

同学们不好意思地抓头皮了。

"怎样，能不能？"张祥麟追着又问了一句。

"能！"

这下声音够响的了。

"知道梁启超吗？我给你们讲……"

有人来叫刘国良回去，原来他姐姐回来了。

"老师，什么叫'设计自我'？而今刘国良老挂在嘴边嚷。"何福贵问。

这……规范化的解释该怎样的，张祥麟也讲不清，其实每个人对这四个字都可以有自己的解释。

"我的意思，自我设计，就是力求使自己完美、充实、全面……"

"哼，我看刘国良的姐姐，自我设计得越来越让人吃不消，连家都不大愿意回了。"何福贵说。

张祥麟沉吟着："自我设计，固然是成才的途径，但不能作为一种押宝和赌注！你们呀，这些穷街上的孩子，共产党的枪炮让你们的上一辈在政治上翻了身，可要在精神上和文化上翻身，那得靠你们自己！"

他发现自己讲得太深奥了，学生们光剩眨眼的份儿。

"比方说，"他点着一支烟，袅袅的青烟使他微微眯缝起双眼，这样子帅得让那些男孩子们羡慕得要死，"从明天开始，假如你们看见……比方说文老师，拎着挂图小黑板之类过来了，你们这些男孩子能不能想着迎上去替她帮个忙？她准会很高兴。生活就是这样，自我设计不一定就非得上大学。有些对我们来说只是举手之劳的小事，但可以给人家带来很大的快乐和方便，也会替你给对方留下一个很美的印象……生活中这样的机会是很多的，只是我们自己常常把它们错过了！"

张祥麟抽着烟，费力地斟酌着词句，面对着这一双双渴求知识的虔诚信任的眼睛，张祥麟感到自己这个"老"班主任对班主任工作，有一种越来越明显的"力不从心"之感，不过，这应该说是一件好事，这正是一代胜似一代的象征呢！

"尼罗河"畔住家的灯火相继熄灭了，天色晚了。就在这不断重复着的白天和黑夜的交替中，孩子们在悄悄地长大、成熟，年轻的心正在向着社会、人生敞开，愿洒向他们心田的，多一点甘露，少一点污浊！

六

每逢星期六下午是文习绣最轻松的一天，但也是她最紧张的一天，因为最近每星期六下午增加了一次社会公益劳动，而这个下午又恰逢张祥麟去进修学院集体备课，初三(四)班这副担子，就得她独个挑起。

这次劳动，她的班级给安排在一家中药厂。对班里的学生来说，劳动比上课有劲多了，劳动时可以动动手脚，相互间说说笑笑，打打闹闹。平时上课，他们有的会找出各种借口，什么头疼胃疼呀请假缺席，可轮着劳动，连最调皮捣蛋的何福贵，也是绝对不愿缺席的。劳动多开心，夏天有冷饮喝，冬天又可以在厂浴室洗澡，他们才不愿放过这机会呢。而作为班主任的文习绣，真巴不得那几个捣蛋鬼劳动缺席才好呢。想想看，平时五十个学生关在教室里都是活蹦乱跳的，一下把他们放到这两层楼房的工厂里，不等于把猴子放到花果山去？她一人忙着分小组，又得上上下下"监督"劳动纪律，才一个多小时，她已忙得嘴干唇裂，腰酸背疼了。

门房里有她的电话，是那个新结识的研究生打来的。看来，他和她之间已进入到"第二幕"了。第一幕是介绍相识；第二幕，约会；第三幕结婚，然后第四幕……然后就闭幕了！真是一条又轻松又平淡的路，一条妈妈给铺设的路！

果然，研究生约她看戏，并且告诉她，他正在为给她调入中心区而设法。只是，她得先写个报告列列自己的困难。办"调动"对一个像他这样的养尊处优的"候补学者"来说，是一件很棘手的事。或许为女人服务，是男人的天职吧？你看，连童话里的王子，要想得到一个公主，也得费尽一番艰难呢！那就怪不得这位老实巴交的研究生，也得尽力为她跑腿了。

"……困难要写得具体点，单单路远不行。"研究生在电话边叮嘱着，"论据要足一点。"

看来，棘手难办的事能促人成熟。研究生的声音显得老成沉着多了。

"论据要足一点"，这句话还是带那么一股书呆子气。要说论据，文习绣可多着呢。瞧，透过窗户，她看见几个男同学正在嘻嘻哈哈地踩着一辆三轮货车，这些孩子，要撞着人或摔伤了自己怎么办？还有，这药厂四周满是木箱药草，这帮小鬼要是躲在哪个角落里抽烟引起火灾怎么办？真烦人……不过，棘手难办的事能使人成熟，而且，这里的生活新鲜，与她熟悉的很不一样……只是，确实太累了，而且——她最不乐意的——还得套一身她不喜欢的衣服，漂亮的衣服只能穿在外套里面。而现在，她越来越想穿得漂亮点了。她很希望，张祥麟再能像有一次在走廊门口那样偏侧着头打量一下她那翩然翻起的发梢……真想让他看到自己在星期天里的形象，至少不穿这身她不喜欢的衣服。

真是既想调又不想调，她总是遇到这种不能当机立断的事，怎么办呢？要能再问问妈妈就好了，遗憾的是，她已过了这样的年龄！

"嗵！"那辆三轮货车撞在墙上，车上的几个调皮蛋差点给摔下来，吓得文习绣出了一身冷汗！她哑着嗓子大声吆喝着叫他们回各自的劳动岗位。

"歇一会儿吧，老师。"连门房老伯伯看着汗淋淋的嘶哑着喉咙的文习绣，都有点不忍心了。他给她拉过一把椅子，"坐一会儿。你一个人哪抵得过那些个——只只会跳的小猢狲？"

话音没落，一位老师傅气急败坏地找来了：

"唷，老师，不知哪位学生，把我们仓库里一瓶做补膏的糖浆给喝了！"

文习绣脑袋瓜"嗡"的一下，到底出事了。她防着他们打架，防着他们乱踩三轮货车，甚至防着他们吸烟着火，就没防到他们会偷喝糖浆！真正是防不胜防！

"我就来。"她歉意地对那位怒气冲冲的老师傅赔着笑脸。

老师傅气愤地向别的工人们诉说："一瓶五加仑的糖浆就喝了那么几口，把整整一瓶给糟蹋了！这批小鬼……几十块钱一瓶呢，要赔的！"

"这个老师太文气了，吃不住他们。"

"上几班的老师就两样，眼睛一弹，学生们动都不敢动……"

工人们既同情又是善意的讥讽让文习绣听着脸上红一阵白一阵的。她心里急急盘算一下，分在仓库里共是六个同学，二女四男，把他们全审问一番……？不行，假如他们不承认呢？那"换牌子事件"不就是一个很好的教训吗？这批学生精着呢，没有证据，他们才不会轻易承认呢。怎么办？她的眼睛无意中落到那架油光乌亮的电话机上，她拨了进修学院的号码。

"嗯？"当一个深沉浑厚的声音从话筒里传出时，她感到自己累极了，累得都站不住了。

"我，文习绣。班里出事了，你快来一下。"她瘫倒在椅子上。

"别着急，我现在就去。"

六个分在仓库里劳动的"可疑分子"，蜡烛似的插在文习绣的办公桌前，任凭文习绣怎样进行训话和"政策攻心"，硬是不开口。

门"砰"的一下被推开了，张祥麟神色紧张地走进办公室。

"刚才接到药厂电话，那瓶糖浆，工人们已做过处理了，里面含有一种抗癌药品，毒得很呢。喝过的人快跟我去医院灌肠，做解毒措施……"

话音刚落，没等文习绣摸清头脑，陈根妹已"妈呀"一声哭了出来："我得……让我妈陪我去！"

几乎是同时，何福贵的脸色也变了："我……也喝了！"

这时，张祥麟挥挥手让其他四个学生回去，留下他们两个："行了。解毒吧，一人赔十元。我问过厂里了，一瓶糖浆二十块。"

文习绣呆住了。张祥麟解决问题的神通让她感到惊讶，但解决的方式使她气愤；这纯粹是诱哄，是欺骗！

"回去跟你们家长坦白，明天把赔款带来。这药是乱吃的吗？要真是有毒的药品，看你们怎么办？"

张祥麟正在训斥这帮子不像话的学生，这时，他忽然感到一道阴冷的不满的目光落在他脊背上，那样冷，直冷到他心里。他回头一看，是文习绣的目光。

文习绣倚在门边，好像打量陌生人似的打量着他。

"怎么？难道我这处理方式……"他悄悄问了下自己。

"怎么可以……！"文习绣的眼睛依然盯着他，就像他小女儿那样天真无邪。或许她……是对的？

他把何福贵他们先打发走，然后转向文习绣，不自然地搓搓双手说："我刚才去厂里了解过情况了，厂里很气恼，要求赔偿损失的，不早点抓出来影响不好。"

"你不是说，学校不是公安局……"文习绣发现，他该刮胡子了，原先刮得发青的下巴颏现在看上去胡子拉碴的，把那个时隐时显的小坑都埋住了。

"这种事对外，比不得上次挂女厕所牌子的事，那是我们内部的事。对外的事，就得及早解决。"

"可是……那不是骗人吗？"文习绣向来不习惯大声讲话，这回由于惊讶和气恼，不由得把声音也放大了，脸憋得通红，"自己当老师，却骗人……捉弄人……"

"你是月球上掉下来的还是刚从外国回来？你难道不知道，有时候……我们需要动动脑筋，才能办得成事吗？"

"可是，以后怎么叫学生相信我们的话呢？"

"那……"他一下语塞了，那莫名其妙的火气也上来了，"叫我怎么办？总不能厚着脸皮跟厂方说，对不起，我查不出来，钱我来赔！"

"实在不行的话，也只能这样。他们也应当知道，我们老师又不是神仙。我们总不能不择手段呀！"

"你呀，"张祥麟不耐烦了，"就差在脖子上系一根红灿灿的红领巾了！你那么有本事，就别挂电话来找我。"话音刚落，他忽然感到最后一句讲得太刺激了！但话已出口了。只见文习绣委委屈屈地看了他一眼，噙着一眶眼泪推门走了。办公室门外，何福贵和陈根妹还站在那里没走。

"文老师！"陈根妹怯怯地看了一眼正在抹泪水的班主任。

"别告诉别的同学，说我……哭了。"文习绣掏出手绢抹净眼泪，然后匆匆走了。

陈根妹和何福贵面面相觑，他们未曾料到，文老师会如此坦率，不加遮掩地对他们这样要求。他们更未料到，两个班主任之间还会吵架。

"其实也没关系，谁都会哭的。"何福贵挺同情地望着老师的背影说。

"今天的事，都是你惹出来的。"陈根妹却狠狠地盯了他一眼。

"是你自己说，这白开水淡乎乎的没味，要来杯麦乳精冲冲就好了……"

"我让你冲糖浆了？我又没让你冲糖浆！"陈根妹冲着他嚷。

"得了，走吧！"何福贵忧心忡忡地看看办公室那扇紧闭着的门，"要不，张老师又要出来了。"

张祥麟闷闷地抽着烟，他也弄不清楚为何自己今天的火气如此之大！

他忽然记起，女儿两岁的时候，为了试探她对自己的感情，他竟荒唐地耍过她一次。他对女儿说："爸爸要死了！"然后就躺在地板上一动也不动，女儿惊恐地摇他推他，他忍住笑就是不吭声，直到女儿哇的一下哭了出来，他才从地板上一跃而起："乖，爸爸骗你的。"女儿瞪着一双泪眼，又高兴又气恼地望着他。那双眼睛那样清澈，就像水晶一样，他悔极了，不该耍弄这样一颗水晶般的童心。

对，从一开始文习绣抗议他耍弄学生时，他就意识到自己错了，他的怒气其实是冲着自己发的，真的，只是对自己发的。他恨自己，在这点上竟不及一个稚气未脱的年轻女教师！

晚上，下起雨来了。张祥麟披着雨衣，在窄窄的街面上行走，整条街静极了，只有雨刷刷落地的声音。正是电台立体声音乐节目时间，从一家低矮小窗棂里，飞出舒伯特的《鳟鱼》。

> 在清清的河水里，
> 游着一条小鳟鱼……

由于夜的寂静，《鳟鱼》的歌声很清晰地在街面上飘荡着：

> ……但渔夫不愿久等，浪费时光，
> 他把河水弄浑，把小鳟鱼钓出水面。

张祥麟浓密的粗眉下，目光开始变得冷峻起来。

雨点一阵紧似一阵地打在屋檐上，打在住宅的窗棂上。街对面一所孤零的平房里，门打开了，走出一个不高但是十分结实的身影。

"张老师!"原来是刘国良，"这么晚还上谁家呀?"

"我……做错了点事。现在，找何福贵他们道歉去。"张祥麟深深地吸了口气。

"什么事呀?"老师的沉重语气叫刘国良呆住了。

> ……我满怀激动的心情，
> 看着鳟鱼受欺骗……

原先明朗活泼的节奏变得激昂和愤怒了，并重复地变奏着。张祥麟脸上泛起一抹歉疚的微笑。

"我要了他们……"他说，接着，他伸手在刘国良肩上拍了一下，"这么个下雨天，上哪？"

"我接我姐姐去。今天星期六，她去看电影了。晚上一个人回家害怕，让我去接她。她连伞都没带。"刘国良扬扬腋下的一顶淡黄色的尼龙小折伞，他自个手中撑的，却是一顶年代已久、密布着小窟窿的黑布伞。

"好一个保护人！你爸爸可真该放心了。"张祥麟赞赏地打量着刘国良那已颇有点成年男子气质的、线条开始粗硬起来的脸面，"你今年几岁了？"

"十六岁了。"他说着把身子不由自主地往上挺了挺。

"老师，"他迟疑了一下，随即信任地说，"我姐姐有男朋友了！"灯光下，他脸上的表情显得那样欣慰，还有点羞答答的。说真的，这轮不上他害羞。

"谢谢你把这告诉我。"

"谢谢？"刘国良很奇怪。

"这说明你信任我呀！"说真的，学生的信任比什么都让老师高兴。

"我和妈妈都很高兴。姐姐的对象是个优等生，与姐姐是同班同学。爸爸就希望过，我们家能出一代知识分子。今晚，姐姐就是和他一块看电影去的。"

"哪还用得上你去车站接姐姐？做小电灯泡呀？"张祥麟与他开了个玩笑。

"他们刚认识不久……他是一个教授的儿子，姐姐不愿意让他知道她住在这儿……"

明白了。一种模糊的焦灼压住了张祥麟的心头。为什么呢？或许他对这一切太理解了！他自己的婚姻，不就导致了一场悲剧？当初，他太幼稚了。他原以为，那轰轰烈烈的、有摧枯拉朽之势的"文化大革命"，已填平了贫困和富裕、后楼和前面南楼之间的鸿沟！他的离了婚的妻子就住在南楼，只是紧缩成一间了。妈妈还为她家洗衣服，不为钱，只是可怜她们。连手帕都不会洗的岳母对着一盆脏衣服简直一筹莫展！后来他们相爱了，一九七六年落实政策以后，他们就结婚了。他去了南楼做招女婿。和她家朝夕相处在一起，他才感到显得那样不协调、不合拍；岳父母不欢迎他后楼的伙伴们上这儿来做客，怕踩脏他们的嵌花地板。妻子的朋友来做客，他老插不上话。他不懂那些收录机和照相机的型号，他不会弹钢琴也不会很在行地谈音乐……这些对他艰苦的童年来说，都是很昂贵的生活享受，他没经历过……于是无数细微的裂痕就造成了桥梁的倒坍，他和她的婚姻终于破裂了。那条鸿沟，是不容易填平的！

远远地，在弄堂入口处，有一个苗条的姑娘的身影。

"哎哟，我姐姐来了。怪我讲话讲得忘了时间。"刘国良忙忙地迎了上去。"嗖"的一声撑开那顶漂亮的淡黄色的尼龙小花伞，他姐姐头上似乎就此升起一圈光晕。

"这么晚来！"姐姐埋怨着弟弟。

尽管是在黑沉沉的雨夜，可姐弟俩的身影却因为两顶反差太大的伞而显得非常分明，那种明显的不协调又引起张祥麟那阵莫名的焦灼和不安。

奋斗者的路是曲折的，他希望，在他们成功之日不要丢弃那最可爱的。有如他张祥麟自己，自忖已十分成熟十分能干，但今天在他一直视为孩子的文习绣身上，他发现自己同时丢弃了一样十分可贵的……那就是，不能容忍半点虚假的真诚！

"祝福和希望你，永远纯洁美丽和温柔。"

他对自己说。

雨中的空气真清爽，真洁净！他深深地吸了一口，陡然感到心中像滤过一样清静，变得年轻了！

七

　　因为是星期天，文习绣着意地把自己修饰了一番：两鬓的发梢又翩然翻起，淡紫色的高领毛衣，配着灰紫相间的格呢裙子。文习绣特别喜欢穿裙子。说真的，为什么非得穿那肥口袋样的裤子才合人民教师的身份呢？她爱穿裙子，她认为裙子最能显露一个人的身材体形。

　　不知从什么时候起开的例，研究生每星期日下午就准时来她房里报到。他和她之间不存在着一般青年人成家时会遇到的房子和经济的烦恼，因此无须做什么努力，只需这样悠闲地坐着聊聊天，喝喝咖啡，然后等到那一天……就像火车顺着铁轨一站一站地停靠……真的，他和她什么都不缺乏，唯缺……爱情。

　　既然坐在一起，总得找点话题。文习绣就把糖浆事件告诉他，同时，也告诉他，对张祥麟的处理糖浆事件的方式，她有多吃惊，多失望！

　　"有这样的事！"隔行如隔山这句话一点不假。研究生搓着自己双手，其反应就像刚刚听完一段姚慕双、周柏春的滑稽①一样。

　　"……我向来很敬佩他，我没料到，他也会这样耍学生。"文习绣把声音压低到自语的程度，她不指望从研究生那儿得到回答，"怎么能这样耍弄学生？"

　　"有这样的事！"研究生依然不知所措地搓着自个手掌。

---

① 姚慕双、周柏春：上海著名喜剧演员。

"这样下去，他会丢掉学生对他的好印象的。学生们原来是那样的爱他！"

明知对方不会懂得她的心情，但她还是自语般地诉说着，她总得说一说。

"姨，来客人了。"小侄女推开房门神秘地说，"是张陌生面孔，没来过！"

"你好！"张祥麟站在房门口。可能因为是来做客，看得出他作过一番修饰：头发理过了，胡子也刮过了。淡米色的毛衣和咖啡色的灯芯绒外套，使他显得又洒脱又随和，而且……挺漂亮的！

"怎么，这形象还可以吗？"感到她在打量他，他不好意思地笑了，"你今天这一身也不错呢。嘻，要明天我们两个班主任都穿着这一身走进教室，你说会引起怎样的局面？"

文习绣扑哧一下笑了起来，顿时感到轻松自在多了："那……学生准会把我们当新郎新娘了！"话音刚落，她才悟到自己说了一句多么愚蠢多么不得体的话，顿觉满脸通红。

"你很会穿衣服，真的！"他却毫不理会她那句不得当的话，很真诚地说。

"你真这样认为吗？"她兴奋地抬眼问他，一副纯洁快乐的表情，这又令他忆起女儿那对明目。在她面前要弄别人，简直是在亵渎纯真！

"相信我，从此我再也不会用假话来要弄别人了，"说到这里，他发现文习绣不好意思地低下头笑了。看见她笑了他很高兴。这意味着，那场他们之间的芥蒂已经冰释了。他自己都不明白，为什么那样害怕在自己与她之间存在一层隔膜？

文习绣娴静地坐在一张梳妆凳上，他真没料到，就是她，昨天像一头发怒的小猫样对着他直嚷："怎么可以……？"就像各种生命都有自己的气味，这间布置典雅的房间，也弥漫着一股张祥麟曾经十分熟悉的气息；那种淡淡的既温馨又舒服的甜甜的气息。他也曾那样静静地坐在一边，欣赏着妻子的不太高超的钢琴技艺，只是他无论做出怎样的努力，都无法适应这样的生活节奏……

"清理阶级队伍运动中，大哥哥和他的一个很好的女朋友，就是这样被人耍了。工宣队对哥哥说，人家早揭发你了，哥哥信以为真，一气之下，把什么都'交代'了，差点毁了他的女朋友……人，怎么可以这样欺骗？昨天你那样一说，我立刻就想起'文化大革命'了。现在到处有人讲假话、摆噱头，我看不惯。可你……对那些天真的孩子也摆噱头，这不像是你！"

张祥麟默默吸着烟，透过袅袅的烟圈，文习绣的脸庞有一种迷惘的美感。这个女孩子，令他感到又熟悉又陌生。熟悉的是，她和他原来的妻子有许多相同之点，那种养尊处优的女孩子都有的，诸如温柔、文静、善良，从小到大一句谎话都不会讲，不敢正视社会冷峻的现实……但她跟她又很不同，在她柔顺的外表下，却有一种锲而不舍的精神。

文习绣忽然想起，该向他介绍一下那位研究生，可是……她发现，研究生不知什么时候走了。她很抱歉。

"你……能弹一首给我听吗？"张祥麟指指钢琴。

"你要听什么？"文习绣打开琴谱，"要听《少女的祈祷》吗？"

"你会弹舒伯特的《鳟鱼》吗？"

于是，响起一缕活泼、明快的旋律。

在清清的河水里，

游着一条小鳟鱼……

只要河水清又清，

渔夫就别想让它上钩……

屋内是悦耳动人的音乐，屋外是绿光缭绕的树丛，一切是那样恬静、美好和丰富。张祥麟已好久没有这样宁静平和地度过一个周日了。谁说他无法适应这样的生活节奏？人人都应当生活得更美好，人们需要宽敞的活动空间，需要良好的教育，还要音乐……他的生活悲剧原因不在于他跟不上舒适的生活节奏，而在于他们之间，缺乏了解！

"听说……你想调走？"一曲终了，张祥麟双眼盯着自己的烟头问。

"有……这么个想法。路太远了，再说……我没能力。我生性太软弱了，对付不了他们！"她嗫嚅着，不自然地低下头，仿佛做了什么不应该做的事。

"能不那么着急地……走吗？市中心区教师很多，多你一个少你一个无所谓，可我们这条穷街上，教师太缺了。学生们其实很需要你呢。昨晚我去陈根妹家，你知道几个女同学在干什么？她们在裁衣服，那衬衣样式是你穿过的。她们不好意思开口问你借，就凭记忆画你的衣领样、袖口样……"

"哟！"文习绣又害羞又感到意外，那只不过是几件最普通不过的衬衣。

"我总以为，教师的工作不单在黑板上，也在你的衬衣上，你的外套上，直到你的头发上。通过你本身，给学生呈现一个至善至美的世界！所以你看，昨天，我做了件多混蛋的事。"他发觉自己讲了粗话，不好意思地偏偏头，"在这条穷街上，如果连我们都要躲开他们，那还有谁值得他们效仿、崇拜呢？在我的童年中，第一个崇拜的英雄就是我的老师！因为，我也生在穷街上！老师是我首先接触到的文化人。"他向文习绣跨前一步，挚诚地伸出他的手："你身上具有的，正是我已失去的；而我所持的，又恰恰是你所缺乏的，我们可以合作得很好！帮助我吧！"

在文习绣迷梦般的二十三年生涯中，还是第一次有人那样挚诚地对她说，帮助我吧！而且是这样一个高大壮实，年岁长于她，经历也深于她的男人。直到此刻，她才真正感到自己不是个样样都要妈妈叮嘱的女孩子了，而是一个教师。她很感激张祥麟让她感到了这一点！

星期天对浩光街的学生们，只是意味着可以在"尼罗河"畔泡上一整天。

陈根妹把自己打扮得漂漂亮亮的，所谓"打扮"，就是解开辫子把头发披在肩上，然后穿上那件新缝好的衬衣，抓了把瓜子边嗑边走，来到"尼罗河"畔。自姐姐出嫁后，家里那热闹劲早过去了，众目睽睽之下坐汽车、陪新娘的风头也过去了，乍一下冷清下来，可真没劲。而且昨天又出了那么桩"糖浆"事件，起先心里着实害怕，后来让张老师给哄出来了，心里那股恼火……当然，老师已登门道歉了，她气也平了。可是得拿出十块钱的赔款，心里真窝火。她决定去问问何福贵，看看他是怎样办的，果真掏十块钱出来赔？

路过刘国良家敞开的大门，他正埋头在大声朗读那课《少年中国说》，是张老师让大家预习准备公开教学的。他倒真听老师的话！

"真用功，将来准能考上大学了。"她揶揄着刘国良。这里大家都是近邻，因此男女学生之间，不像别的学校那样有严格的界限。

"张老师布置的。我们可不能到时出张老师的洋相，他待我们多好！昨天那么晚还上你家来家访。说是来道歉的？"

陈根妹不愿他再提那倒霉的"糖浆"事件，顺手捡起一块布条开始利落地拆着纱头，故意把话题给扯开："都在说你姐姐有男朋友了。住在上只角的，是吗？都在说你阿姐有能力；先上大学，然后找个上只角的对象，再'呼'的一下飞出我们这个穷窝……"

"别瞎嚷，这事还刚刚开头呢！"刘国良谨慎地说。

"所以人家也在说，刘国良也拼命要念大学呢！准也想飞出去。"

"去你的！"刘国良怒了，把根妹赶了出去。

他重新在桌前坐下，屋外一阵刺耳的笑声传了进来。今天是星期天，邻居那几个上班的都在家，正在外面玩扑克，有一个耳朵上已夹了三个衣夹子了。

说真的，刘国良是铁了心要上大学，他没根妹说他的那样想得那么远，他只是想，像张老师那样生活。

何福贵在"尼罗河"畔又摆开他的木工活计了。

"哟，又在打什么了？"陈根妹问他。

"给你打嫁妆呢。"何福贵向她扬了扬手中的刨子。

"去你的。"陈根妹朝他撒了一把瓜子壳。由于没有过多的约束和管教，这里的女孩子大多泼辣轻浮，"在做什么呀?"

"用这点碎木料给嗲妹妹做个粉笔盒。看，二层楼的，上面放粉笔，下面一个小抽斗，放黑板擦。没看见，她用个香烟铁盒放粉笔。她不抽烟，哪来的香烟盒?"

"别傻了。她不抽烟，就不兴人家男朋友抽烟?"陈根妹摆出一副内行样。

"看不出，嗲妹妹，平时一副嗲样，昨日跟老张争起来了，是真能干呢。想不到她挺护着我们。"

此刻他们一口一个的"嗲妹妹"，事实上已成为一种昵称，连他们自己都没意识到。

"喂，那十块钱就真得赔了?"陈根妹试探着问。

"你还不准备赔呀? 你好意思? 嗲妹妹为了我们跟老张吵，老张又为了我们冒雨来道歉……再不承认，就不是人了。"

"是的，我们这两个班主任，虽说不凶，可我算服他们了。"陈根妹说。

要人惧怕是很容易的，但要人信任和爱戴，却是很难的!

"根妹，过来!"

有人远远地叫她，那是个刚顶替父亲进厂的小艺徒。他拿出一对漂亮的发夹给陈根妹炫耀："看，香港货。从深圳托人买来的。"

陈根妹眼睛一亮，忙要拿过那对发夹。

"可不能白给，今晚陪我看电影去。"

"那……你先得把发夹给我。"

"行，拿去吧。记住，晚上七点半的电影!"

陈根妹接过那对发夹，笑得嘴都合不拢，一溜烟就往家里跑去。这星期天剩下的几个小时她可有事干了，可以在镜前一遍又一遍地欣赏这对发夹了。

明天是星期一了，文习绣又在用那把钢丝刷死命地梳两鬓的发梢，可这回的头发烫得特别牢，那两鬓发梢怎么也不愿平伏下来，她无奈地看看镜中的自己，忽然想到，就这样不是也很大方吗？刚才张祥麟不是说，教师的工作不单在黑板上，也在衬衣上、外套上、头发上……这帮子女学生们，真该教教她们怎样打扮自己。看看陈根妹，蛮俊俏的脸却把眉毛拔得细细的，宝蓝的衬衣领翻在大红毛衣外，真该教教她们。她想起上星期刚做的一件夹克式外套，很适合这帮子女孩子穿呢。于是她从衣柜里把那件夹克拿出来放在挎包里，准备明天借给她们做样子，省得她们在听课时老不专心。

妈妈悄然进来了，开始询问起她和研究生之间的进展。

很平坦，很顺利，很轻松……她都不知道该怎样回答。反正，她意料得到，假如和他一起生活，那个味，一定就像小时候玩"过家家"的游戏一样，一切都是现成的。可是，她已过了玩"过家家"的年龄了。

"今天来的那位，就是你的那个班主任吧？"妈妈忧虑地看看她，"当心他！离过婚的男人，最坏！"

文习绣莫名其妙地瞟了母亲一眼，一种异样的感觉涌上了她的心头，说不上是惊恐还是不安！

"他挺好的，妈妈。唯有他，以平等的身份和口气对我讲话，还恳求我的帮助。他让我感到，我不再是个嘻嘻哈哈的小姑娘了！"

妈妈第一次看到，女儿从眼神到面部表情都流露出一种自信之情。她没再说什么就轻轻退出去了。妈妈自己也是个文化人，她知道什么时候该说话，什么时候该让女儿自己思考。女儿长大了，不能老揪着妈妈的衣角来闯过生活的各道关口！

文习绣欣赏一下镜子中的自己，她总算让他见到自己最美的一个形象了，她很高兴，顺手扭开了录音机，一个女孩子活泼质朴的歌声响了起来：

哟……

你二十七了我才十三，
我要想爱你却太年幼，
不过……
等一等我，
我会长大的！

那是一首美国最新流行曲，她轻轻地跟着哼唱，一遍又一遍倒着带子，一遍又一遍跟着哼……

八

　　好比是一颗炸弹扔在浩光街上，扔在浩光中学里，刘国良的姐姐自杀了！吞服了大量冬眠灵，亏得同宿舍的同学发现得早，才给抢救回来。

　　"她这是为什么呢？长得漂漂亮亮的，又考进了大学，虽然男朋友不要她了，也不至于自杀呀！"

　　在去医院探望回来的路上，文习绣问张祥麟。

　　她对这个问题百思不解。自杀，这看来有多么荒唐，多么不合八十年代的新潮流，诚然有那么多不足，可是生活，生活多美好呀！

　　"正因为她长得漂亮，又进了大学，她为自己设计了一条通往幸福的桥梁，可是，这条桥梁没有桥墩，于是，就坍了……我现在有点为刘国良担心，他不能再自我设计这样一座没有桥墩的独木桥了……"

　　"这姑娘太爱慕虚荣了。"文习绣说。

　　"别过分责怪她，她怎么能与你比呢？才学，物质都不缺，所缺乏的，只是一个……白马王子，对不起，恕我直言！这些生在穷街的女孩子们，那窄窄的街面不会给她们很多东西，因此社会上经常受谴责的那些所谓'高价姑娘'，其实都生长在穷街上；得到的少，想要的就多了！所以你看，人生有时就这样残忍，好像连清高，都得用金钱去买！她们，当然只能把对未来的幸福和希望都押在这个未知的丈夫上……"

　　说话之间，已到了学校门口，教学大楼里黑洞洞的，早过了下班时间了。张祥麟建议她上他宿舍去坐一会儿，吃点东西，然后再去看刘国良，虽说他一直以自己家庭的守护神自居，可他毕竟只是个十六岁的孩子！

文习绣这是第一次进入男人的房间，怪不好意思的。小小的房间收拾得很整洁，靠窗的写字台上，立着一张可爱的胖乎乎的小女孩的照片。

"多漂亮的女孩子！"

"我女儿！"

"在国外？"

"跟她妈妈出去了。"

"你不想她？"

"想！"

"那么，想她吗？"她轻轻地装着随口问问，却感到自己嗓音在颤抖。

"有时也想的。"他摆弄着手中的一支钢笔，为的是可以遮掩一下自己落寞的眼神。

说真的，他有时还真想他的前妻，从前在能见到她的身影时，他感到自己好像对她已一点依恋之情都没了，可现在确信，自己这辈子可能再也见不到她时，倒又有时会想她——光想她的可爱之处。人，就是这样不可捉摸！

"你们……为什么要分开呢？"探听别人的隐私纯属一种十分不高雅的情趣，可文习绣不知为什么，迫切想知道……她随意玩弄着他女儿的相架，故意显示自己仅仅是出于好奇。

"这，因素是很多的。或许，在某种程度上，跟刘国良的姐姐的恋爱悲剧一个原因——鸿沟，存在于穷街和富街上的鸿沟吧！"

"可是，现在是新社会了，解放了！"她反抗般叫了起来。

"但是，中国的历史已有五千年之久，而新中国，才成立了三十五年。"

"这么说，这条鸿沟，在我们这一代，是无法填平的？"文习绣几乎是绝望地问。

"怎么会填不平呢？靠我们——你和我——靠所有生活在穷街和富街

上的人们的双手、心灵，还有爱情……"

文习绣双目一亮，然后低下头，细细打量着他女儿的照片，极力想由此揣摸出她妈妈的模样，许久，她才说："那……你们，爱过吗？"

"这……应当说，我们是爱过的，只是那时候，我们都不懂得爱。我之爱她，归根到底还是爱我自己。一种虚荣，一种自我的强烈表现，我年轻时很虚荣，有次感到自个名字太俗气，想偷偷去改掉。"

"后来为什么不改了？"她的确感到他名字俗气点，与他的楚楚风度不相称。

"我妈妈不让，听说我要改名字，把我打了一顿。"

"那时你多大了？"

"都上大学了。"

想到他那样老大个子还挨打，她扑哧一下笑了出来。他却没笑，踱到窗口前。他的宿舍在四楼，是这里一带最高层的建筑了，窗下低矮的屋顶鳞次栉比，远远的"尼罗河"上，闪烁着船舶的灯火，与繁星灿烂的夜空遥相呼应。这虽是一个拥挤的贫困的世界，但她还在竭尽其力孕育着生命，吐露着一股强烈的生趣，人们顽强乐观地生活着。人们呀，当你从这里走出去时，可不能忘了它！

他猛然转过身子："我的话令你生厌了？"他不明白自己为何要跟她讲那么多，他向来讨厌别人打听他的破裂了的婚姻，他不愿意把他的痛苦作为人们饭后茶余的谈话资料。"我就这脾气，光顾自己讲，可能你不爱听，你太年轻了！"

"不，等等我，我会长大的！"她急切地说。

他惊奇地注视着她，她羞怯地低下头，两人都为自己所说过的和所感到的觉得不安和发窘。

张祥麟觉得需要结束这个十分忌讳的话题了，因为她太年轻、太单纯、太不圆滑、太不会做假，尽管他已好久没有过这样能安慰他的谈话了，但他必须结束它，他不能无视他与她之间相差十几岁的鸿沟！

"明天你得找下陈根妹，听说她有男朋友了。这种事，你们女教师去处理比我要合适……"

这使文习绣感到很为难，对于少男少女之间的那种……恋爱，她这方面的处理经验有限，她自己都想找个人问一问呢。

"我……怕不行。"她的颈脖上涌现出一片红晕，"这……怎么谈呢？"

"这就跟你当初怕家访一样，第一次闯过去了，就行了。"他说。

文习绣开始惊叹自己当初怎么竟敢不假思索地填上师范大学这个志愿，做一个教师，担子有多重！做一个穷街上的教师，担子就更重了。

蜿蜿蜒蜒的穷街，永远是湿漉漉的，灰蒙蒙的，才七点多，街上已寂然无声了。唯有张祥麟和文习绣的交叉起落的脚步声。碎石铺成的路面上，投下两个修长挺拔的影子。

"你的头发式样真好看。你应该穿着那天在家里穿的那身上讲台。"他说。

"这哪成？"她笑了。

"为什么不成？人都喜欢看漂亮的形象。我给校长打个报告，建议开一个'美的讲座'，专对女同学讲，教她们怎样配搭色调，挑选衣服料子和适合自己的气质的服装式样，怎样做一个真正的……女人！主讲者之一，应该是你。"

"哟，不成，不成。"文习绣连连摆手。

"成。应该让她们，也多享受一点人生的幸福呀！"他诚挚地说，"成吗？"

"唔。"她点点头。她决定明天换下那条肥口袋般的裤子。

文习绣双手插入外套口袋，触到一张小纸片，她记起那是某区教育局管人事的同志的电话号码，研究生慎重地交给她，她把它随手往口袋里一塞……

"我们先上刘国良家，再去陈根妹家……"张祥麟说，"不太晚吧？你回家太迟了。"

"没关系。"她说，同时在口袋里把那张纸片揉成一团——这里需要办的事太多了，如果她想长大的话，就得多办些事！

她小心地绕过那些坑坑洼洼的小水塘，步子敏捷又急促。幽暗的灯光清晰地勾勒出她标致潇洒的身姿。不，她完全不同于他原先那个糖面捏成的妻子。

　　"穷街会使她很快成熟起来的。"张祥麟赞赏地打量着她漂亮的侧影。

　　真没出息，又在盯着她看。但是，还是这句话，一朵漂亮的花和一头可爱的小动物，都会令人流连忘返，更何况是一个漂亮的万物之灵——人呢！

风流人物

引 子

　　这条弄堂窄窄长长，足有一百来米深，其实弄里只有两个门牌号：二号和四号。那四号门牌的，就在弄堂笃底，正好与弄口马路相对，挂着一块"上海第×服装厂工场"的牌子。其实里面的工人，只管开纽扣上拉链，由于厂门与弄口遥遥相对，无疑就像个岗哨或瞭望台，工人们只需往厂门口一站，即可以对进出弄堂的人们的行踪一目了然。

　　与四号门牌成直角形的，就是二号门牌。门牌刚刚油漆过，蓝底白字的，煞是醒目。门牌钉在一扇同样也是新油漆过的、乌黑锃亮的大铁门边，门后则是一幢两开间三层楼的、典型的上海人俗称为"新式弄堂房子"的建筑。房前，一个不大不小的花园，很阔气地延伸开来，直到沿马路的房子背后止，这个花园的规格，又是远远超过一般新式弄堂房子庭院的规格；而那堵高高的，墙面上嵌着狼牙般碎玻璃的花园围墙，就自然而然地纳出了这狭狭长长的弄界了。

　　这幢两开间三层楼的房子，在洋房林立的上海，原算不了什么，却因着有那么个面积颇大的花园且又是独家自住的宅第，而显得身价陡增了。住在里面的为一叶姓住户，新近刚刚落实政策搬回来。

　　与叶家这装修一新、神气活现的建筑相比，隔壁四号门牌的砖木结构房子，简直就像个黄黄瘦瘦的丫头挨着位珠光宝气的贵妇，很不协调，很不和谐。连门口那块招牌，也因长年的风吹日晒而显得缺乏光泽。

　　其实，这二号和四号，原是一家子。自然，这是早几十年，现今的说法，是旧社会的时候。那粗劣的砖木结构房子，原为叶家开设的一个时装工场间，即为现今的服装厂，外观是寒酸了一点，简陋了一点，但这好比是戏院的后台，真正的前台，是在一个热闹的好市口，叶家有着一爿三开间、店面装潢别致高雅的门面呢。在当时，这是上海时装行业中少有的能自产自销的户头之一，宝号为"添禄"，名威上海直至南洋马来和香港。现今，"添禄"企业在香港和东南亚依旧发达得很。

自然，后来时势发生了变化，那好市口上的三开间门面改为卖水果了，而原先专制男女各式时装的工场间，与别的厂合并后，鉴于流水操作，也就只管上拉链开纽扣。倒是二号和四号这对劳资邻居，相安无事地进入社会主义时期，无论是当初的"三反"、"五反"、"打老虎"，还是后来的社会主义教育运动，那四号人家都没怎么让那叶姓人家特别难堪和尴尬。一则由于叶姓人家向来是安分守己，十分知趣识相；二则嘛，这邻舍隔壁的，几十年来天天抬头不见低头见，工场里那几个年纪有着点的老师傅，当初与这"添禄"的开山祖叶老先生，吃过一只碗里的萝卜干①，这进进出出的一旦在弄堂里打个照面，还会道一声"饭吃过了"敷衍一番呢。因此，二号和四号确是和平共处了那么一段时光，直到"文化大革命"，自然，一切就不一样了！说到底，这也没什么，在当时，这也是正常的；既然堂堂国家主席可以给人任意辱骂，连素称"不拿群众一针一线"的子弟兵，也到处在上海的那些独幢花园洋房上挂上"军管"的牌子——二号的房子也未能幸免——那么，"添禄"的老太爷给活活在毒日头里斗死，开山祖——原私方厂长叶信义给逼着舔涂了大便的大饼，少奶奶给剃了阴阳头游街……就纯属那个史无前例的疯狂日子里的区区小事，不足为奇，多见不怪了。

好在而今，"三大纪律八项注意"又管用了，二号人家请了泥瓦匠来，着着实实地把房子修了一番，挑了个黄道吉日——专挑隔壁厂厂礼拜的日子，合家搬回来了。反正，就像童话里常有的，第二天，四号里

① 一只碗里的萝卜干：指一起学过生意。

的人们，就发现隔壁阳台上晾着衣服，厨房里热热闹闹的，几只陌生脸孔——现今厂里的工人几乎都已换了一批，对那叶姓家里几口都很陌生——开始在弄堂里出出进进，于是，这对劳资双方，又做起邻居来了，只是，一切都比不得从前了！

一

时值八月，正是上海人最难熬的高温季节，到了正午时分，温度计的水银柱，就毫不含糊地直指三十八度！

四号里的工人们，骂骂咧咧地捧着饭碗、拖着皮鞋，纷纷逃出这蒸笼般闷热的工场，挤到那直通弄口的长长的弄堂来吹穿堂风。然而那细微的风，根本驱散不了那股由高温、人气及地面蒸气聚集成的暑气，人们遍身汗涔涔的，黏糊糊的，烂泥般倚着二号人家花园围墙的墙根，一溜儿摊手摊脚地坐着。哪个随身带着的半导体，又极不识相地响起了气象台发出的高温报告，这简直是火上浇油！工人们终于骂了起来：

"×的，'望有关方面做好防暑降温工作'，这种不着边际的风凉话少讲讲，实惠点，公司里拨一只空调机给我们享受享受才是！"

"做梦！我们这家短命的厂，别的厂奖金多的，可以领到百把元，我们呢？还是那不死不活，吃不饱也饿不煞的几个铜钿，落在这个厂里，反正是没得救了！"

"看看我们这个新上任的徐厂长的苗头了！"

"徐厂长？我看他，还不如他的老父徐师傅实惠呢；退休那么几年，帮人家做衣服，彩电、冰箱都赚起好几套呢！"

"就是嘛，有得天天到这儿来混，不如告长病假在家里接活计实惠！"

"哼，这种天气，我宁可来厂里混着；这工夫我家那亭子间，准保有四十度朝外，活像只烘箱呢。喏，二号人家才舒服呢……"

"起来起来，难看？倚在人家的墙脚下，活像一群难民。"厂里走出一个男子，轻声地但分量颇重地对他们说，"别在这里说三道四了，看，隔壁来人了。"

说话的，是一个三十多岁、长腿、黝黑矫健的男子。丰满的脸庞轮廓分明，线条坚毅的下巴颏上胡子剃刮得很干净。他穿着白毛巾衫，藏青的西装短裤，脚上规规矩矩地套着白卡普隆丝袜。皮凉鞋的搭扣，也是扣得严严实实的，不像墙根的那一群，由于天气炎热，一个个都敞着怀，让鞋子像拖鞋似的耷拉着，显出一副散懒和邋遢样。因此，他站在这里，颇让人有点鹤立鸡群的感觉。

他叫徐九龄，就是新上任的徐厂长。由于他站的位置正对着弄口马路，因此已看见一辆紫茄色的小轮自行车向弄里驶来，而且他已看清，车上的，正是二号里叶家的千金薇薇。

躺着的那一堆，并不怎么买这位青年厂长的账，只见其中一个懒懒地欠身往弄口张了一下，又重新躺下，依旧懒懒地岔开自己两片肥肥的、赤裸着的脚掌。

说话这工夫，那自行车已驶进来了。车上那位戴着一副遮住大半个脸的墨镜，频频打铃示意那摊手摊脚的一群让个道。说实话，这窄窄的弄面，除去厂里自建的棚棚道道占去的不少面积，再加上那一溜无所反应的乱七八糟地摊在地上的一群，这车实在不好骑，车轮都差点要压着那些懒懒地伸出来的脚掌了。她只能下来推着车走。当她在自家门口那扇神气的大铁门前停下时，一只不识相的乱草堆般的脑袋瓜，正好抵着那钥匙孔。

"对不起，让一让。"她不耐烦地打打铃，皱皱眉说。

脑袋瓜极不情愿地一偏，露出大半个钥匙孔。似乎在说："神气个啥？算你的档次高？"

她感到自己成了全场注目的中心，那扭钥匙的手，都有点颤抖了。由于紧张，连拧了两下才把铁门打开。顿时，一股清新的、夹杂着树叶青草的怡人的气息，从那窄窄的门隙里扑出来，让那些坐在柏油地上受酷热煎熬的人们，不由得不来一个长长的深呼吸。有几个一面露出不屑的表情，一面却趁势伸长头颈往那有限的隙缝里窥视了一下，只见里面绿枝缠绕，沿墙瀑布般垂着一排茁壮的爬山虎之类，但不及他们细细打量，即听到脆亮的"嘶"一下，由于有限的空间同时容纳不下一辆自行车和一个人，她那条漂亮高雅的白帆布裙子后裾，给钩下了长长的一条，就像根尾巴样挂了下来。

她怒了："人家出出进进的，总该留个道。"

那个茅草堆般乱发的，不客气地回敬着："你自己开门开得贼头狗脑，怕强盗抢还是怎的？"

她愤然摘下了墨镜，那是一张谈不上漂亮而且也不能属青春年少的脸面。

茅草堆乐了，绽出个幸灾乐祸的笑容："哟，脸孔长得像只烘山芋似的！"

原先那懒懒的一群，顿时来了精神，七嘴八舌地围上来起着哄：

"小三子（即那茅草堆），有种，坚持到底！"

也有人对着她打着哈哈："算啦，放人家一马了，人家小三子苦得很，这大热天还得卖命，阿拉厂又尽做些没有油水的活，一个月连工资带奖金，才那么点，人家还得积钱讨娘子呢！"

更有人半阴不阳地说："还是回去找你阿爸报吧，他那些钞票，不怕黄梅天出蛀虫吗？"

她气得脸色煞白，一扭头，才注意到正在一边一声不吭地看热闹的徐九龄。凭他那身整齐的装束，使她以为，他较之墙根的那一堆要文明些，要懂得一点尊重女性的常识，她求援地朝他瞥了一眼，但他没理会她。

这时，二号人家朝弄面的两层楼窗口，竹帘子"哗"一下卷了起来，露出个头发稀疏然而梳得油光滴滑的老先生的脸："薇薇，快上来。"然后又是"哗"一声，帘子复又放下了。

薇薇忍气把铁门"砰"一声猛关上，狠狠地、几乎咬牙切齿般诅咒着："文盲加流氓！"

徐九龄这才对墙根那一群开了腔："看，套上去让人家骂，你们就不能讲点文明吗？"

小三子则不屑地斜了一眼那紧闭着的大铁门，嘴里嘟哝着："哟，脸孔长得烘山芋般，还神气点啥？不就是仗着一幢花园洋房嘛！"

听得这番话，徐九龄也不由得冷冷地瞟一眼二楼那静静地垂着的竹帘子。虽说他如今的职务是一厂之长，尽管这个厂其实是个只管开拉链熨烫成衣的"小儿科"，但他而今好歹是个厂长呵！只是这工夫这位厂长同志，心里也由不得不涌上一股幸灾乐祸的感觉：这个自以为是的烘山芋，活该让小三子这伙人去收拾她！

几个月前，在他刚刚上任时，正值那雷打不动的周四卫生大扫除，作为厂长，少不得要以身作则一番。他正把裤管卷得老高，赤着脚卖力地冲洗着厂门口那块空地，一个女人的声音在他头顶上响起：

"喂，你们负责同志在哪？说了管用的负责人！"

他抬头擦了满把汗。那说话的就是薇薇，穿着一件他们厂里工人看见都要骂娘的、熨烫起来很费工夫的汕头抽绣白衬衫——唯有吃饱了没事干的有闲阶层才有工夫侍候它。她神气地挺着胸，左胸前，别着一枚红底白字的大学校徽。这种走着从大学到社会的平坦之路的幸运儿，对一切蓝领阶层总是持那么一种酸酸的傲气。

"你是哪里的？"他放下手中的橡皮管子，故意看也不朝她的校徽看一眼。

"你是……"她显出有点不耐烦。

"别有眼不识泰山，人家是我们的厂长。"早有拥在边上看热闹的，热心地替她介绍了。

"哦，这么说，你就是负责人啰！"她并没因他是厂长而肃然起敬，且当说到"负责人"时，目光尖利地从他光着的肩头直扫到他赤着的双脚，"我是隔壁二号的，部队已办好移交手续了，只是汽车间还让你们厂里占着，你们准备什么时候空出还给我们？"她以一种债权人的身份，言语间颇有点咄咄逼人的味道。

这真是一则难题。

那汽车间，当初是向部队商借的。当时嘛，反正子弟兵与工人阶级是一家子，且当初又是只算政治账，不算经济账，既没立据也没租契合同，一笔糊涂账，时间长了，也就租地变自产，服装厂把它作仓库派用场，现在猛一下提出要退回，倒也真有点棘手。

"总得给我们一个过渡时期吧？我们能不能定个租约，我们厂可以按议价，每月付月租给你们。时下房租价是月租一平方二十元……"

她不耐烦地挥挥手。"我不是来找你谈生意经的。你是负责人，"她说着，瞥一眼他手中的橡皮水管子，"得抓政策性大事。过渡一下是可以的，但要给个具体日子。"

徐九龄给她激得满脸火烧火燎的，却又一时语塞，他只能舔了下嘴唇，把那口气咽下肚，然后眼睛也不瞅她一下就果断地说："好吧，一个月后，待地方出空了，肯定还给你们。"

她却一句不放松："你这讲话算数？"

什么话！他冒火了。

"我意思，"她小心地斟酌了一番措辞，"请给我一个有你们单位公章的字据，如是，双方都可以有个凭据。"

厉害，她准是学法律的。罢了罢了，算他徐九龄倒霉，修了个尽赔钱的穷厂厂长，人穷气短，威势竟压不倒一个时髦女人！

"不用啥字据，这种字据我们厂里也从来没开过。一个月后，你们来收房子，房子拿不到，我不是人养的！"说得激动了，他竟"啪啪"地拍着自家胸脯，拿出小三子他们讲话的架势了，而且在话末，他双唇间，竟轻轻地仅仅用气流声，吐出那两个字的"沪骂"①。

她抿着嘴强忍住一个笑容。

他意识到自己出了洋相，狠狠地把一直牢牢捏在手中的橡皮水管一

---

① 类似"他妈的"。

扔，尽力拿起厂长的架势："那么，就这样了，我还有个会议呢。"

她倒也爽气，得到确切答复后，即蹬上自行车走了，不巧车轮压着个水洼，几点污水溅脏了她那条白得耀眼的裙子，就是今天撕破了的这条。这真是一条多灾多难的裙子！

"这号人，从骨子里看不起我们！"小三子用大拇指指了下那扇紧闭着的黑铁门，掉首朝它吐了口痰，那浓浓的痰迹，即刻"啪"一下黏在那新上漆的大门上，慢慢往下淌。

"哟，恶心死啦！"一个女工厌恶地转过头，"真缺德！"

小三子叉起两条胳膊，"哼，'文革'那阵，我们的战斗组就设在他们房子里。那时他们一家子，一个个都像只偎灶猫似的，包括那神气活现的'烘山芋'。唉，那时的我们，让一口一声的小将给捧昏了。早知抄了人家的要还把人家，'右派'还要平反，扎根农村的都能上调，这我们跟在后面凑啥热闹！现在，人家可又落实政策重番抖起来了，可谁替我们落实政策？我们家豆腐干大块地方，从我外婆起就住到现在，谁来替我们落实？"

"靠我们自己嘛！"九龄摸摸自己发达的肌肉腱，蛮自信地说。

"有办法的，早自己给自己落实了，远走高飞了……"小三子反驳着。

这话不假，自恢复高考后，这爿小小的厂，竟出了六个大学生，两个自费留美的……其实，也不用奇怪，十年之久的混乱，鱼目混珠，那些人命该文曲星的运，搁在这里开纽洞，实在是一种历史的误会，他们屈尊待在这里，不过是短期歇歇脚力而已。这些大学生们和那些后来调到局公司上级机关的，都属有权力或财力，至少有智力的，一旦闸门打开了，即各显神通，远走高飞，永远离开这巴掌大的天地。只有他们的徐厂长属倒霉的，抽到公司里培养了一阵，竟又回来了，怪来怪去，只怪他父亲是个老实巴交的老裁缝！没嚼头。

"反正，我们这批人，筛子已经筛过了，就剩下我们这批老油条，也算你厂长倒霉就是了。"小三子拍拍厂长肩头，自嘲地说。徐九龄和他在一年上进的厂，他可是不怎么忌讳他的。一定程度上，他还有点同情他。改革改革，报上介绍的改革家企业家，三日两头在调花样，一会步鑫生，一会年广九，就像流行歌星样换了一批又一批，可他们这家厂，依然赚不上钞票，尽管这位徐厂长像真的一样，迟到扣几钿奖金，早洗澡又扣几钿奖金，弄得人动都不能动，还是富不起来。

"别自己看不起自己嘛！"九龄皱着眉，很生气地粗声粗气地说。他不是为那些没出息的话而生气；他生气，是因为这些话有一定的道理。

虽则筛子对他好歹留了点情，让他当上了干部，但是，在这女工多，男工散，长年累月只管上拉链、开纽孔的小厂家里，各自的心眼，也会变得像针屁股般的小，连徐九龄本人，也不得不承认如此。

"不过，说句实在的，谁不甘心混日子的，想做番事的，就得趁现在这当势。错过了，也就算数了，真的算数了。"他说。

厂小，厂长相对也没什么威力，墙根那群他的散兵游勇们，并不为他那番热血沸腾的话语所打动。小三子半真半假地敷衍着："你们厂长想做番事，我们实惠得很，就想钞票多捞点。"

"我也想多赚点钞票的。"九龄毫不避讳地说。

"那你别当厂长，学你老阿爸徐师傅，躲在家里接活计。"有人提议着。

"这种赚钞票手法太原始了，太小儿科了。"九龄挥挥手，不以为然地说。

"唷，徐厂长想赚大钞票呢！"

"徐九龄狮子大开口，口气不小！要想超过二号的叶老板呢！"

"就是嘛，拆穿讲，啥人不想赚钞票？"

工人们哄笑起来。

徐九龄微微一笑。二号人家又有啥了不起？不过那么幢房子，发回那么几个六位数字的钞票。当今世上那些企业家，能称上富翁的，都要上亿才能算数，家里何止是私家车？私家游艇，乃至私家飞机，那才叫企业家呢!

一个女工却插嘴反驳着:"我看二号里那'烘山芋'就不急想赚钞票,看她那光景,倒是缺个老公呢!"

这话题一下集中了大家的兴趣。

"哼,找老公?看她这只'烘山芋'脸孔,啥人有胃口娶她!"小三子权威性地下了结论。虽然这个结论毫无根据,但众人还是很快活地接受了。

"难看点又有啥关系?人家有房子,有钞票……"这听着像是反对意见,其实不过欲用反证法来证明小三子的结论的准确性罢了。

果然,马上有人接嘴道:"就冲这一点,她也嫁不到好男人,人家看中的不是她的人……"

"哼,弄得不巧,"小三子作出一种恐怖的表情,用手背朝自己脖子上一抹,"就像《尼罗河上的惨案》一样啰!"

"嘘,"有人轻声提醒着,"隔壁又来人了。"

与"烘山芋"那辆紫茄色的小巧轻捷的车相比,这是一辆踩着叶子板像散架似的咯咯作响的"老坦克"。来人年岁不大,却穿着一件圆领老头汗衫,一条长及膝部的裤管肥大的西装短裤,赤脚穿一双塑料凉鞋。那副老土的模样,较之墙根的那簇,有过之而无不及。他轻轻打了下铃,墙根那堆即蹭起脚给让了个道,他就开门进去了,直到门"砰"一声关上,小三子首先伸了个懒腰,挺不服气地说:"怎么,让个阿乡给弄糊涂了。"

"甭搞了,人家是二号里的小开呢。"

"小开?这小开比我阿三还土!比我们徐厂长还像领导,还像共产党员……"小三子夸张地表示着惊讶。

"怎么,对你们太客气了,所以不把我当领导。"徐九龄忍俊不禁。

"让我们大家多捞点奖金,才是真正有办法的领导呢。"有人在边上冷冷地插嘴道。

"别急,"徐九龄叉开大拇指和食指托着下巴,轮廓分明的脸庞上,双眼射出得意的，甚或可以说是野心勃勃的目光，"就同是这巴掌大的一片厂，他们二号里能发财，我就不信，我们就榨不出油水来。我们照样要发财，要买房子。"

"哟，徐老板，口气好大，别吓煞我。"小三子揶揄着他。

"哼，我要真是老板，"徐九龄半真不假地说，"首先要把你这个只会磨洋工、不肯出细活的老油条开掉！"

人们哄笑起来，小三子也只能尴尬地红着脸跟着笑几声，瞅着徐九龄一个转身，他就狠狠地咒了一句："唷，像真的一样！"心里，禁不住打了阵寒噤：刚才徐厂长讲"开掉"这句话时，刮得干干净净的下巴那么一扬，很带着几分凶相。

上班铃打了，一小时的午休过去了。关于那二号人家的话题，也就此打住。而由于这燥热的天气，单调又乏味的活计，及因那二号人家宽敞的住房而起的种种嫉妒和不平，也发泄得差不多了。工人们缓缓地伸着懒腰，慢吞吞地走进工场，这大半天好歹打发过去了。

二

　　说来冤枉，外边的人，都道资产阶级而今落实政策了，钞票不当钞票用，如何阔气享福……别家究竟如何不敢说，可二号里的叶家，其实并没隔壁四号里工人们讲的那般阔气。在他们二楼的起居室里，连当下时兴的墙布都没有贴，只是上着极普通的淡绿色的一〇六涂料。靠窗一套很普通的深灰仿羊皮沙发，墙角一架当今青年们不屑一顾的"雪花"牌冰箱，边边角角已渗着隐约可见的锈斑。另外，沙发前那张红木矮茶几和房间中央那张鸭蛋形的红木餐桌，及屋角一口红木落地座钟，让人一眼就看出为劫后余生的物资。这些家具凑在一起，给人一种杂乱不协调的甚或有点败落的感觉，好像是寄售店的店堂样。

　　薇薇虎着脸，正在里间摆弄那条心爱的被钩破的裙子。她的母亲乐蕴如，在一边帮着她。

　　"所以讲，"坐在藤椅上的一家之主叶信义，一边漫不经心地用折扇敲打着椅把手，一边嘴上说的，却是句句让太太听了怦怦心跳的话，"刚才弄堂里那番话，说明稻草堆上汽油已经浇上了，就等着来根洋火，马上就可以'呼'的一下重新烧起来，这运动，什么时候都搞得起来的！"

　　原来，那窄窄的、夹在两堵墙之间的弄面，有如一只传声效果极灵敏的共鸣箱，根本无须扯着喉咙，就可以一字不漏地把声音直送上叶家窗口内。

　　"不是讲，再也不搞运动了？"太太忧心忡忡地放下手头的活计，求援般看了一眼丈夫。长年的担惊受怕的生活，使她的尚留几分姿色的脸面，总带着一股愁眉不展、悒郁不安的神色。

信义皱皱眉，烦躁地就着烟灰缸弹了下烟灰。他的手指白皙瘦长，灵活敏捷，令人联想到钢琴家的手指。然而事实上，这却是一双出色的裁剪师的手，只是当他当上了与父亲一起经办的"添禄"时装公司的小老板后，就再也不和剪刀卷尺打交道了。

七十冒头的信义，修长清癯，嗓音浑厚年轻，在这大伏天里，即使居家闲坐，也是衣着体面整洁：上面一件麻纱香港衫，白帆布西装短裤，深色中筒丝袜，皮拖鞋，颇有英国绅士的气派。这样的老先生，如果出现在当今的舞池上，年轻的女士们，会很乐意做他的舞伴。为着他的年龄，让女士们有一种安全感，而他的风度，又决不会让她们感到索然无味。

"唉，运动运动，"信义举起夹着香烟的右手，用无名指搔搔自己的脸颊，长长地叹了口气，"我们这辈子，就是伤在这无穷无尽的运动中了。抗战才打了八年，我们的'文化大革命'比抗战还要多两年，真是……！"

"爸爸，刘伯伯来了。"儿子子杰，就是刚才小三子誉为阿乡的那位，屈起手指在敞开的门上笃笃敲了两下，说罢就欲转身离去，那位刘伯伯却留住了他："别忙着走开嘛，你伯伯也有好久没有碰到你了。"

子杰摆出一副无奈的表情，勉强在屋角一张沙发上挨下半个屁股，让人一看就感到他这个坐姿极不舒服，只是他懒得调整得更舒服些，因为，他本来就不想在这儿久待。

做父亲的递给客人一支烟，也默默给儿子一支。子杰自个划亮了火柴点上，刚把火柴扔了，才发现忘了先给客人点火，待重新摸出火柴想再划一根，做父亲的已经不满地扫了他一眼，向客人揿亮了自己的打火机。

子杰不自在地搓搓手，在这方面，他承认自己永远是迟钝的，粗心的，麻木的！

子杰闷闷地吸了口烟。说实话，父亲习惯抽的英国式烟丝对他来说，太淡了，太不过瘾了。他习惯抽凶点的烟，哪怕那种人人谓之为"臭"的阿尔巴尼亚烟，这兴许跟他十多年的塞外生活有关。为了品出味，他狠狠地吸了一口，以至发出"咝"的一声，父亲的眼皮很细微地抖动了一下，子杰已经感到自己那"咝"的一声，让父亲很不舒服。唉，他让父亲不舒服的地方太多了。比如说，他盛饭习惯用面碗，这样爽气，可父亲却嫌他粗气；他夏天喜欢赤脚穿凉鞋，父亲数落他光着几个脚趾不登大雅之堂。乃至他抽烟的架势，父亲看着也不舒服，有一次公开指桑骂槐地教训过他：那种用拇指和食指捏烟的架势，是标标准准的黄包车夫的架势，下等人的架势。他没有辩解，他带着老婆孩子三口人，白吃白住着父亲的，自然喉咙也响不起来了。为了表示抗议，他只是固执地我行我素。

刘伯伯是熟客，他无所顾忌地舒舒服服地躺在沙发上，高高地架起了二郎腿，并没觉察到父子俩这种微妙的对峙，"子杰，回来也快有半年了吧？怎么，还在那个小学里待着？"说到"小学"二字，他很有点怜悯的意思。

子杰又是"咝"的一声吸了口烟作为回答。

"户口能回上海已经很不容易了，"信义则故意把话说得很是轻描淡写，一副满不在乎的样子，"好在我们子杰儿子老婆都有了，家里日常开销又不要他掏腰包，随便名字挂在哪里，只要有个组织关系就可以了。"

子杰再是"咝"的一声，然后用力撅灭了烟头，由于力气太大，烟头给整个撅碎了。与父亲那瘦削白皙的手相比，他的手关节粗大，皮肤粗糙，指甲也不如父亲那样修剪得整齐干净。

"刘伯伯您坐，我上楼去了。"他说着就站起来。

"马上要开饭了。"母亲心疼他的难堪窘迫的处境，可又无能为力，只能给予一些感情上的慰藉。

儿子还是坚决地噔噔走了。

信义眼看着两条壮健多毛的、赤裸着的双腿在他眼前晃过，无可奈何地叹了口气，对老友解嘲般地说："看，我们叶家的长房长孙，一副不折不扣的土包子样！"

客人满不在乎地安慰着老友："这是小事一桩，要不了一年，这副土气准会掉的。"

知子莫若父，信义鼻孔"哼"了一声，但也没说什么。

那边薇薇的情绪开始轻松了，似乎已忘掉刚才那场不愉快的风波。这时，她高高地举起手中的一本美国画报，扯着嗓子说："哥哥主要没有好的行头，爸，你要替哥哥置这样一身花呢西装，保管再也找不到一点土气了。哥哥肩膀宽，穿西装才有架势呢！"近三十的尚未出阁的薇薇，按从前的讲法，该属老姑娘的行列了，但是仗着是家里的宠儿，她的举止和言行，是不受任何人约束的。或许也是同样的道理，她显得开朗、直率，还有点任性，这一切，使她不像有近三十的年龄，也没有那些老姑娘常见的乖戾脾气。

"对不起，我这儿子养到四十岁，管他吃管他住，还带上他的老婆孩子，已够我受的啦，还替他置西装！"信义没好气地说着，顺手伸过夹着香烟的手，用无名指和小指，挪过一张当日的报纸浏览起来。

这时，在他的头顶上方，天花板上，传来一阵急骤、如同开闸的激流般奔泻的琴声。

"子杰这一手还真不错呢！"客人赞赏着。

一直在边上沉默不语的蕴如，露出一个惨淡的微笑，轻轻地插了一句："本来，我们的子杰，在音乐方面，是完全可以成材的，他的钢琴老师评价过，他的演奏风格很有点像顾圣婴①，特别在演奏肖邦的作品时……"

"得了得了，"当丈夫的不耐烦地打断了她，"讲这种马后炮话是最没有意思了，子杰现在才四十来岁，真正有魄力有出息，也还来得及。我的爷老头，不也是到四十来岁才开始发起来的。唉，真正烦煞了！"

这最后一句，指的还是楼上的琴声。这工夫的子杰，一定是脚踩踏

---

① 顾圣婴：上海已故著名青年钢琴家。。

板，双手猛砸琴键，以至窗玻璃都发出嗡嗡的震动声。

信义摇摇头，无限感慨地说："想当年，我十二岁学生意，十七岁就可独当一面应付店面了，后来父亲有了店面'添禄'后，整个工场间的事都丢给了我安排，我那时其实也不过只有三十来岁，比子杰现在还要小一截！再看看我的子杰，自己儿子都快十岁了，可成天还这么晃来晃去，不做点正事，自那架钢琴发还后，更是成天只知道伏在这琴上，琴是弹得还可以，可惜这东西没有用，且也太迟了。知道子灵，我二弟的儿子吗？新加坡的'添禄'，给他办得红红火火的，人家今年才二十八岁，可我们子杰！"信义做了个表示失败的手势，重重地让手落在沙发把手上。

客人颇同情地点点头，劝慰着老朋友说："算了算了，此一时，彼一时嘛。想想二十年前，子杰也是出过风头的，又是优秀团员，又是学雷锋积极分子，他报名去新疆那阵，你和你太太俩，也为此增光不少呢！"

一番话，说得信义哭也不是，笑也不是。

蕴如则满目哀怨地瞟了丈夫一眼，羡慕地对客人说："还是你家太太沉得住气，能干呀！"

刘先生得意地笑了几声，毫不掩饰自己的庆幸之感："这倒是亏得我太太，那时连我都沉不住气了。现在，我们庭珂一家在香港自己买了一层楼，很是乐胃。要那时也去了新疆，错过了这个好女婿，也是可惜得很呢。"

一九六二年，正是动员去新疆的高潮。那时子杰与庭珂在一个班里，子杰是放弃考大学的机会报名去新疆的。话说回来，子杰学业平平，在钢琴上虽下过功夫，后来也荒废了。一九六二年高考要求好严格，只怕子杰未必能考上。那时的风气，对社会青年颇有一种偏见。考虑到这点，信义也就没有阻止儿子报名去新疆建设兵团。那阵的信义，为着儿子，也着着实实风光了一番，为亲自伴送儿子去报名站，他的名字还上过当时的《解放日报》和新工商杂志，并到处去做报告，现身说法，那是他解放后靠着儿子出风头的一阵。

相反的，刘家任凭里弄干部轮着车轮大战，就是不松口，不放女儿走。当时，连叶家都为他们捏着一把汗，岂料刘家庭珂的父母却笃悠悠地说："等等看，会过去的，一阵风的事。"果然，半年后，风息浪止，信义的风头也出得差不多了，以前所有的迎着他们的热情的笑脸和赞赏的目光也冷淡下来了。而刘家的庭珂，给悄悄找了个香港人嫁走了，那时节嫁香港人可不是一件光彩的事，至少不是像现在这样可以到处嚷嚷的。不过，信义的妻子还是着着实实打心里嫉妒她。

　　唉，都怪信义聪明一世，糊涂一时。子杰去新疆这件事，节骨眼上信义能劝阻一下头脑发热的儿子就好了，谁知他也会跟着儿子一起发热。儿子这一去，就去了二十几年，把子杰全给毁了！

　　落地钟"当"一声，蕴如这才意识到自己走了神。她忙忙掩饰着自己乱麻般的内心，给客人敬上一支烟，一边心不在焉地敷衍着："这阵在忙什么？怎么好久没来这儿走了。"

　　说到"忙"字，老友即满脸生辉："自我女婿和此间联营了几个企业后，再加上庭珂自己也做做生意了，我也像只陀螺样跟着瞎忙起来。喏，市侨联、统战部的大会小会再加茶话会，一心叫我为海外投资穿针引线，其实，我对生意经完全是外行，"或许感到自己那得意劲太露锋芒了，因而他语气突然变得谦卑起来，"讲到做生意，信义兄总归属上海滩的第一块牌子了。想当初，上海总商会里没有你们叶家大公子叶信义的大名，就是牌子硬不起来。"

　　"过去了，过去了！"信义抬起双手拢了拢稀疏整齐的头发，心里涌起一股既苦又甜的惆怅之感。当今能记住并领略过他当年的风采的，怕也只有这么几个老上海了。再过几年，谁还会知道他叶信义，一个学徒出身的小裁缝，凭着胆识、魄力和才智，自然还有运道，办起了自备工场和在沪港有两个门市部的"添禄"企业。如今，那铺有嵌花打蜡地板、装潢之讲究在上海时装店屈指数一的"添禄"门市部改为了水果店，工场间也只管上拉链开纽扣，"添禄"的痕迹在上海已无影无踪了，他这个曾被誉为上海时装界的泰斗的叶信义，也已被人遗忘了。

得意的人，总希望别人与他们分享自己的得意之情的。刘先生到底抑制不住自己那番"春风得意马蹄疾"的欣喜之情："真正是从大年三十忙到年初一，没有停的。喏，今年大年初一，想想大清早不会有客人来了，谁知八点敲过，区侨联就有人来拜年了……"

信义悄悄打量着这位侃侃而谈的老友。人当真交起运来，确会满脸生辉的。就眼前这位老友，自己没做过一天的工作，不过吃着上代的老本，整日价所忙的，就是挎着个大草包，里面塞着一叠饭盒一家家兜食品店、熟食馆，钞票虽多，可在工商界同仁中，人们都不屑与他为伍，唯有请客时需要找个参谋议定菜单时，才会想到他。叶家之所以和他还走动，大半原因是因为庭珂和子杰曾是中学六年同窗的关系。岂料同样这么个无能的老友，现在竟也兜里藏着个什么有顾问之类头衔的名片了，竟也与市区级官员平起平坐了。唯有他叶信义，比他要能干一百倍的叶信义，当着那些乳臭未干的小鬼头都被称为"企业家"、"改革家"的今天，却还是形单影只，坐冷板凳。

那股怨气一上来，他讲出的话，就有点酸溜溜了。他指着报上一则报道某民主团体参观活动消息中的一个名字道："这个人我晓得，没有啥本事，大少爷一个罢了，就是儿子在海外生意做的大点，他自己社会上人头熟，兜得转……"

"够了，人家这就是本事嘛。"做妻子的冷冷地一笑，说，"人家脑子比你拎得清，早早地把孩子送出去，哪像你，跟着毛头小伙子一起瞎起劲，把儿子往新疆送！"

"啧啧，你看，又来了，"信义陡然用报纸挡住妻子射过来的咄咄逼人的目光。二十年来，他陪儿子报名上新疆这事，竟成了妻子的撒手锏、紧箍咒，动不动就拿出来折腾他。自然，他承认自己这步确实走错了，但马有失蹄，人有失足嘛！

"过去的事就别提了，"老友充当起和事佬来，"我看你们夫妻俩，想穿点，外边去旅游一番，散散心嘛。对了，女儿写信来邀我香港十日游，便宜得很，才一千五百元港币……"

"价钱是不贵。但钱呢？哪来的港币？"信义冷冷地说。这话不假，在上海，他的财力还可以算算；一离开大陆，连搭电车的零钱都拿不出一个呢。

"你兄弟不是在香港发得正火红呢。"老友嫌他反应太迟钝，他则笑老友太天真。

"哼，兄弟发财，那是兄弟的福分。我叶信义今日穷得揭不开锅了，还可以脸皮厚厚向他告个急，可为着旅游开口问兄弟要钞票，我们是不上的。"

说到这里，信义忆起当初他坐任"添禄"经理的位置时，兄弟尚在大学就读，每次周末回家，都是伸手向他这个大哥哥要零花钱的。现在，要他这个做哥哥的向兄弟要钱，那是打死他也不干的。

出现了片刻的冷场，客人抓抓头皮，力图制造点活跃气氛，又开了一个话题："你们何不想想办法，让子杰薇薇出去……尤其是子杰！"

虽然已经有不少亲友向蕴如提及这个建议，但蕴如听了，还是感到心中似有个未愈的伤口给烙了一下似的，疼得她露出一个苦楚的微笑："薇薇再说了，可子杰，却太迟了。"

"子杰英语都不识，去美国有什么生路？认真洗盘子去？费尽九牛二虎之力远涉重洋去洗盘子，似乎太不合算了！"信义说。

"那现在再学起来嘛。"

信义颇轻蔑地看一眼这个头脑简单的老友，频频摇头叹息着："太晚了，太晚了！"

真的，一切都考虑得太晚了。

去美国，早在四十年前，解放前夕信义就考虑过了。他原先学生意的那个店铺的外国老板，回国后就曾写信召他去，准备与"添禄"一起把时装行业打到美国去——美国人穿衣服只讲花哨不大讲究工艺，这份生意应该是好做的，但信义宁可独资经营，自己当老板，也不愿与人合股，互相牵制。再说，他也不舍得那自己一手操持起来的"添禄"企业。考虑再三，终于退掉了好容易弄到手的船票……如是，就变成现在这番局面了。

又是冷场。

话谈得不甚投机，客人也坐不住了。因为是熟客，叶先生夫妇俩只将他送到房门口。他的身影刚刚踅出房门，叶太太即烦躁地拿起他用过的茶杯，往盥洗间的抽水马桶里一泼，狠狠地拉了下水箱，嘴里咕噜几句："讨厌，烂屁股赖着不走，神气点什么，不过因着女儿女婿在外头生意做的大一点！"

这时在里间的薇薇，扭过头来半真半假地说："你们的敷衍功夫还真不错，既然不欢迎他，还一个劲邀人家再过来坐，真是虚伪！"

母亲倒给她说得有点尴尬了，父亲则不然，习惯地举起夹着香烟的右手，无名指和大拇指互相轻轻一扣，极其高雅地吐了一口烟，说："做人嘛，还不就是这么回事：人骗人，自己骗自己。"

薇薇不满地皱皱眉，她讨厌父亲那种把人世看得太穿的哲学。经过父亲目光的过滤，生活变得太实在、太简单、太冷酷了。

这时，媳妇美仪进来了，穿着一身松松垮垮的睡袍，一头蓬松的头发用手绢在脑后挽了一把，一副娇慵倦怠的神情。这房媳妇，是子杰还在新疆时，蕴如四处托人觅来的。怎么办呢？儿子在新疆，上海总得留个根呀，否则，岂不真成了扎根边疆了？这一着，甭说蕴如想想心寒，连当初又是表决心又是写血书的子杰，也感到心灰意懒了，当下也同意了走这条曲线回沪的路——在上海娶一个媳妇。那时还未落实政策，只是三千元抄家物资折合费已拿到了，这笔款子，只有对小户人家才有吸引力，于是，就觅来了美仪，子杰才得以借这个关系调回来。

"唷，这裙子怎么了？"一瞥见薇薇那条撕破了的裙子，美仪就故作惊诧之状，其实这中间的前因后果，她在三楼早已听得一清二楚了。明知这位有大学文凭的小姑很看不起做保育员的自己，美仪在表面上，还是极力与之维持着友好的关系。有什么办法，人在屋檐下，不得不低头，哪怕是自己的婆家。

听完了小姑简短的申诉，她内心很有点幸灾乐祸之感，但嘴上还是很仗义地说："太气人了，找他们负责人去。"

这事不提，薇薇的气头倒也过去了，一提，她又上火了。最最让她生气的，倒不是因为那条裙子，而是因为那位视而不见的厂长。看着那么气度不凡、一表人才的男人，竟对她所受的委屈无动于衷，这分明是对她的藐视。作为一个年轻的女子，这是最无法忍受的。

薇薇做了个不屑一提的表情，抨击着那位"负责人"："我看呀，隔壁那厂搞不好了，那厂长只懂得冲厕所掏阴沟，其他事情，他死人都不管。"

"话说回来，那个小厂长，长得蛮神气的，一副聪明样，看来，跟步鑫生一样，兴许有点小噱头呢。"蕴如顺口说。

信义却撇撇嘴："得得，就是步鑫生，又有啥稀奇？还不就是我们从前那套生意经？从前叫我们横批判竖批判的生意经，现在，又时兴了，就跟你们女人的旗袍一样：一会儿时兴长，一会儿时兴短，老式的变时髦，新式的又变老式……"

薇薇笑得前仰后合，美仪眨巴着眼睛还未弄懂，蕴如则忧戚地瞟了一眼丈夫，恳求他别再说这些勾起人不愉快回忆的话语了；她已给这些反复折腾弄怕了。

午饭开出来了，蕴如这才想起小孙子。

"去外婆家了。"美仪回答。

蕴如不悦了："就是放暑假，也该读读书，念念英文，哪能常常泡在外边玩！"要孙子读书是假，她不愿意孙子常跑那小家子气的外婆家是真。美仪的兄弟阿伟是最令她头痛的，不读书也不好好上班，成天做些掮客般的差事，这样的舅舅对她的孙子绝没有好影响。

"到外婆家去，怎么是'泡在外边'玩？"美仪深知小业主家庭出身的自己，在叶家是被看不上的，但她向来也是不甘示弱的，越弱越让人欺嘛。因此，她不紧不慢地回了一句。

"他们一家都是不读书的，还会想到督促他读书？"

"那子杰也是不读书的。"

婆媳俩你一句我一句地惹得信义心烦，本来在饭桌前就座的时候，就是他一天中心绪最不好的时候；眼看着吃饭的人围着满满一桌，赚钞票的人却一个也没有，儿子媳妇孙子女儿全吃着他老头子的饭，天天只有出去的钞票没有进来的钞票，这个就是败落的征候吗？他没好气地用筷子笃笃敲敲台面阻止她们："吃口太平饭吧！"眼光一扫，发现子杰没有在饭桌上，这股怨气，正好出在儿子身上，"怎么吃现成饭还得请！"

　　美仪对公公，多少不敢太放肆。她低声为丈夫解释着："他在备课。下星期区里有人听他的唱歌课，他们老师马上要评职称了……"

　　话没说完，信义鼻孔就哼了一下。

　　"要我是哥哥，再也不把心血扑在这没意思的孩子王上，评来评去不还是个小学音乐教师？其实哥哥刻苦点，发个狠心读读英文，再另找出路嘛。"薇薇说。这个装束时髦颇带几分洋气的妹妹，无论是外形还是气质，与哥哥截然两种格调。

　　"人到四十岁了，还找啥出路。"美仪说。她最不能容忍的，就是这个当妹妹的不把兄长当兄长，经常要数落自己的哥哥，好像她样样都懂、样样都行似的，更别说她这个嫂子放在眼里了。

　　蕴如立即帮着女儿说话："这倒不在乎年纪，完全看自己有无志气了。对面弄堂三号人家，与子杰同年，人家照样自费出国了，听说混得有点名堂了。"说着，她瞟了一眼正在扒饭的媳妇，悠悠地叹了口气，说："人家的媳妇多懂道理，多顾大局，全副精力支持丈夫读英文，为他报名读'托福'，总算把丈夫逼成材了！"

　　美仪不露声色地回答着："那他肯定是从小就爱读书的，这么大年纪还能如此用功！看来，这是他父母的功劳。我从此也要好好管教儿子，免得将来长大了，还要让媳妇来管。"美仪虽则是笑眯眯地道出这几句话，一对油黑乌亮的眸子，熠熠的眼色倒是颇有点厉害，婆婆反倒不敢说三道四了。

　　三十出头的美仪，端正的鼻子和又黑又亮的双目，应当说是很漂亮的，可不知为啥，这些漂亮的器官凑在一起时，效果并不怎么显见，可能就因为眼梢角那股咄咄逼人的神情。这时，她三下两下扒完饭，拿起个小碟胡乱替丈夫夹了点菜，就匆匆离桌了。近来，丈夫越来越不愿上桌一起进餐了，她明白，身高体壮、正值壮年的丈夫，再捧父亲施与的饭碗，同时聆听父亲在饭桌上的训话，这滋味有多难堪，多窝囊。但是，这到底可以占上不少便宜呀！如今市面上啥价钱，自己开伙食，开销大得吓死人呢。再说，既然小姑可以不交饭钱，吃得如此心安理得，她和子杰为什么要自掏腰包呢？市面上有句话，"有吃不吃猪头三"，这可是千真万确呢。

"看，我们家里请进一只雌老虎了！"瞧着媳妇走出去，蕴如即忿忿地说。

"子杰无能，只配这样的老婆！"信义回答。然后掉首看看女儿，说，"不知你将来撞上怎样的女婿了。"

薇薇不吭声，对着那口落地钟玻璃面自己的映影端详了一番，冲出一句无头无脑的话："人家讲，我这只脸孔像烘山芋，是吗？"

三

　　这是一间通风、敞亮的、石库门房底层的客堂间，靠天井的一排落地长窗边，搭着一张长铺板，这是专做女装的老裁缝、"添禄"从前三大台柱之一的老徐师傅工作的案头。紧靠长铺板的，则是一台老得牙都要掉了的"胜家"缝纫机。红木梳妆台上，一台二十吋的"东芝"彩电正在播放越剧《孟丽君》。房间正中的红木八仙桌上，散放着菜碗和未收拾的碗筷。北墙下，一张式样新颖的紫红色三用沙发两侧，石狮子般守着一台淡绿色的冰箱和紫罗兰色的双缸洗衣机，整个房间给人的感觉是内容丰富但凌乱、不协调，尤其那些崭新的现代化设备，让人看着似乎不像属于这位脚踩"胜家"老爷缝纫机、颈脖上吊着皮尺的老裁缝所有，只是别人暂且寄存在他那儿，而且好像随时等着打包运走似的。

　　由于长期伏案操作，老徐师傅的背佝偻得厉害。他共有子女七人，现在出嫁的出嫁，入赘的入赘，留在家里的，就只剩下九龄一人了。早几年老伴又病故了，家里没个理家的，难怪显得很凌乱，连吃顿饭，爷俩也很少有安安定定端着饭碗围着桌子吃的时候。

　　"九龄！"老徐师傅从那花花绿绿的料子堆里抬起头，朝着后厢房叫着，"快把桌子收拾一下，等下有客人来取衣服，如此摊得一塌糊涂，难看呵！"

　　九龄正津津有味地捧着一本《大饭店》，他已连续读了这位作家的《航空港》、《超负荷》等小说。每一部小说中，都有一个四十上下、精明能干的行业领导者，卷夹在保守与进攻的漩涡中挣扎，奋斗……这样的行业领导人，才真正是领导，是拿得起、放得下的男子汉。这套小说，把丝毫没有文学细胞的徐九龄给镇了。现在他居然也捧起小说来，而在以前，他总认定小说是骗人哄人的玩意呢。

"九龄！"外间，父亲不耐烦地提高了嗓子。九龄忙着应声出来，开始收拾饭桌了。

"这么大热天，躲在里屋不怕发痧？"父亲心疼地说。尾拖儿子，总是最宝贝的，"要我是你，那短命的厂长就别去当了，又累自己又得罪人，不如省下时间跟我学点手艺，那点收入，十个厂长也顶不过呢。看看我这儿的活计，"说着，他指指案板上的料子，"真急人，就是不吃不睡，也是赶不完的。"

老徐师傅嘴上唠叨着，神情上却漾出一股得意之味；因为是"添禄"的老师傅，整日价老顾客带来新户头，上海人介绍来香港人，真是生意兴隆，应接不暇，只苦于少个帮手。偏偏儿子家里闲不着，当了厂长已经忙得没日没夜了，就是那有限的几个晚上，看他还是读书练毛笔字，听说秋天还要读夜大学，这又是何苦呢？老徐师傅就刚好识几个够写尺寸的字，可如今只要手指下带紧点，一个月挣得比一级教授还高呢。

"徐师傅，"随着一声甜甜的叫声，邻家姑娘凤娣，一个丰满红润的姑娘，趿着双大红高跟塑料拖鞋，穿着薄薄的碎花睡袍，带着一股浴后余下的香皂味，还有一股微妙的说不出所以然的气息进来了。这颗阴电子的介入，使两颗白板对煞的阳电子活跃起来，反正，九龄来了精神，忙忙地揩抹了下桌子，就陪着她看起电视来。老徐师傅也不甘冷落，千方百计想引起姑娘对自己的注意。

"凤娣，"老徐师傅拿着一件蝉翼般的黑罗纱晚礼服，"这儿有条裙子，那客人的身材和你很相像，你穿上让我看看。"

凤娣高兴地长长"唔"了一声，姑娘们对漂亮的服装有着先天的癖好，哪怕只是试穿一下，也可以着着实实地高兴一番呢。这件礼服是一位香港太太来定制的，如今又时兴三十年代那种耸肩头的样式了，年轻的师傅都不会做，老徐师傅那手绝活，埋没了几十年，没想到竟也有吃香的一天！就这么两年三年工夫，冰箱彩电，一个儿子一套，都给撑起来了。他像出土文物一样重见了天日，也因着这个"老"字，身价陡增了。

凤娣换上那件礼服出来，模仿着时装模特儿的表演步子来回走着，老徐师傅发现衣服肩头接缝处有点小小的瑕疵，即含着满口大头针，口齿含糊然而语气坚决地把她叫过来，仔细地用大头针摆弄服帖后，又自语地说："这里得拆开重新弄一下。"

"这点点小毛病，不注意根本看不出。"凤娣说。

"这哪成，明知有毛病不改好，这样的衣服我是拿不出去的。"老徐说着，连声催凤娣把它脱下来。

九龄想到厂里那些飞针走线、不顾质量的小兄弟们，作为厂长，第一次为父亲这种认真、顶真的工作态度而感动。

"爸，你为啥这样顶真？"他问。

"为啥？我总不能自己敲自己的招牌。"父亲从老花镜后瞥了儿子一眼，好像感到他这个问题问得奇怪似的。

"那从前在'添禄'时，一旦出了次品，怎么办？"

"怎么办？第一次红红脸孔就算了，次数多了，老板就请你跑路了。"

"那叶老板，很厉害？"

"自然。要不，当初与我同吃一只碗里的萝卜干，怎的人家就盖起大洋房，造起自己的工场间和赫赫有名的'添禄'！就你父亲没出息，只落得一世的穷裁缝；先跟洋老板做，再给自己的师兄做！"说到自己的心病处，老徐不禁也闷闷地叹了口气。人生最伤心的是，到了暮年之际，不得不承认自己是个战败者。"九龄，你的父亲，是只饭桶呀！"

"那有什么，"凤娣不以为然地说，"那是老板剥削人嘛！"她是七九届毕业生，政治课本上那套，还是背得滚瓜烂熟的。不过，此刻由她这么穿着一身睡袍、懒洋洋地摇着蒲扇说出来，那些政治术语都失去了严肃性和权威性了。

九龄看着父亲那伛偻的脊背，感到很不是味。固然，父亲仗着那一手好技艺，近年来，使家里过上了他从来没有奢望过的富日子，但是，如此没日没夜地扑在缝纫机上的父亲，自个却忙得没时间来享受自己挣来的那点钱。这样的苦干求富，九龄不欣赏。他徐九龄的欲望很高，远非那几台彩电冰箱所能满足的。他得做一番事，一番轰轰烈烈可以让后人来点评的大事，免得有朝一日，到他头发白了、背也伛偻的时光，再不得不向自己的小辈承认，自己此生什么也没干过，什么也没尝试过，一个彻头彻尾的失败者！

"那时的'添禄'，现在叫什么？"凤娣问，"比南京路那个上海时装公司还大吗？"

徐师傅一扫沮丧的神情，又得意起来。只见他竖起左右两只大拇指比划着："那时说到'添禄'，比'鸿翔'、'朋街'还高一筹，名气与十三层楼①下的那些不相上下呢。老实讲，上'添禄'的客户，乘黄包车来的都不大有。"

九龄嘴角泛起一股苦笑。明明做了奴才，却会因主子的光彩而自喜，这就是父亲这代人最不能让人原谅的悲剧。

"那时，那些个名门小姐太太一进'添禄'，就非点我徐师傅不可。"老徐越说越带劲，不管怎么说，这毕竟是他的很辉煌的过去，连司徒雷登的亲戚，就是"毛选"中提过的那个外国人，也让他老徐给做过衣服呢。他毕竟是有本事的，至于发不了财，那可是另一回事了。说到发财，也有点像押宝，完全是碰额角头的。

"那'添禄'的店面最初是洋老板的，"老人一得劲，话头也就多起来了，"日本人打进租界，把我们的洋老板抓进提篮桥了。那时的市面，有谁还有心思来做时装？生意清淡得连萝卜干都快吃不上了。两个师兄都卷铺盖溜了，只有我和叶老板——那时，也不过叫他阿信——没有溜，主要是没处溜呀！叶老板就是有魄力，独自撑着那门面揽生意，亏他还

---

① 十三层楼即锦江饭店南楼下的店铺，解放前为上海最高级的商场集中之处。

装得出笑脸，唉，东洋人打进上海那阵日子实在不好过。我们原先租借的那间栈房让日本人派用场了，待我接到消息赶到那儿，我们公司存在那儿的几匹花洋布，就这么给抛在露天，早给雨水浸泡透了。晾干一看，图案都给水浸得黏黏糊糊的，有点像现在那种最吃香的花布。眼看这几匹布要扔掉了，喏，就是阿信活络，他看看那黏糊糊的图案，突然说，很有点味道。然后请来一位女明星常客，让我精心给她裁剪了一件旗袍，请她穿着到处走走。果然，吓，这种旗袍一下就在女学生和知识妇女中流传开来了，她们纷纷到我们店铺来定做这种布旗袍，还非要指定那种黏糊糊的图案不可。后来我们这种让水浸泡过的花洋布都用光了，特地去印染厂打交道，为了要印染这种黏糊糊的图案的花布，印染厂还着实花了功夫呢！"

这个传奇故事把九龄听怔了，简直不可思议，叶老板对消费心理摸得如此透。"他当初大约把价钱压得很低吧？用现在行话说，就是处理价钱？"他问。

"你这就不懂了。生意经有句话：千万不能卖货。这是砸自己牌子的傻事。阿信，就是看中了办的。那阵国难当头，提倡生活廉洁，而这种花色别致的布旗袍，正好行俏呢。也就是打那以后，阿信动了卖成衣的念头。那时节，东洋人下的上海人，日子不好过，一般人都喜欢买现成的衣服，又方便又经济。因此，当着别的时装店几乎支撑不下去时，我们这店反而赚了。后来胜利了，外国老板一看，喜出望外，回国时，当即把这店铺送给阿信了。这岂不是天上落下来的美事？阿信即把店名改为'添禄'。这阿信，鬼点子多着呢，要不是世道变了，他鬼点子有得出了！"

凤娣用肘子推推九龄："你也是厂长呀，也去找个电影明星来给你们推销推销嘛。不过，你们厂生产出来的衣服实在没样子，袖子肥得可以塞进一只蹄髈了！"

九龄笃笃地手指敲着桌面。这个姓叶的老头子确实不简单，虽然以前也听说过一些，但父亲今日这番话，确实让他对这个平时瞧着阴阳怪气的老头，不得不佩服。这个也是吃萝卜干饭学徒出身的老板，赤手空拳为自己挣起了洋房、厂房、店面，远不是那几台冰箱彩电所能比拟的。最最重要的是，他为自己和子女家庭挣得了一种、一种……背景，虽说如今是社会主义社会了，但是背景……他瞄了一眼伛偻着脊背、因常年户内工作不晒太阳而显得有点苍白的父亲。唉，当初，父亲为什么就只懂得埋头踩缝纫机呢？于是，那个走路永远只瞅着自己脚底下、脸上不大有表情的、穿着整齐利落的叶老板的形象，奇特地和父亲的形象交叠在一起。

"徐师傅在家吗？"

门外传来了女子清脆的声音。

"唷，客人来了。"老徐师傅话音未落，九龄却颇有点尴尬地挤出一个不自然的笑容，原来，两位女客中有一个是薇薇。

此番或许是处在客人的地位，薇薇显得很客气，但也很矜持。"呵，原来这是你的家。"她说着，环顾一下四周，然后静静地坐下。就在这沉默的瞬间，九龄还是敏锐地感到，她骨子里带着一种蔑视，蔑视凤娣、蔑视父亲，甚至蔑视他徐九龄本人。

"你们原来认识呀！"老徐师傅有点懊丧地问。他最讳忌顾客与自己家人有私交，这样一来，他开做工价钱也难开，反正不方便得很。

"他是我们隔壁厂的头头呢。"薇薇很有点自来熟地笑着说，"所以徐师傅，你要给我的活计做得讲究点，我这是慕名而来的。看，这是料子，这可是英国花呢，你得给我留神做呢。我朋友一向我介绍起你，我爸就说我找师傅找对啦！"

"你爸身体可好？还是那么瘦？筋骨倒很好。"既然薇薇提到叶老板——阿信，他从前的师兄弟，他也就摆出一副与叶老板称兄道弟的语气来了。

"你和我阿爸既然是老相识了，那就该照顾照顾了。"薇薇继续师傅长、师傅短地说，舌尖头就像涂上蜂蜜，哄得徐师傅眉开眼笑、七荤八素。但在九龄，却感到薇薇句句话都在打诨自己的父亲。他气呼呼地猛一推椅子站起身，没好气地对自己父亲说："爸，前几天不是还在说天太热了，少接点活，怎么今日又忘记了。"

"徐师傅，帮帮忙了！"薇薇忙摆出一副娇憨的模样。这个势利人虽说长着一张扁扁圆圆的烘山芋脸孔，却自有一副"嗲"功。一般男人，包括老实巴交的老父亲，也挡不大住。

"九龄，给我记尺寸！"老徐命令正要往里屋走的儿子。

她则笔挺站着，高高地举起双臂，让老徐的卷尺上下、左右地在她身上忙碌着，一对不大然而漆黑的眼睛，冷漠地直视着前方空间。

"腰身二尺，胸围……二尺五，臀围二尺八……唔，你的衣架真好，我们裁缝碰到你这样的客人是最省力了……"老徐师傅边忙边说。

确实，尽管她长着一张扁扁圆圆的烘山芋般的脸面，但那丰满挺拔又匀称的体形确实很美，作为个爱欣赏女人的男人，九龄也不得不如此承认：那亭亭玉立的身影使她显得很雅致，很高贵。不过，这仅仅是因为她的身材吗？应当说，还因为别的，或许就是她的学历，还有……她父亲为她创造的背景……

"裙长，二尺三，"看见儿子心不在焉，老徐师傅加重了语气，"专心些，这尺寸搞错了可不是开玩笑的。"

"徐师傅，我这料子算得很宽的，你多下来可要还给我的。我这可是英国花呢，用外币买的。"薇薇插话了。

"自然还你的。这些零头碎布，我要来做啥？"徐师傅好脾气地笑着。

"那也难说，"薇薇娇嗔地说——裁缝师傅碰到这种女客人，真是一点办法也没有了，"人说裁缝不落布，卖脱家主婆呢！"

徐师傅两眼笑得眯起了缝："那我早就要卖脱好几个家主婆呢！"

薇薇和她的女伴格格笑了起来，凤娣也凑着热闹哼了几声，九龄却把笔一扔，进里屋去了。

薇薇皱了下眉头，用英语向她的女伴咕哝着："这个男人，礼节太不懂了！"

"这孩子，这阵当头头当得火气挺大的。"徐师傅连声向客人们打着招呼。

"我来吧。"风娣则知趣地拿起九龄扔下的笔。

"裙长，二尺三……胯肩……"

父亲沙哑的浓厚的宁波口音，透过薄薄的板壁传到九龄耳里。九龄躺在床上，烦躁地拿起那本《大饭店》，他刚才正看到富家小姐玛莎请彼得，一位风流倜傥、很有魅力的饭店经理，到她那围着紫杉树篱与参天木兰树的古典式宅邸中去做客，在平台上，她大胆地告诉他："我已经下决心要嫁给你……我相信到时候我会使你爱我的。"

唉，一个男人能亲耳听到一个女人如此对他说，特别是一个富有且又有才华的女人，那真是一件很值得自豪的事。听听那个彼得是怎么对待她的："他知道他接下去不管对这个感情冲动的姑娘说什么，都应该温柔体贴。"太漂亮了，这个彼得，他是个男子汉！要是换了他徐九龄，会怎样对待这些吃饱了没事干的小姐呢？外间，薇薇她们有礼貌地告辞了，却又紧接着不忘记叮咛着："徐师傅，我的料子有一丈二，别忘了把零料还我，那是进口的料子……"

九龄把那本书"扑"一下覆盖在脸上。

哼，要是有一天，那装模作样的"烘山芋"把他邀入她那二号门牌里跟他说："我已经下决心要嫁给你……"他准保把头昂得高高的，对她冷冷地哼一声，就把她撇开了。他想着，不禁对着镜子做了个冷冷的表情：结实的下巴那么略略一昂，双眼那么一眯缝……他满意地笑了。

门帘一掀，风娣捧着半只冰镇西瓜进来了。"九龄，快吃瓜。"她反客为主地说，又加了一句，"你家现在真是阔了，五毛钱一斤的西瓜，天天不断。"

风娣是织布工，为着习惯在机声嘈杂的车间里讲话，她的嗓门很大，就是现在明明与他面对面的时候，依然把喉咙扯得老响。因为近着台灯，九龄很清晰地看到，她眼睛底下，还隐着两个黑圈，不久前两颊仅剩的一些玫瑰色已完全褪尽了，这是长年三班倒的结果。

"你吃呀！"因着九龄逼视着自己，她娇嗔地横了他一眼，红着脸说。随后捡起一件丝质的衬衣熟稔地锁着纽扣。她经常帮徐师傅锁锁纽扣，捏个边，多少可以加快点徐师傅做活的速度。她那戴着顶针箍的手，因为日常操劳家务和纺机上的活，显得关节略有点粗大，手掌肥红。她留着长指甲，小手指上还涂着玫瑰红的指甲油。

　　"你怎么也留长指甲了？"九龄皱了皱眉。

　　"你不喜欢吗？"她有点惶恐地扫了他一眼，然后屈起手指打量一番自己的指甲。由于劳务过繁，她指甲周围都翻起了硬皮肉刺，指甲尖里，还积了点洗不净的积垢，她困窘地把手掌缩成拳头。

　　九龄心疼她这一筹莫展的窘态，温柔地把双手覆在她那紧张地缩起的手上："你要经常劳动，留长指甲对你不利。"

　　"我将来积点钱，买一台洗衣机，这下用不着费劲刷洗那些被单什么的。那时，我的手，就会像刚才那两个姑娘般又白又嫩了。"她低着头轻声说，就像孩子做错事后起誓一定改似的。

　　"哦，你想买台洗衣机？自然是全自动的……"九龄说着，把下半句话咽了回去，无可奈何地笑了下。要是他能像《大饭店》里那位老板那样富有，他一定也会像他那样满足女友的一切要求的。可是……

　　"你……刚才说什么来着？"凤娣的指尖轻轻触着他的手腕，睁大双眼期待地望着他。

　　"我很想……帮帮你！"九龄疼爱地看着她说。她和他是近邻，他甚或可以说还记得她刚从医院给抱回家的情景；他要长她近十年的岁数。

　　"凤娣，你还在读业余中学吗？"他忽然问她。

　　她做了个娇嗔可爱的、不耐烦的表情，表示她对这个话题没有一丝兴趣。

　　"你应该读读书，真的，凤娣。没有文化，手艺再高，钞票再多，别人照样还是看不起你。"

　　"你……也看不起我？"凤娣把拳头搁在自己下巴上，整个身子向他前倾着。这个姿势等于无声地向他恳求：抱抱我，抱抱我！凤娣谈不上漂亮，但她对九龄这种小鸟依人般的眷恋和崇拜，很能满足九龄的自尊。他喜欢她。当然，仅仅是喜欢而已，否则，他对她那种好感不会老停留在现在的地步而没有进一步发展的。

"相信我。你不是很爱漂亮吗？知识也可以使人变得漂亮的，这远比化妆品要有效多了，你信不信？像刚才那个让爸爸做衣服的女客人，如果她没有接受过高等教育，庸庸碌碌，那简直无法想象……"九龄说。尽管凤娣那披垂着黑发的圆浑的肩头就在他下巴颏下，他甚至能嗅到她肌肤上散发出的袭人的芳香，但他还是克制着自己不把她揽入怀里。否则，这会意味着他与她之间有了新的进展，他不愿有这样的进展。

凤娣咬断了纽扣上的线，期期艾艾地问："你说，刚才那个女客人，长得漂亮吗？"

"漂亮个啥，"他即摆出一副不屑考虑的表情，"那张脸活像只烘山芋！"不过……风度应当说还可以，但这半句话他没说出口。

四

　　录音机里，正在播放帕瓦罗蒂演唱的那首著名又通俗的拿波里歌曲《渔夫小伙》，九龄对这首曲子百听不厌，或许，那首歌道出了他的一些隐私？九龄听音乐，喜欢开大音量，因为非如此是听不齐那丰富的音乐层次的。而父亲和同居一楼的四邻五舍，为此不知对他提过多少抗议，为了两全其美，他现在习惯戴着耳机听音乐。

　　帕瓦罗蒂的歌声华丽、辉煌，为那乏味辛劳的渔家生活蒙上了一层玫瑰色。

　　九龄边套着耳机欣赏，边精心对镜修脸。他很喜欢在耳机的音乐伴奏下做一切平板又不得不做的琐事，这可以使他感到这些琐事本身一下都充满了情趣。

　　他对着镜子打量下自己，他很欣赏自己的形象。在密密浓浓的胡子刚刚剃刮干净后，下巴颏上一片生青，给人一种深沉坚毅的启示。他得意地吹起了口哨。

　　今晚是夜大开学第一天，他很兴奋，那心情，颇有点像孩提时代，在过了一个令人发腻的暑假后，妈妈给他理出上学要穿的衣服和熨烫得平平整整的红领巾，叮嘱着他："该收骨头了，快把书包收拾好，开学了！"然后，他找出旧报纸，把崭新的课本仔细包好……唉，这样的日子，有多遥远，二十年！整整一代人的时光。这个暑假可放得够长了。对了，上一个暑假结束后开学的第一天，他曾惊异地发现：初夏时天真无邪，脸上长着"青春美丽疙瘩豆"的男生，会在暑假结束后，带着一副低沉而粗哑的嗓音回到学校；而放假前看着疯疯癫癫的傻乎乎的女生，也会忽然变得丰满、文静和羞怯起来……这最后一个暑假，充满着后来被岁月冲淡了的美好回忆，在他刚刚意识到自己竟是如此年轻、如此有希望和充满抱负时，一切却从他身边悄悄溜走了。

这所夜大就设在那所有名的老牌大学校舍内。从前，九龄就曾梦想过就读这所名牌大学；这番，他终于在十个人中取三个的激烈竞争之中，争得了入学的权利，遂了自己的心愿。在九龄短短的三十多年的生涯中，遂心的事，是不大有的。细细想来，人从童年到成年，该有多少美梦；这样的美梦，有几个，是能付诸实现的呢？

跨进教学大楼，迎面就是一面大穿衣镜，所谓"登堂整冠"嘛，名牌大学，毕竟有名牌大学的气派。他大大方方往镜中瞥了一眼自己。镜中的自己，风度翩然，仪表潇洒，神情自信，一点没那种弄堂小厂出来的小家子气。他一直是很为自己的外貌骄傲的。这也是他已三十好几的年龄还迟迟不肯解决终身大事的原因之一。姑娘们很容易在与他第一次见面时就产生好感。

还没上课，"大"学生们都聚集在走道上，彼此间持一种按捺不住的新鲜感互相观察着。

"黄浦几期①？"问得诙谐，却蕴藏着难言的心酸。

"黄浦八期。"

"黄浦九期。"

"哪儿回来？"

"黑龙江。"

"江西。"

"崇明。"

"大"学生们一见如故地交谈着。如果哪一簇里异性最多，谈话的气

---

① 指"文革"中六×届七×届的毕业生。

氛便最热烈。九龄已经感到，有好几个女孩子向他投来注意的目光。他有一种微妙的预感，这八小时以外的学习生活除了能为自己"充电"外，还多了一个可以遇到一些"意外事"的机缘。这种预感，撩拨得他非常兴奋。他在胸前交叉抱起自己肌肉凸出的双臂，装出没感到这种注目，在人簇中默默含笑地倾听着……

上课铃打了，九龄发现刚才那很注意打量过他的女孩子之一，恰好坐在他的右侧。

九龄在座位上整了整衣领，捋了把头发，那种唯独少年时代才会特别强烈的好胜心，又重新回来了。他目光炯炯地注视着教室门口，希望教师一走进教室，就能抓住他的视线，引起他的注意。

这堂是高等数学课，光看那本端端正正放在桌上的课本，就让九龄感到得意、自足。

随着一阵笃笃的脚步声，进来的是二号里那位薇薇，穿着那身一心担心徐九龄的父亲会扣她零料的连衣裙。父亲的手艺真不错，款式大方又别致，很合身。就像《古堡幽灵》里那位女主角穿的，裙身蓬得像朵低垂的铃铛花，配着细高跟的白皮鞋。她径自登上讲台，与令人肃然起敬的《高等数学》极不协调。

九龄有点慌乱了。真所谓冤家路窄，一二不过三，他怎么老撞在她的枪口下？自那次她上他家做衣服后，他在厂门口的弄堂里又撞上过她几次，彼此都是戒备又冷淡地含糊一声招呼就过去了，这番又碰上了，可哪次都没这次这般糟！这番做了她的学生……不行，他不能输给她。有什么可以不自在的？他尽量说服自己，他是交了学费来读书的，他是雇了她来给自己上课的，就像她当初出钱找他父亲做衣服一样。

自信心，他的自信心呢？他强迫自己不躲闪她的目光。

或许是那枯燥的《高等数学》的陪衬，讲台上的薇薇，比他哪次见到的都妩媚、俊俏。这一点，或许别的男性同学都意识到了，教室里那股摸不着、看不见的空气，顿时起了一些极微妙的变化。

薇薇不慌不忙地摸出眼镜戴上。敏感的九龄感到，她也有点紧张，手在发抖呢。真奇怪，为啥他和她在面对面时，大家都不自信、紧张、慌张……他甚或有点可怜起这个讲台上的她了，他向她收回自己的目光。

"我们先互相认识一下吧。"她清了清嗓子，打开了点名册。她也镇静下来了。

九龄有点犯难了：点到他徐九龄时，他究竟该像一般同学那样谦虚地微微欠个身"到"一声，还是该像另一些人那样，特别那些自我感觉良好的男性们那样，满不在乎地只举一下手？

"徐九龄。"她已经点到他的名了。

"到！"他下意识地微微欠欠身。

她也微微欠欠身表示回答。

一切原来很简单。

"好吧，今天我们开始上第一课……"她开始进入了教师的角色。

"呃，这个女教师不简单。"九龄邻座的一位男同学，悄悄地在纸上写上几个字，"年纪这样轻，倒已经当上了大学教师。"

"那有啥，现在，什么都得看机缘，她比我们年岁小一档，自然机会也比我们多一点。"他草草地写着回答，完了，连他自己都感到语气里那股酸酸的味了。

"她很好看。"邻座继续写着。

"好看个屁！"九龄接着写道，"你看她的脸，活像一只烘山芋！"她正走着一条最让人羡慕的路，有大学文凭，有好的体面的工作、好的住房……损她几句，不罪过。

邻座颇感不平，刷刷地写得纸都划破了："她不漂亮，但挺可爱，看她身材多美！"

不错，九龄打量一下正背转身子在黑板前写字的她，不得不承认这一点。对啦，她的胸围是二尺五，腰身二尺，臀围……似乎很合标准。

"这是这个单元我们必须弄清楚的基本概念，你们一定要弄懂它，明白了没有？"她猛地一回身，笃笃地用粉笔击着黑板，严厉的目光透过镜片对着"大"学生们扫视了一圈，这里，自然包括徐九龄。

"凶煞!"邻座干脆说起俏皮话来,"如是她的男朋友吃得消她吗?"

徐九龄没吭声,他感到,她似乎与他原先想的,很不一样。

放学了,在挤满人流和自行车的通往校门的甬道上,九龄瞥见她那条铃铛花般倒垂着的裙子。不少学生,自然是男同学簇拥着她,妨碍着她行走的速度。因此,不管他怎么努力想放慢自己的脚步,由于后边人流的推搡,他和她之间的距离,在明显地缩短。在与她擦肩而过的一瞬间,他抬手理理头发,做了个鸵鸟的动作。

公共车站上,刚才很注意地看过他的一位女同学,友好地对九龄打了个招呼。

整条马路因为一群刚散学的"大"学生而热闹过一阵,现在,又重新安静下来。微缺的月亮静静地照着,马路上除了偶尔驶过的车辆那逐渐模糊的尾灯外,一下子又黯然和安静下来。

"你是哪个单位的?我是在外贸局工作,局长秘书……"女孩子热心地自我介绍着。

"哦,我……在××服装厂……"他说着,发现薇薇那辆紫罗兰色的轻捷自行车在他面前疾驶而过,后面尾随着几位热心的"骑士"。

"人家都说,这老师的脸孔有点像烘山芋。"女同学说。

九龄吓了一跳。这话,怎么这样快就传出来了?

"哦……不,"他喃喃地又真心诚意地为她辩解着,"她长得还可以……风度很好……女同志能搞数理专业,也不容易!"

"排排坐,吃果果,你一个,我一个……"站头上一位迟归的年轻的母亲,逗着自己的孩子说。唉,生活中也能排排坐,让命运之神拿着果子"你一个,我一个"就好了。

五

星期天上午，美仪按例收拾了下房间，然后拎出一袋理出来的废品交给子杰。美仪很节俭，一个牙膏管子一只纸盒，都要集中起来，到一定时间，即送交废品站。能换回几毛钱，她都感到那是一种乐趣。

正在书桌前抄乐谱的子杰，头也不回地说："这点！扔垃圾箱得了，为了这三毛四毛的，排上半个小时的队，啥合算？"

"你派头大，"妻子当即抢白着他，"三毛四毛的！你外边去溜一圈看，四分钱一根的棒冰，差一分钱都不卖给你！"

子杰无暇招架她的不逊之言，依然埋头抄他的乐谱。马上有个学生要上他这儿来上钢琴课，可琴谱只有一份，一时又买不到新的，他只能代他抄一份。

美仪腾腾走到他书桌跟前，一下掀掉他的琴谱："你倒是去还是不去？"

子杰也火了，从兜里掏出三毛钱扔给美仪："喏，你不就是要钱吗？这些废品值三毛钱总够了吧？拿去吧！"

美仪气得拿起钱对准丈夫脸就扔了过去，随即扑到床上伤心地哭泣起来，边哭边数落着："你这没良心的，如今对我这样无情无义，也不想想，要没有我，你还回不了上海呢……"

其实，子杰是时时刻刻都记住这一点的，所以尽管他明白自己一丁点也不爱美仪，可还是忍受下来了，尽着丈夫的义务。但有时夜半一觉醒来，听着身边美仪均匀的呼吸和鼾声，他会烦躁得直想擂床板；有时，他不得不在阳台上伫立到天亮，最后，总是以他用妻子的功绩来自我安慰而从中解脱出来。但是，当妻子整日整夜把这点功绩作为要挟时，他可是受不了！

子杰怒气冲冲地看看表，估计他的学生快到了，他决定控制下自己的情绪，执意不再答理妻子的一切挑衅，否则，会影响等一下上课的质量的。

但妻子哭得更伤心了。他倒背着双手在房内来回踱着步，一筹莫展地说："这么说，就为着你这一功，我就要时时感恩戴德，像条哈巴狗样天天对你摇尾巴？告诉你，我活到四十几岁，这一套还没学会呢！"

美仪尖利地反击着："别自命清高了，我看你，对着你那二老，为了每天那三顿不出钱的白食，忍受着他们的数落，也就不敢吭一声，与那哈巴狗，也吭啥两样！"

"你给我住口！"子杰压低着嗓子咆哮着，脸腮两侧的肌肉显然地抖动了几下，"你看看你自己，如此撒泼，还像不像个女人！"

美仪把头一扬，为终于找到那几句击中丈夫要害的刻薄话而感到痛快得意。她满意地欣赏着因为自己的话语而让丈夫显出的愤怒、难堪和尴尬的表情，然后又冷冷地刺了丈夫一句："哼，不是女人，你晚上尽黏过来做啥？"

"你！"子杰抬了抬手，终于又放下了。要不是碍着楼下有父母、妹妹，隔壁有儿子，他准会揍她的。在塞外待了那么几年，看惯了酒后打老婆出气的，只是，他自己却一直没有这个魄力，太顾面子。为此，他都恨死自己了，就为了拉不开这张薄薄的脸皮，他可真受够了。

"怎么，你想打人呀？好呀，打呀！"美仪却是不甘示弱，蛮横地冲着他嚷，她也有一肚子的委屈想发泄。待在这幢小洋房里做媳妇，整日见人矮三分，她自己都憋死了。难得回一次娘家，左邻右舍和父母兄妹都把她当作一只金凤凰簇拥着，碍着面子，她在娘家人面前也从不吐一下苦水，还自己打肿脸充胖子买这捎那，大包小包往娘家搬，贪小利的父母有时还责怪她在礼情上不够大方，令她更是两面夹攻有苦难说。

子杰面对着胳膊肘寻衅似的向外叉出的妻子，终于怯场了。他显然感到妻子因觉察到他的退缩而正在暗自好笑，但他没有别的办法了。他颓丧地往藤椅上一跌，掏出一支"飞马"牌点上，狠狠地"嗞"地吸了一口。对面大衣橱的镜子里，他看到自己怒气冲冲，脸色气得苍白，由于睡眠经常不好，双目下两个泪囊很明显：这是衰老的征候！再衬着皱巴巴的衬衣领子——他没有换睡衣的习惯，真是一脸的晦气。他抬手尽可能把衬衣拉挺，借着吸烟咽下一大口闷气，眼神冷酷而含有敌意地瞟了妻子一眼，语调严肃地说："我的学生马上要来了，请自爱一点，犯不着在一个小学生前摆威风。"

他一字一句说得那么冷峻，美仪反而收敛了一点泼腔，随即旋风般开始拉抽斗、收拾衣物——女人发脾气就是这老套头：一哭二闹三回娘家，阿弥陀佛，乐得让他清静几天。

门铃响了，许是他的学生来了。他奔下楼去开门。走过二楼起居室，父亲把他叫住了：

"子杰，今天学生又要来了？钢琴弹得轻一点，我昨晚没睡好，头疼着呢。这叮叮咚咚的烦死人。跟你说过几次了，你这门生意还是快回掉，我可吃不消！"没等子杰那边应一声，父亲随即又扬脖命令道，"对了，我昨天刚刚在'凯歌'定了只栗子蛋糕，刚才薇薇出去忘记关照她了，你替我去取了来，去晚了人家还以为我们放弃了，给卖掉了呢。"

"可是……我学生已经来了……"

"那有什么，这里骑车过去顶多五分钟，让他等一会嘛。"

"但是……"他为父亲如此任意支配和侵犯他的时间和计划而生气。

父亲把脸一沉，说："把你养到四十来岁，连你的儿子也一块养着，怎么这点事都差不动你？"

子杰无奈，只能"噢"地答应了一声。

他的学生小捷已经等在楼下过道里了，这是个用功守时的好学生，他从南市到这儿，要换两部车呢。

"老师，刚才车子抛锚，我差点迟到了，亏得后来来了辆大站车……"小捷的鼻尖上沁着汗珠，得意地对老师说。

小捷是子杰在一次劳作课上偶然发现的——子杰在小学里纯属打杂，除了唱歌课外(他那所小学，干脆把音乐课称为唱歌课，可见对音乐的理解)，还任手工劳作课、图画课，反正哪儿缺人他就顶哪儿。那次劳作课上，他发现小捷的手指条件特别好，小拇指和无名指几乎一般长。他就开始留心他了，结果发现小家伙听力也灵敏，于是，他主动向他提出自己的奋斗目标：把小捷送入音院附中！他对小捷要求很严，从来不许他迟到。倒不是他吝啬那些时间，而是因为学音乐，没有一丝不苟的认真态度，是学不成材的。但是，今天，他作为老师，却……

"带只网兜去，免得自行车上不好拿。"父亲跑到楼梯口继续发号施令，他明明看见他的学生已等着了。

"这……"子杰叹了口气。

"老师，你今天有事吗?"小捷懂事地问，"我……来得不方便吧?"

正在子杰犯难时，钥匙眼一转，薇薇有如从天而降，总算把子杰从困境中解脱出来。

小捷的纤瘦的手指，在黑白琴键上熟稔地移动着。这双小手让人瞧着心疼，指端的指甲都给压得扁扁的，是一双勤奋练琴的手!

小捷正在演奏那曲著名的《沉思》。他与学生时期的子杰很像，他们似乎都更钟情那些流芳百世的抒情小片斯①，都更注重表现音色的美和丰富，更擅长表现情绪、想象力及内心情感的倾吐。听，他奏出的每一个和弦，都富有感情；他弹的颤音，能让人感觉到他本身的心灵的喘息。或许，他俩都属于富有激情且太容易动感情的人……

"行了，行了，"子杰粗暴地打断了他，"行了，你的感觉很好，但是，如果你想成为一个真正的钢琴家，你就必须放弃这些……"

---

① 小片斯：小片断。

学生疑惑着停止了弹奏。

子杰这才意识到自己太急躁了，他摸摸他的头发，疼爱地说："我希望你将来不要成为钢琴手，而要成为一名钢琴家，学院派的钢琴家。你要追求深度、力量和严谨的技巧。假如演奏者的自我独占上风，会被认为过分偏执，至少是没有遵照作曲家的风格。因此，从一开始起，你就要避免这一切，任何时候都不允许肤浅的优雅、伤感或虚假的激情来妨碍对这些名曲的表现和理解。永远要记住这一点，演奏中自己一定要有数，对于过于缠绵的感情流露一定要有钢铁般严格的控制……"

他发现他讲得太深奥了，与其说是讲给小捷听，不如说是自己悟道后的一种内心独白！

子杰自幼儿园小班起就开始学钢琴，钢琴老师对他十分欣赏，以至当子杰弹完那本"五九九"①后，另替他物色了位高手而引退了。他预言子杰会成大器的。他甚至认为，子杰对演奏莫扎特——贝多芬——舒伯特这维也纳三位一体的曲目，有着独特的见解。是的，本来，或许子杰只要持之以恒的话，是可以成为一名钢琴家，至少钢琴手的！但是，年少时的他太偏激，太富于幻想，感情太容易被牵动！当第一次入团审批会上，同学们批评他太沉迷于十八、十九世纪的音乐，对现代革命歌曲不感兴趣时，他就强行用《红色青年进行曲》与《我们走在大路上》与心目中的莫扎特、贝多芬对抗，积极为班里的合唱队、集体舞伴奏。那种伴奏通常只有一张简谱歌纸，他就自己乱配和弦。结果他毁了自己的手指，也荒废了自己在音乐上的学业，可当时，他还以为这是自己的一大胜利呢！

幸好，他现在有小捷。他曾一度为自个儿子不喜欢音乐而伤心过，幸好，他找到小捷了！

"这些你现在不一定懂，等你长大了，你就会懂了！"他柔声对小捷说。塞外艰苦孤独失望的二十年生活，使他以为自己再也不会柔情绵绵

---

① "五九九"：钢琴基本教材。

了，他自认自己的心已经变得粗糙了；可是一旦触到钢琴，他发现，自己还是自己，只是变得内向和孤僻……还有，自卑而已！"来，跟着我!"他说着，把自己那双关节粗大的、父亲眼里典型的"下等人"手，按在高音区域的琴键上。

小捷认真又艰难地跟着他。他体会到一种带孩子学步的父亲的乐趣。自个的儿子，由于一直由美仪带，远在塞外的子杰未曾尝到过当父亲的甘苦。而小捷，却让他尝到了。难怪，有时连他自己都意识到，他对学生小捷的执爱与关注，已超过自己的亲生儿子! 他一定要好好培养他。自从当初为调回上海，他萌发过"一定要"的念头后，他就再也没有动过"一定要"的念头了!

六

　　九龄从公司会议室开好会出来，心情闷闷的。怎么说呢？公司所属那几个厂，数他的搞得最糟；从原来一年上交七十万利润跌到九万，叫他怎么好意思和其他厂长坐在一起开会？他真恨不得有个地洞可以往里钻。

　　要想真发财，实在不如小说里写的那么容易呢！他真弄不明白，二号里叶老板当初是怎么在办厂的，认真是吃人肉不吐骨头，才挣得这样大的一份家当呢！他徐九龄自上任来，办法算想了不少了，喏，他信息也在摸的，那阵市面上领带成了行俏货，他当即动了脑筋，想办法弄来了面料，重金从上海领带厂挖来了高手师傅传艺，谁知到他们的第一批领带出厂，百货商店早已挂满了各式领带，而且领带早已倾向那种针织平边的样式了。他们厂的领带挤进去，无疑等于饭店门口摆粥摊了，这简直对他是当头一棒，他真恨不得用根领带吊死算了！这次亏了，他又听说当今风衣时行了，申请了企业贷款，好容易与某厂达成联营的协定，由该厂提供那种国际流行的丝光尼龙化纤面料，他们厂加工制成风衣外销，这笔生意做得好，还可以赚外汇，如是，他厂可以向公司申请一笔外汇，有了外汇，就可以直接与外商洽谈生意……但是谁知道，眼看着事办得有几分眉目了，却半路上杀出个程咬金，以"嘴上没毛，办事不牢"为借口，且凭着路子和靠山，处处兜得转，几句就把对方说动了，到手的好生意就让人家抢掉了。他呢？让人打落了牙，还只能连牙带血往肚里咽：讲出去还会让人骂"阿乌"①呢！现在市面上口口声声都在讲"做生意"，印出的名片上开发公司、贸易公司不胜其数，岂知这生意竟是这样难做！他该怎么办呢？

会开完已快五点半了，六点半他还得准时赶到夜大去呢。今天测验，他这心情，能测出好成绩吗？回去吃饭是来不及了，他去底下公司食堂胡乱买了两个包子一碗汤，吃晚饭的人本就寥寥无几，菜谱自然也是马虎得很。他找了个角落啃着半冷不热的馒头。天，沥沥下起雨来了，是那种秋天常有的长脚雨。雨点打在玻璃窗上，发出闷闷的单一的声响。窗外一片灰昏，夜越来越长了，真有点"秋风秋雨愁煞人"的味道。这种雨夜该待在家里的热气腾腾的饭桌上，边上陪着娇妻爱子，才不会感到"愁煞人"呢！他咽下一口淡呼呼的汤送下那口干巴巴的馒头，就匆匆离桌了。他受不了那清冷冷的食堂连同那寒碜的灯光。见鬼！读什么书？此刻，音乐茶座上正热闹着，舞场也马上可以热闹起来了。凤娣上午还来邀过他，可他必须吞下这顿猪食般的晚饭，然后赶去坐板凳，怨谁呢？

他包里亏得有着一把缩骨伞，刚才会上，来了个外地制伞厂的，虽则服装和洋伞浑身肌肉不搭界，但看着都有一层面料，也就拉扯进来了。这位伞厂厂长倒大方，当场一人送了一顶伞，虽说也算不正之风，但没人拒绝——因为正好天下雨了。大家都拿，他徐九龄自然也拿，这年头再要坚持原则做活雷锋，不给人家骂"猪头三"才怪呢。其实按九龄想法，这实在不算不正之风，比如拿这笔伞钱做广告嘛。不过，这生意经就是这点怪，出瞎点子谁都会出，可要想发财挣钱，可不是件容易事。

尽管下雨，马路上还是人群熙熙攘攘，有刚刚下班的，也有打扮入时的，下班后出去找乐子的，再配上烁烁的霓虹灯，上海倒有点夜生活了，可徐九龄对这一切都无缘，每星期二、四他得上夜大，周五晚上业务会议，周六晚上他读英文。

---

① 阿乌：上海粗话，没用、窝囊的意思。

这家伞厂的质量实在不怎么样，风一吹，伞面就摇摇摆摆的，这种质量还拿出来现世做啥！

车站上的景象使他愣住了：人们簇拥在那里，摆开好几层的长蛇阵，一下雨，这车就脱班。他焦虑地看看表。

好容易过来一辆车，站上的人蜂拥上去，一片混乱。有的人无可奈何地退下来，他却是不怕这种局面的。而且正好他今天憋着一肚子气呢。

"往前挪一挪，挪一挪嘛。"他前边一个女同志，穿着一件让雨淋得湿漉漉的风衣——那种面料就是他曾经想与该厂联营加工的。轧车子的门槛倒蛮精，只见她像泥鳅一样灵巧地扭动着身子，"哎唷！"她忽地痛楚地叫了一声，原来上面一位男乘客高高举起的伞尖戳在她脸颊上。

"这位女同志，力气嘛没有，硬轧点啥！现在又不是上班，参加跳舞会迟到点也没关系。"有人嘟哝着。

这太不像话了，这样的男子汉！

九龄猛力往里挤，一边使劲帮着推她："用力，用力！"

她一边用劲，一边反唇相讥："你怎么知道人家是去跳舞？我这是去上班。"

唷，是"烘山芋"！

继续不断有人拥进来，好像这电车厢是橡皮做的，看着已处饱和的它竟也把他们全容纳下来了。门勉强在身后关上。在这纷乱嘈杂的情况下，九龄也顾不上尊敬老师，继续拼命推着她往比较有插足之地的腰子座那边挤。

"呵，是你！"她挽着扶杆舒了口气，转过身，才发现是他，"好险，这辆再挤不上，可要迟到了。我等了好几辆了。"她的头发还在滴水，脸颊上一个青紫疤——让那伞给戳的，也在淌水。不知是汗水还是雨水。她与他相视一笑。自开学以来，他和她之间从来没有交谈过，连课堂提问她都没有抽到过他。

"你家门口就是起点站，为什么不在那儿乘？"他问。

"哦，我刚才从别处来。我在学打字。今天正好考核，急得我，还好，来得及。"她扫了一眼手表，欣然地说。

她从来没有离得他这样近，她的脸颊给挤得紧贴着他拉着扶杆的手臂。他发现她的脸庞虽然偏扁偏圆了一些，可一对不大的眼睛却很活泼，很黑，叫她"烘山芋"，实在太贬了她！周围嘈杂的人声不断，她只得提高一点嗓门讲话，但不给人孟浪造次的感觉。

"打字？打字与数学有关系吗？"他有点摸不着头脑。

"厂长与高等数学有关系啰。"她的嘴巴不饶人。

哦，她不如他原先想象的那样！……

虽则他与她之间并不相熟，可他总感觉到，当一个男人单独与一个女人相处时，那男人要是不陪她聊天，不找点话题，那这个男人简直太土气、太窝囊、太无能了！这时，他注意到腰子座上有个乘客做好下车准备了，忙用自己坚实的臂膀挡住边上一个想占这个座位的乘客，另一只手帮着将薇薇推到座位上。薇薇如释重负般地往座上一跌，"今天亏得你！"那让雨淋得贴在额头上的头发和脸颊上那个青紫疤，使她看上去有点可怜巴巴的样子。她发现他在打量她，两人目光碰在一起，忽然都感到有点局促不安，有了片刻的冷场。

"这阵忙吗？"这大约是她想了半天的敷衍话。

"忙得团团转。今天的测验，怕要不及格了。"他有点心虚地说。同时，发现薇薇身上那件风衣样式很别致：深藏青的面料在领口袖口和纽扣上，翻出鲜艳的彩格镶边。

"那我可不管，该几分还是给几分。"她耸耸肩，调皮地眼睛说。

"你这件风衣，是××服装厂出的吧？"他问，夹着显然的酸酸的语气。这笔生意本来是他的嘛。

"这？"她用手摸了下自己的衣领，又流露出那种他最讨厌的自负的神气，"大陆产的风衣能有这样好的式样？这是香港货，我叔叔的'添禄'的产品。不过，是香港提供原料和样式，大约广东加工的。"

"哦？"九龄心里蓦地一亮。忘记了她的傲然给他带来的不满。

"对了，你是服装厂厂长，我要对你提意见了，"她认真地对他说，

"我老弄不懂,你们那些工人和服装设计师是在吃干饭的吗?生产出来的式样,那么难看那么俗气,你自己难道从来不去逛逛时装店的?摆在橱窗里的还可以忍受,挂在店堂里,简直像吊死鬼般可恶。我和我的女朋友们,没有不抱怨当今的服装行业的,我们从来不爱买现成的衣服。你是厂长,真该改革改革……"她好容易才把"别只管通阴沟扫厕所"这句话咽进去。

话说得太尖刻了,让人听着不舒服。

"就你们要求高,我们首先要面向大众。"九龄申辩着。

"大众也在提高呀。从前人人一件蓝布罩衫时,一条连衫裙就很能满足大众口味了,现在人人都穿连衫裙了,大众也要考虑考虑花色、式样……再讲,各人有各人不同的需要,如今社交也多了,高雅点的衣饰总也要备几套。"

她的话虽说得不大动听,但道理是对的。

"不过,我们也有我们的难处!"他扫一眼她身上那件他也曾看上过的面料,叹了口气。

下了车,他俩自然而然地缩在九龄那顶伞下,他闻到一股淡淡的馨香,从她头发上飘散开来。

他们还在继续着刚才的话题,九龄没料到,她竟是如此明晓事理,对一切都有自己朴实真挚的见解。

"工人们,谁都不愿做那费时又费力的活。就是有奖金,十元二十元的,对他们刺激都不大。何况奖金发得越多,上交的税也越高……"他不知为什么,向她诉起苦来。也许是因为她听得很仔细。他有着一肚子的苦无处诉说:在同行中讲这,又丢脸又没意思;而同行之外,人说隔行如隔山,谁会对这些感兴趣呢?凤娣第一个就不爱听。

"所以说,现在想想我爸爸,感到他真不简单,由一个小裁缝变成实业家。"她双手斜插入风衣两侧的口袋里,很优雅地迈着步子。

"呵,你爸爸……"他顿了一顿,说,"哎,什么时候,给我介绍一下你爸爸,我去拜访拜访他,跟他吹吹……"他尴尬地咳嗽一下,改口道："向他讨教讨教。"

她莞尔一笑，装出没注意到他的尴尬样："当然可以。"

他很感激她如此照顾他的面子。

一位热心的学生骑着自行车来，殷勤地把叶老师驮在书包架后向校门内的教室大楼驶去。九龄这才发现自己半边身子已被淋得湿透了，刚才他准是把伞全往薇薇身上举。他望着坐在书包架后的薇薇，第一次悟到，女人不靠姿色，也可以很有魅力。不知为什么，他突然很庆幸自己没有过早把自己和娇妻爱子捆绑在一起。

七

咚咚咚，三楼地板发出一阵闷响，是子杰那双翻毛老 K 皮鞋捣的鬼。这种劳动防护靴般的皮鞋，早就没人穿了，唯有子杰还套在脚上。蕴如实在看不过，曾自己掏钱为儿子买了双牛皮面的薄底皮鞋，不料子杰嫌太窄夹脚趾，依然套着那双老 K 皮鞋。咚咚咚，一听到这样的声响，信义老夫妇连心都会给震疼：儿子虽说回来了，但却好像是个套着儿子躯壳的陌生人，他的举手投足和这个家，有着一种格格不入的迹象。

"这小鬼，前世准是'红脚杆'①的命！"信义用手指按按太阳穴，没好气地对妻子说，"这种种气，简直不像是你养出来的。"

"还不是你的种气？你上代说不准就是'红脚杆'。"蕴如冷冷地抢白着丈夫。教会学校出身的蕴如，一直是很看不起学徒出身的丈夫的。谁知道丈夫出风头的日子竟然是这样短，早知如此，不如嫁给她第一个男朋友，人家是美国留学生，虽然没有叶信义有钞票，现在一家子可都是在美国。自然，到了这把年纪再来讲这些话，也就没有意思了。

"不管我的上代是啥，至少到我手里，叶家一切都变了。可我们的子杰，嗨，叶家的长房长孙！"信义仰天长啸一声。

"我们能把他弄回上海，也算仁至义尽了，别的，我们也无能为力。"蕴如回答。妇以夫为荣；母以子为贵。学生时代的子杰，是叶家亲戚中

---

① 红脚杆：旧时有钱人对体力劳动者的蔑称。

唯一有政治身份的，是公认的"先进分子"，这里丝毫没有一点嘲笑的味道。当时，为了生了这么个要求进步的共青团员儿子，蕴如在工商界家属的学习会上和里弄的小组学习会上，是很有面子的。但现在，社会上再也不吃这套了，谁家的儿子考上出国留学生，拥有一张香港或外国的护照，这才是最有光彩的。再也没有人因为子杰而称赞蕴如了，人们背地称子杰为"外地土包子"呢。

信义吸了口烟，用夹着烟的右手习惯地搔搔脸颊，沉吟了半天，说："子杰四十了，也没有啥花头经了。唉，识时务者为俊杰，他怎么就不会随机变一变。自己也不想想，他到今朝这地步，入党是不会再有人来请他了，可他还是那身延安作风打扮，又不收钱弄了个学生，倒贴时间倒贴精力，他究竟在图个啥？还在学雷锋？学给谁看？"

咚咚咚，子杰下楼了，撞见正在扶梯拐角电话机边"煲"电话的妹妹。薇薇喜欢在电话里与朋友聊天，这在香港叫"煲"电话，这套东西，她不用学，就适应了。此刻，只见她斜着脖子把话筒夹在耳朵和肩胛之间，腾出两只手在修指甲，一副悠闲的小姐样，子杰就是看不惯。要妈妈这样，还情有可原。事实上，他有记忆时，妈妈正是这样，也是成天夹着只电话听筒边聊天、边用小锉刀锉指甲。后来经过学习改造，妈妈总算改过来了，现在却轮上妹妹接上了，照样把指甲修得尖尖的，还涂着蔻丹，这不是在倒退？令人不解的是，妹妹还是团干部。

"注意点，人民教师呀！"他伸手在妹妹头上拍打一下，半真半假地说。妹妹要比他小一折①，他很疼她，也愿意迁就她，女孩子嘛。不过，总不能太过分。子杰认为，知识妇女的打扮应不同于一般时髦女子的打扮才是。

薇薇冲着他娇憨地一努嘴，问："去哪？接嫂子？"自那次美仪一怒之下回娘家后，已有一个多月没回来了。

---

① 一折：十二岁。

"去接她做啥，她又不是不认路。我去××宾馆接儿子。"

儿子让舅舅阿伟接去宾馆玩了一天，他去接他回来。

"唷，这样去宾馆，留神看门的将你赶出来。"

"有阿伟这块金字招牌挡着呢。"

"嗳，问问阿伟，现在一桌中上档的酒席多少价钱，叫他给我通通路子，拣又便宜又好的替我定一桌，我们要开同学会了。"薇薇叮嘱着。这位团干部活得真快乐：舞会，饭局，进修，交友，一样都不愿放过。快乐得让他这个老超龄团员，羡慕又感触。

阿伟是待业青年，却比谁都忙，比谁都有办法。别的且不说，光上海那几大宾馆，他就能混得如同丈母家一般厮熟，袋里的外汇券、华侨券，一把一把的。

子杰踩着自己那辆叶子板沙沙作响的老坦克，缓缓地驶入茂名路。这条路向来行人稀少，再加上又是晚饭时光，更显出一种难得的空旷和清静。锦江大楼沿马路那排商店，暗茶色的橱窗玻璃后面，造型逼真的模特儿，摆出各种挑逗人的姿势，橱窗里陈列着各式别致、鲜亮的衣物，只是，这些物品的价钱极其昂贵。

小时候模糊有过印象，爸爸曾计划过买下这里的一个店铺，把"添禄"的门面迁到这里，终因卖价太高而作罢。这段路，是上海最高档的店铺集中之段。

学生时代的子杰，自知道了资产阶级思想这几个字后，就再也不愿上这儿来了。那里陈列的都是尖头皮鞋和小姐太太用的、只有下流坏才会有兴趣的女人的内衣奶罩之类，完全是资产阶级的一套。与他有同感的同代人一定不少，这就是为什么破"四旧"一开始，这段路上的店铺就首当其冲遭了殃。如今，这些店铺又重新开张起来，从陈列的商品到整个布置的格调，较之"砸烂"前更洋气，更豪华。而那些一心想"破坏一个旧世界，建立一个新世界"的小将们的青春年华，是再也不能重新展现了。

他在一家大宾馆前停下，门口几个神气活现的看门人(实际上专看中国人)正站那儿聊天，那种盛气凌人、高人一等的样子，仿佛他们是这宾馆的私人拥有者。子杰难得感到自惭形秽，他没有勇气掏出那张证明自己小学教师身份的工作证，只能试着硬着头皮报出阿伟的名字——阿伟不止一次讲过，只要报出他的名字，什么宾馆都能通行无阻。这一着果然生效，其中一个门卫挺海派地朝里面扬扬大拇指："上去吧，这工夫，他恐怕还在餐厅里呢！"然后，他就扣住子杰后面的一位，铁面无私地盘问起来。

餐厅里客人已走得差不多了，唯有阿伟那桌热闹得很。阿伟倒不嫌他这个姐夫土气，老远就热情地迎上来，得意地操着一口上海腔的广东话，口若悬河地吹了起来："来，介绍介绍，我姐夫，上海叶家的小开。知道叶家吗？赫赫有名的'添禄'时装公司老板嘛！我姐夫是忠实的马列主义信仰者，看，八十年代的今天，还穿着涤卡人民装，可见革命的彻底性。老实讲，这就是上海人的门槛，叫不露财！"他的俏皮话似真似假，油腔滑调，博得众人一番哄笑，使席间十分热闹。子杰立时明白，阿伟在这里，不过是扮了个刘姥姥的角色，凑个趣罢了。他记起今天刚才在饭桌上，父亲为着孙子三日两头跟着阿伟玩宾馆，曾狠狠地发了顿脾气："小小年纪就去玩宾馆、混咖啡室、吃酒席，养成了习惯，岂知以后他自己有无这玩宾馆的资格和能力，这岂不是害了他！"当时他还认为父亲又是无端发火，不过找刺找碴罢了，现在看来，父亲的话确实有道理。唉，父亲呀父亲，假如他不是老拿那种蔑视的目光看他子杰，假如他和父亲之间没有过那场"划清界限"的误会，他确很想好好向父亲讨教一下。生活真难，真会戏弄人，可父亲总能应付得不错！

他忙忙叫过儿子，从包里拿出一件毛衣要给他套上。他可不愿意他儿子，跟这样的舅舅一起，供人消遣取乐。

"我不，"儿子挣扎着溜到舅舅身边去，"我不穿这毛衣，这是乡下人穿的。"

"你！"子杰真想刮他个耳光。不过，那件毛衣确实又小又旧，袖口上还挂下根毛线。这还是他小时候穿的毛衣。唉，美仪不在，他找东西都找不到，顺手捞了件就来了，看来，这件毛衣美仪本是准备拆洗的。在众人的哄笑声中，他觉得万分狼狈！他干吗要到这儿来丢怪卖丑，这种地方本不是他来的！

"叶子杰先生，还记得我吗？"港客之中，一位女宾，操着一口糯声的上海话，娉娉婷婷地起身向他招呼着。

子杰在北国塞外待了二十年，缺乏与时髦女郎交往的经验，这突然而来的艳遇，令他猝不及防。他拎着儿子那件毛线衣，呆了。

"真正是小开的眼睛：只朝上，不朝下。"她双手叉着，微微侧着头，笑盈盈地看着他。

他搜尽所有的记忆，依然记不起她。

"我是庭珂，还记得吗？"

噢，庭珂，他小学六年、中学六年的同学。

她涂着蓝幽幽的眼影，浓浓的额发一直垂到眉际，与学生时代，大不一样了。

"噢，原来是你。你……好像长高了。"子杰拘谨地握着她伸过来的手。这只手和妹妹的一样，白皙细长，涂着紫罗兰色的指甲油，其中一根手指上，闪烁着一颗钻石的光。她即刻格格地笑出声，举起脚向他亮了下起码有十厘米高的鞋跟。

"我说呢。记得原先，你只齐我肩头。"他话没落音，庭珂的脸就飞得通红。子杰可不认为，他话里有任何使她脸红的地方。

闻着她那阵阵时时飘来的幽香，他很有点局促不安。他向来不善和女人打交道，更别说这种搽脂抹粉的真女人。他也从没与女人谈过恋爱：与美仪的婚姻简直可以说是老式包办婚姻。因此，虽然儿子已经快十岁了，可他对女人，实在还是一无所知！

庭珂穿着一条紫灰色的薄呢裙子，腕上套着紫茄色的骨制手镯，很时髦，很高贵，典型的太太样。庭珂成为他今天所见到这模样，是他早就料到的。打他听说她赴港后，他就想象到了。可是今天，当她真的如此站在他面前时，他感到自己的自尊受到一种显然而又莫名的威胁。

"噢，我的班主席同志，你又该批评我生活不朴素，好打扮了吧?"发现他在打量她，她很是得意。

庭珂从小爱打扮，上学时连头上的发结，都天天翻花样，为此，没少挨过老师和同学们的批评。也因为这同样的原因，使她打摘下红领巾后，就再也没参加过高一级的先进组织。作为童年青梅竹马的伙伴，却又是思想积极、要求进步的班主席叶子杰，自然更是看不惯她，大有恨铁不成钢的怨气。

"不，你这样挺好。"他诚心诚意地说。他喜欢她这种格调，高雅不刺眼。

"到我房间里去坐坐吧。"她向他扬扬手中的钥匙，这个孩子气的动作，一下缩短了他和这个举止阔绰、衣着典雅的女人间的距离。忽然，他发现自己其实很想知道这二十几年来庭珂的生活究竟是怎么样的。他想拉上儿子一起去，岂料儿子宁可跟舅舅待在一起。他犯难了，他不习惯单身一人去另一个单身女人的房间。他环顾四周，想找一个可以谈谈的角落，但庭珂已经在前面领路了，她迈着轻盈的步子，身材依然窈窕动人。他只得跟着她向电梯口走去。他的粗笨的大头皮鞋，在猩红的地毯上留下一个一个灰蒙蒙的脚印。

她的房间不大然而舒服。子杰在车马大店里借过宿，不是亲眼看见，很难想象这第一流的、在国际上可属四星级的豪华宾馆，与那充满汗臭的车马大店同时共存在一块土地上。他这辈子，只有住车马大店的福分，不会有住四星酒家的福分的。

"喝可乐还是威士忌?"在她俯身弯向冰箱时，她的腹部很显然地隆起一层，这是肌肉松弛的症候。不管保养得怎么好，这逝去的岁月，不可能不从你身上带走点什么的。

庭珂麻利地倒好酒，加上冰块，送到子杰手里。又替他拍松他身后的沙发靠垫，顺手将烟、烟碟和打火机，一一搁在他信手可及的地方。她轻快又有条不紊地忙碌着，让人感到：她是位够格的、能把丈夫侍候得舒舒服服的太太。回到房里，她已经换上一双软底的便鞋，因而她的身长又回复到以前只齐他肩头的高度了。待她把一切都收拾舒齐后，她即在子杰对面的床沿上坐下，老练地喝了口威士忌，连眉头都不皱一下，随即从杯子口边抬眼看看他：

"你怎么还是这样革命？"

革命？她凭什么这样认为？难道就凭他这双大头皮鞋和那皱巴巴的衬衣领子？要真能这样，那革命实在太容易了。革命在子杰心里，永远是那样神圣，那样可望而不可即！而且他感到，这有点像孩提时看到的月亮，那么明媚，那么光洁、超脱，可是你在往前走，它也在往前移，你永远达不到它的眼前。

威士忌的力量使她两颊红晕晕的，她优雅地架起两条漂亮的腿，双手互抱着肩，斜倚在床背上。细长白嫩的十只手指上，一只套着钻石戒，一只套着只白金结婚戒。她整个人，与这间舒适的有着现代化设施的上等房间，与收音机里传出的幽雅恬静的旋律，是那样融洽、吻合。可有一阵，他却真心诚意一心想改变她，想"挽救"她。说来好笑，那阵他连自己本身都没认识清楚，就急急忙忙想以自己本身为标准去改变别人。

"我本来以为，像你……应当早就离开大陆了。对了，你不是在美国邮船上出生的吗？干吗不去想想办法，弄个美国出生证？"她那涂着眼睑膏的眼圈，使她双目显得十分清亮，熠熠闪光。

"文化大革命"使每个家庭，每个个人，都没有了自己的秘密。它把人们的各种隐私都抖了出来，成为他人饭后茶余的闲话题目。那年，肚里怀着他的妈妈，和爸爸一起受爸爸原来的洋老板的邀请，去夏威夷度假。过累的活动使妈妈在回国途中，提早两个月生下了子杰。子杰没料到自己出生的秘密，已是如此的公开，连隔绝了二十多年的庭珂，都知道了。

"你为什么不去想想办法呢？"她关心地又重复了一遍。

明白了，她说他"革命"，其实是说，他怎么这样颓废、潦倒！他这个吃莜麦面①吃得实打实的人，连幽默感都没有了。

唉，为什么人们都认为他一定得出去呢？就像"文革"中农场斗他，说"像你这样出身的人，新社会改变了你们一家的生活，你怎么可能会热爱社会主义"一样蛮横和不讲理。

今天，人们却奇怪他为什么不穿西装，为什么不参加舞会，怎么不会打麻将，也没有漂亮的女朋友，为什么不申请出国……好像叶信义的儿子，就应该这样。否则，就没有资格做叶信义的儿子，就是不正常甚或是假积极。天呀！难道做人也得像买时装那样，风行什么就追求什么吗？他这样的岁数，如果在事业上是春风得意的，自然还可以在职称前冠上"青年"两字：青年校长、青年院长、青年科学家、青年作家……可是既然他一事无成，就该老老实实地承认，他已人到中年了。到了这把年纪，就是穿着，也不能再赶时髦了，何况为人处世。唉，"风流人物还看今朝"，这句他以前踌躇满志地写在日记本扉页上的豪言壮语，已不再属于他了。

他在沙发上挪动了一下，聪明的庭珂即在他身后再塞进一只拍得松松软软的靠垫。这一细微的动作，像一把软软的毛刷在他心中轻轻一扫，痒痒的。尽管儿子已经快十岁了，可没有一个女人让他有过这样的感觉。

这间舒适温暖的房间很有一种居家气息，以至子杰感到一种松散甜腻的慵倦之感悄悄向他袭来，他甚而放肆地高高将左脚架在右腿上，那只灰蒙蒙、脱线的旧皮鞋，与庭珂的小巧的镶着一串毛茸茸的白皮的便鞋形成鲜明的对照。是的，她是在铺着地毯的镶木地板上行路，而他，却是跋山涉水，四处奔波，最近刚刚才安定下来。他实在给颠簸怕了，他再也不想唱"打起背包走天下"的歌而浪迹天涯了，他只想有这么个松松软软的软垫靠着、躺着，所以，他实在对护照不感兴趣。二十年前那种"天下无难事，只怕有心人"的勃勃雄心，如今是再也呼唤不回来了。

---

① 莜麦面：用莜麦打出的面条，很结实、耐饥。

"记得我们的语文课代表吗？他如今在夏威夷。还有……"庭珂报着一些老同学的名字，出去了的同学，可也真不少。

"还记得关迎胜吗？"似乎为了加强效果，她停顿了一下才往下说，"他是你的朱赫来呀，保尔同志。"她做了个调皮的表情。

"哦，他怎么了？"他的脑际，立刻显出一个黝黑、憨厚、讲话带山东口音的男同学：团支部委员关迎胜，他的入团介绍人。关迎胜的父亲在淮海战役中失去了右臂，光这点，就足以让子杰羡慕得要命。中学时代的关迎胜，成熟又有政治头脑，是学校里不多的几个打过入党报告的学生。子杰崇拜他，像模仿牛虻那般模仿他，把他比作朱赫来，希望自己能成为保尔。他把一个狂热的、易于激动的青年所企求的一切，都集中到关迎胜身上，在这样的崇拜和敬畏之中，他感到欣慰，感到满足。

"人家现在可是不同了，也是西装笔挺的，在深圳做生意。今年春天到香港来谈生意，还请我吃了次饭，一顿酒席三千元，哇！派头比我们香港人还大。不过，他自然用的是公家的钱。"

"关迎胜，他也在做生意？"子杰激动地眨巴着眼睛。

"这有啥奇怪？当今，生意人最吃香，最风流了。"忽地，庭珂伸长脖子，问得很天真，也很认真，"你是党员吗？"

"你看呢？"

子杰抿起嘴巴想做出一个幽默的微笑，但眼梢边堆起的皱纹，却让庭珂感到，那是一个苦涩的、失败者的微笑。她不再追问了，转了话题："你现在……过得还好吗？"

"户口总算回来了，在附近一个小学里混差事：上音乐课、手工劳作课和图画课。"他双眼盯着自己的杯子，挑选着尽量简洁的词语，目光盯着自己的指甲。然后，似乎下定决心，才又把目光移到庭珂身上，"你呢？"她看着自然是不错的，不过，另一方面呢？

"我嘛，"她低头转了一下结婚戒指，然后抬头双手一摊，说，"过去，一个屡教不改的资产阶级小姐；现在嘛，一个地地道道的资产阶级太太，如此而已。"

说到太太，她倒是挺有太太的风度：讲话只发出嗓音音量的一半，就座前先用双手抚平裙子的后裾……可为什么从前，子杰把"太太"两字视作妖魔猛虎！

"当时为了逃脱里弄干部动员去新疆的纠缠——我不吃羊肉（能有羊肉吃，蛮不错了。子杰想），我就找了个香港丈夫——主要因为你扔下我走了，再没有人苦口婆心地要帮助我进步了。"说到这里，她为自己的俏皮话莞尔一笑；可子杰却感到，什么东西在他内心深处猛烈地翻腾着。他强抑内心的激动，认真地捕捉着她的一字一语，尽力领会她话语中的全部含义，"随便嫁个香港人，在大陆是最容易招人骂的。不过，对女人来说，婚姻，也是找出路的一个重要途径呀！"她飞快地扫了子杰一眼，用一种解嘲的口气说。子杰领会地点点头。他与美仪的婚姻，她与那香港人的婚姻，实在又有什么区别呢？

"香港嘛，既不是天堂，也不是地狱，反正也就是一个人世间。人世间的一切喜怒哀乐，香港都有。我先生起初不过是一个小职员——好的才不会到大陆来找太太呢！既然我成了他太太，当然就得全心全意支持他干。现在，我们有了点小产业，买了两层楼宇，不过，老用先生的钱，毕竟不爽心，现在和大陆做生意很风行，我也就轧一记闹猛，试试看了。呵……你不会认为我这个人生意经味道太足了吧？"

"做生意，你能做生意？"子杰真想不到，当年那个连收小队电影票钱都要弄错数目的、进了公园永远找不到出口处的娇女孩，今天竟也会做生意了。

"学呗，还怕学不会？我这已是第二次回大陆做生意了。做生意都要有套门槛，这套门槛摸熟了，就好了。比方我，先要摸熟对方有无支付港币或外币的权力，没有，那就一切免谈；有，就再进一步了解对方的实力、设备……"她叨叨地讲着，活脱是一个难应付的精明及老谋深算的生意人样。但同时，她整个身子却又散发出一种迷人的魅力，大约，这就是那子杰今天提及还会脸红的"性感"吧？

"以前，我做梦也想不到会建立自己的事业。我以为自己只能和别的女人做的差不多：结婚、理家、生孩子……不过，四十岁才开始自己的事业是不是太老一点了？"但她马上自我安慰道，"不过，有事业总比没有好！"她说着，忽地旋风般转向壁橱，从里面拿出一件紫貂皮大衣，孩子气地往身上一比划，问："好吗？我刚买的。自己的钱买的，大陆的皮货好便宜！"虽说她讲得很孩子气，但听上去，仍是得意又满足。唯有生活舒心、事业得发的人，才会有这样的神情流露。

就是眼前这位拥有貂皮大衣的太太，子杰曾那样为她操心，为她惋惜……

二十年前，在奔赴新疆的列车前，穿着崭新军装的子杰佩着大红花，亲耳聆听着市委首长的讲话。记者的镁光灯对着他一闪一闪的，他把脊背挺得直直的。主席台上，一位帅气的女战士，他们这批赴疆战士的代表，正英姿勃勃、神情激昂地朗读着他们致上海人民的决心书，这份决心书隔日将全文见报。她自豪地朗诵着："俱往矣，数风流人物还看今朝……"麦克风把她的声音扩大了几十倍，在月台上迂回着、荡漾着。那气贯山河的铿锵之声，激起全场一片雷鸣般的掌声。子杰年轻的心，在胸腔里膨胀着、跳动着，他感到，他已经挣脱了长年以来苦恼着他的家庭带给他的重负，从此，一条金光灿灿的大路在他眼前展现。他不觉把胸腔挺得更高了。这时，一只大大的紫罗兰发结，在欢送的人簇中闪过，那是庭珂。她也来送行了，又不好意思迎上来，只敢远远地站着。

列车启动了，他远远向她挥挥手中的大红花，觉得自己很对不起她，把她一个人撂下了。他应该带着她一起赶路，可是，她为什么这样不争气呢？……

如今，二十年过去了，她果然如他所料，成为一名身穿皮大衣的太太，或许，还有一辆"奔驰"汽车。可是，究竟谁是时代的落伍者呢？谁至今为着一个月只挣六十来块的工资，而不得不带着妻儿一家，求助于父亲布施的饭碗呢？他奋斗了半辈子，生活于他，就像他自个那辆踩着叶子板会沙沙作响的老坦克，既沉重又寒碜。

"我那时，很让你失望吧？"似乎思绪也会相通的，庭珂也回到她还是个女中学生的时代。现在，她已经不再用一半嗓音讲话了，在全部放开的嗓音里，带着按捺不住的因怀旧而引起的激动及十足的小孩子气的纯真。

"你走前，曾送我两本书。一本是《军队的女儿》，一本是《钢铁是怎样炼成的》；这两本书，我还保存着，在我香港家里的书橱里。"她手撑着下巴，轻轻地说。看得出，她的思绪，还停留在那遥远的彼岸。在她优雅地架起的双腿上，裙子给滑到膝盖上，露出一对圆浑浑的、穿着深色丝袜的腿。他瞥了它们一眼后，即小心翼翼地收敛起自己的目光。虽说她丝毫没有觉察到，他还是感到老大的不自在，面颊热乎乎的。

"是的，你确实让我操心，我曾把你比作冬妮亚。"

"冬妮亚？那么，你就是保尔了！"她扬了扬漆黑的眉毛，目不转睛地望着子杰。

子杰没料到，他竟这么吐露了一个自己都不愿承认的隐私。但他还是用同样专注的目光回视着她："是的，我那么比过。而且，像保尔和冬妮亚一样，我们又见面了。只是，我到底并没成为一名布尔什维克；你，却成了一位名副其实的太太。"

"那我身上，有一股呛鼻的樟脑味吗？"

他很认真地思索一下，说："没有。不过，我也弄不清了，这究竟是我自己的嗅觉出了毛病，还是由于历史的误会，或者说，我们曾经崇仰过的作者，把话讲得太绝了。"

她的眼睛稍稍眯缝了起来，露出一种迷惘的表情。

子杰喷了个烟圈，那灰白的圈圈袅袅向上飘浮着，很快就化成一片白雾，隔着白雾，庭珂的脸上像罩上一层面纱。不知为什么，子杰忽然联想到，她披上新嫁娘的头纱时，一定是这模样的。她做新嫁娘时，他正在北疆咬牙苦口地修炼呢。哦，子杰到今天才意识到，在他那不长的"过去"，原来也有着一段极其美好的时光，只是那时的他，是一名正在冲锋的战士。他自认他的目光应该注视着崇高的目标，他无暇顾及前进路边的一朵小花，他错过了俯身嗅一下这朵小花的好时光。

床头机上电话响了。她用眼睛向他说了声"对不起",同时迅速地拉开她床头柜抽斗,拿出一大沓单据和报表之类,又开始扯起他半懂不懂的生意经。

她搁下话筒时,随便问了一句:"叶子灵是你堂弟吧?我和他公司有点生意往来。他发达着呢,香港的'添禄'办得挺兴隆呢。"

子杰闷闷地吐出一串烟。

"你变了,子杰。"庭珂呆呆望了他一阵,摇摇头,自语般地说。

"是呀,我老了。"

"不。你变得懒散了。"

庭珂继续盯着他那张棱角分明的、假如说精神振作的话一定十分帅气的脸面,想从中揣摩出她的话在他心里引起的反应。

子杰又吐出一个烟圈圈,仍然没有吭声。

庭珂拎起他刚才随便扔在床上的、他儿子的那件又小又旧的毛衣,把它叠整齐了,问:"你跟你太太,相处得还可以吗?"

"有如你与你丈夫。你是为着去香港而嫁人,我是为着回上海娶她。不过一旦这成为事实,我会对我的家庭尽责的。"

"是嘛,中国人,习惯先结婚,再恋爱的。"

她笑了笑,那是个无可奈何的笑容。她用细长的手指轻轻抚摸着那件小小的旧羊毛衫,说:"这是你小时候穿过的。我还记得你穿这件毛衣的模样,又白净又文气,活像一只糯米团。后来,老师布置作文《我的同学》,我就把你写进去了,连同你这件毛衣,那时它可是崭新的!那时,我们念三年级。"她瞅了他一眼,轻轻说:"我小时候很喜欢你呢!"一阵微微的红晕飞上她的腮帮,使她显得像个羞怯的小姑娘似的。

子杰紧抿着嘴唇,连气都透不过来。他的嘴角边各有了两条显而易见的纹路,或者说皱纹。半天,他抖了下轮廓鲜明的嘴唇,说:"现在,你会感到,我和那个小糯米团,中间好像一点儿联系也没有了。"

"是呀,我们都长大了,老了。"她垂头用双手把脸蒙起来,然后又马上直起身子,说,"小时候,老以为到成人这段过程是很长很长的,可以做很多事，可以证实自己的很多梦想，可结果你看，那么匆匆一瞬，什么都来不及好好想想，它就过去了！"看见子杰又含上一支烟，她顺手拿起打火机对他揿亮了，子杰眯着眼睛把纸烟凑上火苗，火光照亮了他的下巴颏，一个小小的坑窝在他的下巴颏上显现着，她的心突突跳了。

"子杰，告诉我实话，反正我们现在都已经够大了，你喜欢过我，是吗？告诉我，让我相信，我毕竟也被人爱过。人说，悄悄地让人爱着是一种幸福呢！"她手里依然拿着那把打火机，身子向前倾着，裙子挨着他的膝盖。一双眼睛很严峻、很专注地期待地盯着他。

一种无可言传的遗憾，刺了子杰的心一下。这真是难以相信，子杰自认自己是不相信这种感情游戏的。除了音乐，没有什么能打动他的心。可是……

但是，他能对她说些什么呢？当时他对她持的那种爱情并不是明确而热烈的，那是不可能用语言表达的。

"有一次，你上我家来，"他结结巴巴地说，"是问我借笔记本的。我给你倒了一杯茶，你喝了两口，就走了。我对着这茶杯看了半天，就着你嘴唇碰过的地方，把还有半杯茶喝尽了……以后，一看见你，我就觉得害怕。那年我念高三了！"

"哦，谢谢你！"她向他伸过手。他握住这只柔软而有力的手，奇怪二十年来，怎么这个过去的细节，会像长空闪电一样在他记忆屏幕中突然划亮了一道眩光，把那"过去"照得那样清晰、那样实在！不过，马上，他们两人都拘束起来。庭珂放开手，低下眼睛问：

"伯伯、伯母都好吧？"这是缓和气氛的话。

"好得不能再好，如鱼得水。"

"你好像还有个小妹妹，她好吧？"

"万事如意。对当前的气候特别适应。毫不痛苦、轻松地担任着团的工作。当初阻碍我的一切，现在反而都成了把她托起来的祥云：资产阶级家庭的出身、海外关系、母亲从小对她那套老掉牙的礼仪熏陶、唯有读书高的追求，都抬高了她的身价！就看哪个有魄力的小伙来钓这条大鱼了!"

"那么你呢?你难道不可以像她那样,顺着这潮流再重新安排你的生活……过得快乐点!"

"我没办法了。如果说,从前我还琢磨着钢铁是怎样炼成的话,那么今天,我是一块废钢,一块不能回炉的钢!"他蹙着眉摆出一个笑容,嘴角又显出那几条皱纹。

"可是,你应当振作起来,谁都是从那个年月走过来的,为什么人家可以东山再起,偏偏你……"她很替他不平、难过。如果他是个跌破腿的小孩子,她可以替他上红药水、贴纱布,把他揽在怀里哄慰着,可是现在,她能为他做些什么呢?

他吐出最后一串烟雾,用力揿灭了烟蒂,这一动作暗示着:一切到此为止了。

她可不愿到此为止。她打开自己的小皮包,从中掏出一张名片给他:"我明天下午就要离开这儿了,不过我六个月后还会再来的,你有什么要我帮忙的,尽管来信。"

这么说,她想充当过去他待她的那个位置了:对不起,我要赶自己的路了,我不能带着你走,可是,你为什么自己这样不争气呀!

他没有接过那张名片,就拉开门欲走。

"等一等。"她递给他那件小羊毛衫。

他迈着笨重的老 K 皮鞋,踩着松软的地毯走了。

庭珂倚在门口望着他的背影,直到他消失在走廊尽头……

八

老徐师傅那间前客堂里，红木梳妆镜台上又多了一样时髦的玩意——电话。在这条惠福里中，私人电话可不多，恐怕这是唯一的一架。这台漂亮的奶黄色的电话，老徐师傅看着就来气：近邻隔壁来借打倒也算了，甚或代楼上楼下邻居义务传呼下电话也算了，最让他冒火的是，厂里有什么事，不管半夜还是大清早，叮零零电话一响，九龄就得冲到厂里去。有时，连一些不是九龄份内的事，也因为家里装了电话，而变成九龄份内的事了。比如上次，另一家服装厂急着要往船码头发货，厂里两部汽车却开到浙江去还没回来，不知怎么就拨了九龄家的电话，硬是把九龄从热被窝里拉出来，找了驾驶员，带了通行证，把自己厂的车子开了出去……这三日两头有这种多出来的事折腾，吃得消吗？

看，今天是九龄厂礼拜日，昨天他忙到半夜两点才睡，为着参加马上要举办的一个服装订货展销会，可那架奶黄色的电话，一大早又不识相地尖叫起来。

"来了来了……"坐在马桶上的徐师傅明知对方听不见，却也心急慌忙地答应着。

正在天井水龙头上洗东西的凤娣，忙忙孛巴着一双湿手，接过了话机。

"喂，徐九龄在吗？"话筒里传来一个嗲里嗲气的女人声音。

"你是谁？"凤娣警惕地问。

"你是哪位？"对方问得婉转一点，却也是一样的警惕。

"你这人怪？我问你是谁！"凤娣恼了，用怒悻悻的口气说。

"徐九龄在吗？我找他听电话。"对方依然是那听起来令人会觉得很可爱很甜蜜的低沉嗓音说，就是这嗓音惹得凤娣很冒火。

"他还没起来呢！等一会再打来。"她粗声粗气地说。

"等一等，我来了。"正在这一刹那，门口响起九龄响亮而清楚的嗓音。凤娣不好把电话挂上，但还是站在一边，用阴郁的眼睛盯着九龄。

"喂……呵，你早！……哦，太好了……唔……"

凤娣努力地听着，却什么也听不到，九龄已经把电话挂上了，开始快乐地吹起口哨到洗脸架去洗漱了。

"那是谁打来的？"她望着他涂着肥皂的脸，委屈地问。

他没有注意到她的脸色发生了什么变化："叶薇打来的。"

"哦，就是那只'烘山芋'！"

"人家又没碍你什么，平白无故去讲坏人家做啥。"

"她约你出去吧？"

"约我上她家去。"他开始仔细刮胡子了。

"可是，我特地把调休日调到你厂休日，你不是说带我去跳舞吗？"

"下星期再说吧，对不起。我这是公事。"

"办公事为什么打扮得这样漂亮？还刮胡子。"

"难道整洁可以不要吗？"他说这话时，有点嫌烦了。

"你几点回来？"她的问话仿佛是一根棒冰般冷。

"喂，你管得我这么多，又不是我老婆！"他终于不耐烦了，大声抗议着。

"哦……对不起，"她脸涨得通红，然后慢慢转身走开，仿佛疲倦透顶似的，"我刚中班做出，太累了，没睡好。"

他继续快乐地吹着口哨，换上一件小领子的牛津布衬衫——这种衬衫又便宜又时髦，只可惜利润低一点，他自己厂里不愿意生产，再配上深蓝色的针织领带，镜中的自己，精神、帅气。他肩膀宽阔，高高的个子。可体的裤子折缝笔挺，显着他的腿更长。

有人在天井擤鼻子，这声音像针尖一样刺了下他的心：凤娣在哭。哎，看来他刚才过火了。但是……他只能装出没觉察的样子。自然，只有瞎子才看不出她对他有意思。然而正因为如此，他更只能装作没听见她在哭。他索性穿上外套开门走了。

"早饭不吃了?"父亲在厨房叫住他。

"我去外边吃。"

天井里，凤娣抽泣得很伤心，连眼泪都不擦，由着性儿哭着。她虽然没有才学，但是敏感。她感觉到，九龄很高兴"烘山芋"挂电话给他。这个"烘山芋"，她什么都有了，可她凤娣，却什么也没有! 仅有的这一点，她还要来惹她!

二号的铁门吭当一声打开了。

"哦，是你!"叶家那个小开，很礼貌地对九龄打了个招呼。他们偶尔在弄内遇见过，只是从来没有打过招呼。但是，这位小开此刻并没有邀他入内的意思。

"我找……"九龄沉吟了下，说，"叶薇。"

他听了，简直有点警戒地盯着他："找叶薇? 有事?"

九龄有点恼了，这个小开是怕他来拐走他妹妹还是怎的? 索性来个将计就计激他一下： "你们叶薇大清早就打电话到我家!"他故意着重"我家"两字，表示自己也有一架私人电话。

"你请等一下，我去叫她。"小开扫了他一眼，凭直感，九龄感到他对自己很不友好，甚或有点反感。不过，老实说，他也看不起这个小开。瞧他那条宽大的长裤，简直仿佛随时都会掉下来似的。脚上一双灰蒙蒙的老K皮鞋，一副无能窝囊的邋遢样。这个小开，看来有了钱还不知怎么花呢。这个可怜虫，听说不过是个小学教师而已。哼，孩子王!

"哦，你来了!"这时，薇薇已轻盈地从屋里出来了。一头乌黑的秀发在阳光下更显得光洁浓密。她穿着一件玫瑰红的毛衣，深蓝的呢长裙，眼里露出毫不掩饰的喜悦与快乐的光彩，"爸爸在等你呢。"

九龄感到自己已争回了刚才在大门口失去的尊严，他拉了拉粗花呢西装的门襟，很傲然地闪身在子杰前面进屋了，一只锃亮的牛皮公文包夹在右臂下。

在薇薇的带路下，他上楼去，心里不免有点不踏实。倒不是因为紧张——他与外商都洽谈过生意，他知道这位叶老板是个很有心机的人，他可不能让自己落下笑柄在他手里。

"不卑不亢"，他反复对自己叨念着。

叶信义穿着一件厚绒晨衣，正架着二郎腿在专心看报纸，仿佛对九龄的到来一点都没觉察到。

装腔！这老头是存心在搭豆腐架子！九龄心里狠狠地说。他顺势环顾了下起居室的陈设：虽然房间宽敞明亮，也没啥了不得的讲究。而且，那些七拼八凑的老家具，虽然不失气派，但有种让人置身于旧货店的感觉。九龄甚而感到有股霉气。他瞟了一眼叶信义，暗自好笑，想：不要搭架子了，今日请你出山，重见天日，也是你的造化。否则，连你自己也要像这些老古董旧家什一样发霉了！

薇薇过去轻轻叫了他一声，叶老板这才装着刚刚发现客人的模样，热情地欠着身子摆出似乎要起立的架势，不过到底没有站起来。

"哦，徐厂长，坐，请坐！阿薇，煮咖啡去；子杰，敬烟。这几日天转凉了，起西北风了……"他开始今天天气哈哈哈的寒暄，可眼镜片后面，一双尖利的目光很厉害地上下打量着九龄：这小伙子，一脸孔聪明相，倒是仪表堂堂，一表人才。领带与衬衫、外套的颜色配得倒蛮内行，只是领带结得太松，不够硬扎。人到底嫩着点。不过，一个插队落户过的人，能弄得如此像模像样，不容易了。不知他肚里货色怎么样，这班小鬼多半是没读过啥书的，且加上那头时髦的、略略嫌长的头发，使这位年轻的厂长显得飘点；花哨有余，威严不足。

九龄觉察到对方在掂他的斤两，心里多少有点发毛。但转而一想，对面这位再精明再自负，他的一切都是过去时了。事实上"添禄"的旧号虽然还没正式恢复，但客观上，今天八十年代"添禄"的厂长是他徐九龄，不是叶信义。他今天是看得起叶信义，才上门与他洽商一些事务，自然，还有有求于他的事。所以还是这四个字：不卑不亢。

"今天专程来拜访叶先生，可谓无事不登三宝殿。想来，叶薇同志已和您说起过了，就是关于恢复'添禄'名牌和特色工艺的事。您是时装界老前辈，'添禄'的创始人，想聘请您出任我们'添禄'厂顾问。上海滩上的老顾客，还是很惦记您的。"略略捧他几句没关系，反正好话不值钱，只要不过分。

果然，叶信义很窝心地笑了几声。不过，他可不是任人摆弄的傻瓜，做个不管事的出卖自己名字的顾问，他是不甘心的。可要真的干一番事，重振"添禄"威名，让人家知道他叶信义还行着呢，不知这位毛头厂长能不能与他合作。还有，这位厂长本身的头脑是不是拎得清也是个问题。要避免羊肉没吃到，反而惹了一身骚。

"你厂长当了多久了？"信义出其不意单刀直入地问。其实他知道九龄这厂长当了一年不到光景，但是，他想通过一连串对方猝不及防的问题，来验证一下对方是否坦诚、干事上路、有魄力。这好比是乒乓球赛前交战双方一次短暂的练球。

"十个月零六天。"九龄坦诚地回答。

"你们厂上交月利润多少？"

"本来是六万，最近，最低之时，只有四百元。"

信义揿打火机的手呆了一下。

"不过我想，"九龄慢慢地眨一下眼睛，勇敢地迎着信义惊愕的目光说，"我能改变这一不利局面的。"他那对黑而亮的眼睛，很自信地闪烁着。

厨房里，薇薇正在忙着煮咖啡，子杰在水斗上洗衣服。

"那厂长找爸做啥？请教生意经？"子杰露出一脸鄙夷的神色说。

"他挺能干的，一点看不出是个裁缝的儿子。"薇薇钦佩地说。

子杰没吭声，只是一个劲在洗衣板上搓衣服。薇薇心疼地看了哥哥一眼，说："哥哥，你就去嫂嫂那儿赔几句好话，把嫂子接回来得了。不过嫂嫂也是，找上我们这样的人家做媳妇，她还有什么不满意呢？还成日成夜折腾啥！"

子杰继续猛力地搓着衣服，虽然父母那里置着全自动洗衣机，但他从来不去动用它。"如今，我也弄不懂了，越是从前生活得比较苦的人，对享受那一套，却越是接受得快。别说美仪现在也要戴金链条戴戒指，就看隔壁那位厂长，那样子简直像个小开！"

"穿西装戴项链就叫资产阶级啦，对吗？"妹妹火辣辣地反问道。

"我不是这个意思。我意思是，这些人追求的东西不大对头。看看客厅里的那一位，爸爸和他凑在一起，我就看不惯！"

"你把根本弄糊涂了，哥哥。我看，我们中国之所以穷，就是缺乏一批企业家！"妹妹一手拿着咖啡壶，一手激动地挥舞着，涂着红艳艳的蔻丹的手指闪着耀眼的光泽，这副模样来谈论国事，让人很难同意她的见解。

"哼！"子杰冷冷地笑一声。他从心里看不起楼上那位西装革履、夸夸其谈的"小开"——企业家——改革家，叫他什么都行，他看不起他！企业家，一代风流嘛！人家这条革命之路，怎么就走得这样轻松？而他叶子杰，多年来，却像个托钵游僧，历尽艰辛，到头来却是一事无成！

妹妹托着咖啡上楼了，看来，她对这位厂长挺有好感，很帮他讲话。自然，那位企业家很帅气……蓦地，一个念头闪电般掠过子杰脑际，虽说他还没理清头绪，但他很清楚地感到，这个厂长窜入他们二号门牌以后，会惹出许多麻烦的，会威胁到他叶子杰的某些权利的。

看见薇薇进来，九龄眼神明显地一亮。老实说，光和老头交谈，实在也有点乏味。

"薇薇，我们同学正在酝酿，元旦开个迎新舞会，想请你和我们一起参加。"他接过咖啡说。

"哦，你跳舞一定跳得很好。"

"不行，我只会跳三步头，四步头，还有蹩脚伦巴。"

"你是说华尔兹和布鲁斯吧？我这倒还马马虎虎，至于跷脚伦巴，我这还是第一次听说。"薇薇浅浅一笑，说。

九龄马上记住了，以后千万不能再说三步四步了，至于跷脚伦巴，肯定是不上台面的。他悄悄瞥了一眼叶信义，生怕会招他耻笑。还好，他正在专心替自己的咖啡加糖加奶，到底年老耳背了。九龄这才定心，俯下身子用小镍勺，就着茶具舀了一勺咖啡送到嘴里，发出很响的"咂"一声。

其实，叶信义早就一字不缺地把话听进去了，只是不露声色而已。这番再看到徐九龄喝咖啡那架势，不由得心里暗暗耻笑一下：这小赤佬，毕竟资格嫩着点，眼界还未开过。不过，要不了多久他就会学会这一套的。须知生意经里，举止仪表也是很要紧的一环呢！

"我年轻时，跳舞场也跑跑的。我的探戈，是拿手的。"信义左手托起茶具的小碟，右手用小匙搅拌了下咖啡，随即放下小匙，拿起茶杯呷了一口，连声称赞着薇薇的好手艺，"薇薇手艺不错。一个能干的女人，就是要既能抛头露脸做大事，也能煮咖啡、下厨房！"

"是呀，不会下厨房的女强人，我们男人宁可敬而远之！"九龄说着，即刻托起茶碟，用刚才搁在咖啡里的那把小匙搅了下咖啡，顺势将它搁在小碟上，然后把杯子的柄把转过来，拎起杯子呷了口。那把小小的勺子弄得他很紧张，一切显得很笨拙，但他反应之敏感，更正速度之快，让信义十分称赞。他相信可以与之合作得很好的。

不料九龄那一串别扭的动作，恰恰让刚推门进来的子杰一览无余地看在眼里，他的嘴角泛起一股冷冷的嘲笑。这位年轻厂长，就像学习中央文件样认真学习那一套令人作酸的礼节，真难为他了！

九龄看到子杰，只是略略向他颔颔首。

"阿伟来了，爸爸。"子杰对父亲说。

信义皱皱眉。他实在看着这位媳妇的兄弟头疼，无奈当今在上海滩上的社交场所(时髦话为关系网)尚未向叶家开放时，叶家还真少不了这个阿伟呢。大至飞机票轮船票，小到电影票电视机票，再加上往宾馆里订个酒席，找辆出租汽车，缺了阿伟，还真不行！而阿伟，也就仗着自己有这点法道，在姐姐的婆家登堂穿室，十分自如。连称呼，也是跟着姐姐美仪，一口一声"阿爸"、"姆妈"、"薇薇"地叫着，喊得又亲热又顺口，也不管对方听了肉麻不肉麻。他身穿一件颜色样式均属典雅的花呢西装，手上却提着一只巨型的彩条塑料袋，再配上包屁股的牛仔裤，显得不伦不类。

活像只旧货鬼！薇薇鄙夷地撇撇嘴，很气恼这工夫跳出个煞风景的阿伟。

子杰两个肘部叉在沙发把手上，做出一副内行样对阿伟说："你这身斯邦的克史①不错，哪淘来的？"其实他心里明白，他这话是说给那位资格嫩嫩又有点盛气凌人的厂长听的。子杰自个向来不修边幅，起初是出于一种故意的对爱面子和虚礼的家庭的对抗，后来也就习惯成自然了。而且他认为衣着随便可以解除很多束缚。但他毕竟在这幢房子里生活了二十年，耳濡目染，对于名牌领带名牌料子，他还是懂得一点的。今天他自己也不知为什么，也想在九龄前摆摆"魁劲"②。他甚而有一种恶作剧心理：有本事，你再学，量你赤脚也赶不上！

"唔，"信义的目光也让阿伟那身西装给吸引了。他起身上下打量下那身西服，伸出手用大拇指和中指内行地在肩袖接口处卡了卡，满意地说，"真不错。看西装做工好坏，就看这里上得是否服帖。唔，这身西装有水平，是法国货吧？只是驳头略嫌阔了点，有点老式了。"

"阿爸看中了？一句话，敲给你了，自己人便宜点嘛！八十元，要？"说着，就准备剥下来了。

信义连连摇手，偷眼看一下九龄。像话吗？他堂堂叶信义，"添禄"的创始人，去买人家旧西装！

阿伟却翻开西装露在里面的洋商标，把胸脯拍得嘭嘭响："正宗法国货，这商标又不是假的，喏，看……"

---

① 斯邦的克史：英国花呢，spot text。
② 魁劲：充内行，炫耀自己的见识广。

"六十五元，我敲下来。"在一边的九龄突然说。

"你穿？"阿伟看看他，"恐怕你穿太短了。"

"六十五元，卖？"九龄继续说。同时不断指出那件西装的疵点，"你看，领口磨了，前襟有斑渍……"

薇薇和闻声而来的蕴如，早已不客气地拉开阿伟那只彩条巨型包，有如圣诞夜孩子们拥着放礼物的大口袋似的。阿伟撇下九龄，转身对女眷们说：

"你们先挑，挑剩的，我送到五原路旧货摊去。"

"看，要赚钞票，就到女人身上去赚！"信义无奈地摊摊手，对九龄解嘲般地说。

阿伟的口袋有点像魔术师的口袋，她们从中掏出各式衣裙、手提包、皮鞋……有新有旧，真是五花八门，应有尽有。连原先故作目不斜视之态的叶信义，也被吸引了。

"都是些 secondhand①嘛！"蕴如嘴上这么说，手禁不住已在那花花绿绿的一堆里翻着，从中拣出大半瓶"科隆"香水，她旋开瓶盖嗅了下，倒是正宗的货色，只是因为启过封，总有点让人感到不舒服。

薇薇从中抽出一双八成新的古铜色高跟鞋，她套上试着走了几步，征求意见般回眸望了下九龄，九龄示意她穿着蛮不错。这个小小的动作让子杰捕捉到了，他更感到几分不快和不安。

一只"杜邦"②打火机吸引住了叶信义，他做出漫不经心的样子拿起来使了使。这种打火机，在大陆已断档了几十年了。

看见大家如此中意他的货色，阿伟十分得意地架起二郎腿，从兜里掏出一包"总督"牌往茶几一放，开始吹起来了："这批抢手货刚刚到，我这是先挑挑自家人啦！"他操着半二不三的广东腔，每句话后边，都拖上一个长长的"啦"。近来，广东话也变时髦了，马路上的招贴广告，除了教授英语外，还有教授广东话的。

---

① secondhand：二手货。
② 杜邦：美国名牌打火机。

"这双皮鞋啥价钿?"薇薇问。

"三十五!"阿伟眼睛也不眨一眨地说。

"三十五?这是旧皮鞋呀。"

"嗨,别讲新的旧的了,你先看这样式,上海滩上有第二双吗?穿上这种皮鞋上宾馆舞会,才有台型呢。讲句不吹牛的话,上海滩上那几家宾馆的舞厅里,那些个时髦太太的行头,多半是我这里的来路。我都一一认得出……"

"这打火机啥行情?"叶信义打断了他,审视般盯着他。

阿伟到底还嫩着点,经不住这样的目光,期期艾艾地说:"阿爸嘛,便宜点,七十吧!"

"热昏了!"叶信义"啪"一声,把打火机扔回那一堆里,然后不满地看看还在忙碌地挑选着衣物的女眷再加上那位厂长先生九龄,冷冷地说,"有这样一批寿头在作成你,你可发财了。"

阿伟直言不讳:"这叫他们乐得,我也有进账。现在嘛,生意经最时髦,生意人最风流了,要赚钞票,这可是个当口,错过了就后悔莫及了。对了,顺便邀请一下,下礼拜是我姐姐生日,我们家里从前运道不足,没有好好给姐姐做过生日。现在我发了点小财,替阿姐做生日。上海宾馆定了四桌,请各位光临。"

叶家夫妇加上子杰面面相觑,半天讲不出话。这四桌酒席,千把元的代价,看来,阿伟是发了。唯有薇薇,很夸张地"呵"了一声:"有得吃了总好。"然后数出四张十元钱交给阿伟。

"你真敲下来了?"父亲惊讶地问。

"只要喜欢嘛,薇薇可不在乎这几个铜钿。"阿伟用手指沾沾唾沫,麻利地数着钞票说。

九龄还在旧衣堆里掏得起劲,这服装厂的厂长还掏旧货摊,太失身价了。子杰幸灾乐祸地瞧着他出洋相,叶信义看着也来气!

"徐厂长,外国人的旧衣物在我们此间可以卖高价,你作为吃这行饭的,有啥想法?"子杰话里有话地对九龄说。

"外国人的东西就是顶呱呱嘛。"阿伟忙卖着嘴乖，"人家外国人哪像我们中国人……"

"得得，"信义听不下去了，"我外国人见得多了，学生意也是跟外国人学的，外国人犹太①的、王八的也不少……"

九龄起身拍拍手上的灰，说："我买回去，拆开来，让厂里那帮工人琢磨琢磨人家裁剪的路子。外国衣服，针脚都极粗，就是裁剪花哨点。"

"这种活计，你们厂里的工人吃得下吗？是新式刀功呢。"

"吃得下的重奖，吃不下的教他，再不行请他开路。"九龄说。

"开除？"

"这哪能，饭要给他吃一口的。调他去看仓库扛大包。"

"哦，这一来，"信义沉吟着，"要得罪人呀！"

"那也没办法。几个不识字的老阿姨，游手好闲的油条子，我都要弄掉他们。我跟工人们说了，好好干了，将来我们厂发了，买上几套房子，像广州白云药厂一样，分给做得好的工人。特别好的，我厂里掏钱给他房间里家具都配好，啥人还是疲疲沓沓的，我徐九龄不管你私下与我如何有数……"他挥起手背做了个一刀切的手势。

"乖乖，有种！"阿伟佩服地翘起大拇指。

信义心里有点暗暗发毛：这小子能干果断，不过看来不是菩萨心肠，与他共事可要防着点，防他用得上他就摸顺毛②，用不上或嫌他碍事，就一脚踢。

子杰则把收音机打开，公开表示蔑视，心里却不得不佩服他的能干、怨恨自己的无能。

阿伟告辞了。信义厌恶地数落着："阿伟这家伙，真叫三等白相人，独吃自家人。赚钞票赚到自己人头上。"

"别看不起他们，而今他口袋里的钞票，比我们还多呢。看这工夫，几百元赚进了。"蕴如亲眼看着阿伟不过一支烟工夫，就赚进了可观的一

---

① 犹太：指小气。
② 摸顺毛：讨好的意思。

笔，由不得不眼红和咋舌吃惊，"看来，如今做生意是一项风流行当！"

"这叫做生意？阿伟这套，是生意经里最起码的一档。跑单帮做掮客嘛，比强盗高一筹罢了。"

"你轻点。"妻子小心地往楼梯口张望一下。

"阿伟这一来，我倒对我们'添禄'的前途有信心了，"九龄用个尼龙网兜把拣出的一大堆旧衣服装好，说，"我们要想办法把拥到他那里去的生意抢过来，用'添禄'牌的时装吸引他们，叶薇，把你第一个拉过来。"

"对！"信义一霎间很有一番摩拳擦掌、东山再起的雄心。对他来说，恢复"添禄"，不只是一个工场、一个门面的事，"添禄"是他毕生的事业。是他亲手把它从一个简陋的工场发展成自产自销、声望在"鸿翔"和"朋街"之上的时装行业。现在能记得"添禄"的，只有几个上年纪的老人了。信义无时无刻不在思念它，好比怀念一个青年时代的恋人，没有了"添禄"，他有一种被生活抛弃的感觉。

信义举起夹香烟的手，用无名指搔了搔脸颊，这一手势，曾令当年许多女士小姐芳心荡漾。只是而今，那布满老斑与色素沉着的手背，使这曾经十分潇洒的一招，失却了当年叱风使雨的威势和倜傥风流的内涵了。

站在身高一米七八、肩头壮实宽阔、全身洋溢着活力的九龄边，他显然地感到自己老了。再瞧瞧边上懒懒地坐着插着耳机在听音乐的儿子子杰，他不禁沉闷地叹了口气：要是子杰也有这么股英气和魄力，那就好了！

门铃响了，是子杰的学生准时来上课了。子杰蹦起来就要去迎他，父亲叫住他，用嘴努努茶几上一包未启封的三五牌："拿去，我这阵有点犯气喘，烟抽得少。"

谁叫他是他儿子呢？爱抽烟的都爱抽好烟，可这种好烟子杰这几个工资抽得起么？他既没九龄的精明也没阿伟的赖皮劲，活该只能抽飞马牌……谁叫他是他父亲呢？就是父亲，也只能救得了急，救不了穷呀！

一家三口养着他，蛮不错了，再天天供他外国香烟，也不像话。唉，这个倒霉的、不走运的儿子！

徐九龄也彬彬有礼地告辞了："……关于我们刚才的一些设想，我向公司汇报后，就马上实施……"

"很好很好，'添禄'要靠你了！"信义拍拍他肩头，感到喉头热辣辣的，长期以来压在心头的一种空落感第一次似乎有着落了：有人接替他了！已有几十年，他没有如此动过感情了。唯有当初，在他抱起尚在襁褓中的头生儿子子杰时，曾如此动过感情。那时，他甚而流下了眼泪：总算，有人接替"添禄"了！当子杰牙牙学语时，他就经常把儿子抱在自己的办公桌上，让儿子在用中英文印着"添禄时装公司"字样的专用便笺上乱抹乱涂，恨不得儿子一夜之间就长大成人，坐在这个经理室里！只是后来，时局发生了变化，渐渐懂事的儿子，开始用一种怨怼，甚而戒备的目光注视他。在这样的目光下，信义有一种犯罪感，一种负疚感，他都不敢表示出对儿子的爱，唯有在儿子入睡时或儿子背过身子时，才敢用眼睛悄悄爱抚他一下。而他能表现出来的爱，只是一种讨好、迎合……现在简直不能让人相信！记得"毛选"第四卷第一次发行时，他冒着严寒凌晨两点去新华书店排队，当他把书交到儿子手中时，儿子绽开了感激、高兴的笑容，这个难得的笑容从此一直留在他当父亲的心里，每每忆起又心酸又幸福。那时儿子上高二，刚刚入了团。后来儿子高中毕业了，报名去了新疆。送他时他强忍着自己的眼泪，怕儿子看见了会不高兴。儿子为什么走得这样坚决他心中明白，是他这个父亲，像块挡路的石头般横在儿子的大道上。

终于，儿子可以回来了，他满怀激动之情等在月台上，期待着父子重逢时热烈的拥抱。他可以拥抱儿子了。儿子没成为脱离浮世的革命者，民族工商者也已被公开认为是人民的一分子。

儿子来了，又黑又瘦，胡子拉碴，手上提着个干瘪瘪的肮脏旅行袋。

"爸。"他走到他跟前，垂着眼睛低低叫了一声，好一幅浪子回头的情景。一种无法解释的厌恶感从信义心上升起，他打消了拥抱儿子的念头。从那一刻起，他与儿子之间的关系与从前互换了一下，真富有戏剧性。只是在他，有一点依然没有变：他依旧在儿子背过身去时，才用眼睛爱抚他。自己的儿子，怎能不爱呢？

"当——！"

那台红木落地钟又开始报时了。它原先是置在"添禄"的店堂内的，是信义从一个犹太人那儿弄来的，年岁大约比信义的父亲还高，然而依然走得很准，鸣叫起来中气很足，声音高亢、嘹亮，余音袅袅。

信义举起夹着香烟的右手，用食指悄悄抹掉眼角边一颗浑浊的泪水，站起身挥舞一下双臂，站到穿衣镜前打量下自己，一句词句突然冒了出来：

俱往矣，数风流人物，还看今朝。

底层通向花园的落地窗开启着，一条红砖小道从门口蜿蜒伸出去，醉人的绿色作物的香味不断飘溢进来。丝瓜棚下，垂着几根绿油油的丝瓜。这是一个不大，但是收拾得很雅致的小花园。

"进去看看吗？"薇薇领着九龄，穿过那尚未来得及整修粉刷的底层房间，走下石台阶，来到绿草如茵的草坪上。

"你们的花园为啥不延伸到马路边，把那扇黑漆大门开在马路上，这有多气派！"九龄看看前边围墙外的一排二层楼房，问。

"这就是我爸爸的能干之处。他故意这么设计的。否则，旧工部局就要把这房子作为花园洋房来征税，现在把门开在弄堂里，就作普通一般弄堂房子收税，钞票相差一大截呢。"她回答。

"你爸爸虽没学过高等数学，但计算的本事倒是很高的。"

"自然。否则，当初他哪能在时装业上如此出风头！"薇薇颇有点沾沾自喜地说，"学生意的人中，就爸爸发了财。"那股让九龄讨厌的居高临下的傲气，又出来了。

"唔，他运气不错，你运气也不坏。"九龄没好气地说。

这时，三楼窗口，泻下一阵琴声，那是静夜般含蓄的、有点害羞似的旋律，欲言又止的倾诉。

"谁在弹琴?"

"我哥哥。"

"看不出，他还会弹钢琴。"

"唉，说到我哥哥，"她沮丧得几乎要掉眼泪，"他太不走运了。他念高中那阵，又是学生会主席，又是校'三好'学生，反正，也是学校里的风云人物。他的思想真好，是真的好，绝不是假积极。"她肯定地点点头，以加重自己的语气，"可是后来在新疆一待就是二十年，生活与他从前想的和追求的完全不一样……"她摊摊手说。

九龄却摆出一副不以为然的神气："那有什么，我们这些年纪的，谁不是这样过来的? 我在农场参了军，好容易熬过三年，却还是复员回农场……像你们这种人家出来的，吃不起苦的，我们农场里有的是! 农场花名册上挂着名字，人却长期泡在上海念英文、念法文，高考一考，就进去了。可我们呢? 既没后台也没路子，家里也供不起那口饭，就只能咬着牙硬挺……怎么偏偏就是你哥哥一蹶不振呢? 他凭什么唉声叹气? 二十年兜了个圈子，最后不还是回到花园洋房里，钢琴弹弹，三五牌香烟抽抽。可我们呢，二十年前从零开始，二十年后还是回到零上，然后再从零开始。我们去向谁叹气? 唯有自己干，否则没出路!"

"别讲得这样刻薄。"薇薇悻悻地说，同时升起一股对立的情绪。

"要真讲刻薄话，我就要说，你们这些人就是经不起折腾，太浅薄太脆弱了。我看不起你们这样的人……"

"不对不对，"薇薇急得叫了起来，"你这是偏见。我可以断言，假如我们是比较软弱、比较安于现状的话，也是情有可原的。"她越讲越激动。

"何以见得?"他略略牵起右嘴角，摆出一副大人不记小人过的神情。

"我们曾经一直处于压抑状态，所以，我们一直不敢太狂妄，太自以为是、两眼朝天……"

"我有这样吗?"

"有一点。"她回答，手里玩弄着一片花瓣。

九龄不知怎么，又忆起《大饭店》小说中玛丽小姐对男主角求爱时那场面。假如此刻，薇薇也像她那样，向他倾吐着心声，他会不会傲然地仰着头"走开"，然后把她撇在一边？他陶醉在自己制作的幻境之中。

"……你说，你说。"她急迫地盯着他。

他刚才走了神，没留意她说了点什么。这时，他不由自主举起夹着香烟的手，用无名指搔搔自己的脸颊，连他自己都没意识到，怎么一下子就模仿到叶信义吸烟的架势了。他侧首看一眼叶薇，感到这位恶狠狠地往他练习本上打叉叉、站在黑板前很威严的高等数学教师，此刻简直像个中学生一样单纯，正在竭尽全力想说服他。

"好了，我们今天又不是为着吵架而见面的。"他说了一句，倒把薇薇逗得笑了起来。

不过，能跟她吵上一架，也让九龄很高兴，这说明他们间互相不想隐瞒或回避自己的观点。

铁门在他身后关上，花园墙头上，一只浑身乌黑的小猫蹲在那儿盯着他，看见黑猫的人会交好运呢。九龄快乐地对它打了个嗯哨。

九

吃完阿伟定下的酒席，美仪就自然而然地跟着子杰回叶家了。阿伟对姐姐说过："有吃不吃猪头三，你躲在娘家，倒省下了叶家的饭钱了。"不过，美仪倒不是为着省娘家的饭钱才回婆家的，这长日住在娘家，子杰又是个犟脾气，反而让美仪弄尴尬了，现在，落得趁这个当势下了台阶算了，好歹是夫妻！

"喏，这块人字呢，去做件粗呢上装。一天到晚披着件人民装，也不看看如今啥朝代了！"美仪从鼓鼓囊囊的挎包里，扔出一卷呢料，还有一件浅灰羊毛衫，"喏，给你妈！省得她一天到晚用眼角看我。"

"怎么，中头彩了？"子杰说。不管如何，老婆回来了，一块石头总算落地了。这辈子，子杰也不指望再有爱情了，那是薇薇这种女孩子才追求的玩意儿。不过，生活的传送带一旦脱落了轴承，总有点不对劲吧。

美仪娇嗔地瞥了丈夫一眼，拍拍胸膛说："而今阿伟发了，妈说，从前家里手头紧，我结婚时没有啥陪嫁，现在我们家阔了，妈给了我两千元。"然后，她又得意地敞开衣领："看，金链条，阿伟送我的。"

美仪在不要性子时，还是讨人喜欢的。特别现在当她孩子般欣喜地欣赏着这梦寐以求的金链条时。

子杰心里着实感到不安，他这做丈夫的，什么也没给妻子置过。说到金链条，他记起自己有过一对成色很好、分量赤足的金锁片，是他满月时得的贺礼。金锁片在叶家不算珍贵之财，因此一直由他自己保管。

在动员购买爱国公债时，他坚决要把金锁片兑给银行以购公债，爸爸劝他留下金锁片，另外给他钱买公债——那时黄金九十八元一两，实在太便宜，不舍得兑掉——他却不愿意，认为那是爸爸的钱；而金锁片既然是他所有的，才是他的财产。其实，这是一笔账。他太狂热太幼稚了。岂料这笔公债券后来在叶家贫穷时大大出了力。不过，要是当初不兑换掉，可以给美仪从头到脚套满金链条的。自然这也是空话说说的，即使那时不兑掉，"文化革命"中也会抄掉了……唉，看来不管世道怎样变，黄金的价值总是不会变的！到了四十来岁才悟到这个早应承认的道理，实在让子杰寒从心来！

"子杰，我有个主意了，"美仪显出十分兴奋的神情，"下个月起，我们自己开伙……"

"怎么，让阿伟来养活我们？"子杰嘲讽着妻子。

"我们自己养活自己。"美仪挺自尊地说，"老实讲，捧你老头子的饭碗会生胃癌的。我们现在争气点吃自己饭，这一份子，迟早总是我们的。"

"你现在讲得好听，到时候又要与我作天作地了。"

不当家的子杰也明白，靠妻子里弄托儿所和他小学教师这点微薄的工资要维持一个家庭，是很吃力的。

"你呀，木头一根！这年头大家都会动脑筋挣外快，连隔壁厂长都看中了你老头子这块肥肉，只有你，不会挣钞票，还收了个不付学费的学生。现在不是你早先到处做报告那段时光，学雷锋不吃香了，做革命派的势头已过去了，没人会睬你这一套的。"美仪一开闸，尖刻的话语即滔滔不绝从舌尖滚了出来。

子杰又火了，他跟她真没法过。他冒火倒不是因为美仪对他的指责；他最火的，就是人们老爱把一些神圣的名词往他叶子杰身上套。虽说如今，他早已不做革命者的梦想了，但革命本身的光晕，在他依旧是光彩夺目和神圣不可侵犯的。人们用各色颜色去涂抹它，让他心疼，让他心烦！人们把一些他嗤之以鼻的人物与这些光晕联在一起，他不服，他抗议……不过，他叶子杰，一个小学教师，他的话语充其量又算得了什么呢？阿伟及周围来往亲友们至今总算还对他没过分看不起，还不因为他是"添禄"的后人，这幢花园洋房未来的继承者！老天，亏得他当初没做得太绝，否则，连栖身之地都没有了！

"别发火嘛，"看来美仪今天，确实不想吵架。她很识相地把这话题按下不提，挺温存地拉拉丈夫袖子，"你想找点野食①吃吃吗？"

"又是那些夜校上课？两元一节课，累死人呀！"子杰反感地说。

"不累人，挺轻松，而且你喜欢的！"美仪按捺不住内心的高兴，"二十块钱一个晚上，三个小时，实际上只辛苦两个半小时。还有夜点心供应。"

"到底是什么工作？"子杰半信半疑地问，他自认自己绝没这个本事。

"茜茜舞场弹钢琴。他们急得要命，最好你今晚就开始……"

"什么？你让我去做洋琴鬼？爸爸妈妈第一个就要骂。"

"管他们什么事？反正我们不准备吃他们的饭了。房子嘛，我们可以付他们房钱，按市面上的议价付。那边一个晚上二十元，四个晚上就八十块，一个星期多不要，就去四个晚上，一个月就……"

"啪！"子杰狠狠地搞了下桌子，"我看你是财迷了。我叶子杰不会去伴舞的，出我两百元一个晚上也不去。"

"你在家里不也一样弹琴吗？"她忍气吞声依然试图说服他。

怎么，连他仅有的那么一点点，她也想夺去吗？他已经什么都没有了，仅存那么一点点了！他缓缓起身，一字一句地说："我再说一遍，我不会去的。你就饶了我吧！"

"为什么呢？"

不为什么，反正他不愿意去。好久以来，他一直违心强迫自己干他不愿意做的事，还以为这就是思想改造。现在，就别再逼他了，让他干点他自己喜欢的事吧。

---

① 吃野食：此处意为挣外快。这是个多义词，在男女问题上指出轨。

美仪的脸迅速拉下了："好吧，你这到了四十岁还靠父亲养活的没出息的，难怪连你自个父亲都看不起你，倒是与别人的儿子有说有笑、有商有量的。捧着饭碗头继续听你老头子的训话吧，做你阿爸的囡囡宝宝乖儿子，耐心地等着接遗产吧。只怕等不到那一天，就让隔壁人家伸手捞走了。你这没出息的！"

又开始了！……

子杰套上外衣，逃难般拉开了房门。

"是子杰吗？"走过二楼父亲卧室门口，他听见父亲在房里轻轻唤了一声，那声音失却了往日的霸道，很疲乏，好像还带着一种抑制住的痛楚的呻吟。子杰有点紧张，忙推门进去，只见父亲围巾也没脱，就躺在床上，按住胸口，房里没开灯，借着盥洗间里渗出的灯光，子杰发现父亲的脸色惨白，前额上汗涔涔的。妈妈和妹妹呢？他环顾一下四周。

"药，这儿。"父亲无力地点点床头柜的抽斗。子杰第一次发现，父亲的手白里透青，连指甲都晦涩得失去了光泽，而且颤抖着，似乎不胜负荷！与他平时夹着烟搔脸颊那自命不凡的手势截然不同。

子杰急忙拿出药，笨手笨脚地握着父亲手把他搀扶起来。他好久没有如此近距离地面对着父亲了，现在才发现，父亲毕竟老了，虽然他并不服老，特别近日当上隔壁厂的顾问以后，天天出出进进忙得不行，好比一头放出笼子的狮子。可眼下，当他拿下了假牙，下半部脸庞似乎一下就萎缩起来，活像一只干瘪枣子，刹那间子杰的心凝住了。

父亲服了药，缓过来了，疲乏地靠在枕头上。妹妹和妈妈酒席后去走亲戚了，子杰从来没有单独和父亲待在一起，走开又不便，挺尴尬。他起身扭亮了台灯，坐下搓搓手，半天，说："爸爸的心脏也不好，今后要多注意。"

"五年了！"父亲说着，支起身子往白瓷缸里探取自己那副假牙，忙不迭地带上，脸部终于丰满起来，只是那双眼睛依然黯淡而疲乏。

父亲患心脏病有五年，可身为儿子的子杰却一点不知道，可见他与父亲已隔膜到什么地步了！

"我……去一下厕所。"父亲说。他刚刚大概就是准备上厕所时不舒服的。子杰走上一步要扶他，父亲把手搭在他肩上慢步走去。他感到父亲在他肩上的手好似不敢全力以托的模样，而他也宁愿用心与眼加倍注意父亲，没有紧紧握住父亲那疲乏冰凉的手以防他摔倒！反正，这肉体的相挨使两人都不自在极了，子杰已记不起，最后一次触到父亲的手是哪一年了。他只记得，在他最出风头之时，到各个学校团活动上讲与家庭划清界线的体会时，他与父亲就没正眼相看过，更别说肉体的相接触。即若在饭桌上，与父亲也没有言笑过，他只是低头扒饭，拣就近的菜……而这样的进餐气氛一直持续到他四十岁……

"好了，我没事了。"父亲重番躺下后对子杰说，"你走吧。"

子杰感到不便走，可待着与父亲无言相对，也尴尬。

两人默默相持了一会，父亲示意给他一支烟。

"这……"子杰踌躇了一下。

"没关系，死不了。"父亲的话带着一种不容违抗的口吻。

"难得我们父子俩今日可以聊聊天，"父亲喷了一口烟，把头转向他。子杰发现父亲的颈脖，有点像动物园里见到的火鸡的脖子，层层褶皱着，"你回来那么些日子，我们也没好好谈过天，当然，这阵我也忙得不行……"在好闻的渐渐弥散开的烟雾中，父亲显现出来的，是一张疲乏然而精明又自负的脸庞，特别提及"忙"字时。子杰不敢再正视父亲的脸，目光又垂到他的手上。

他们这对父子够意思的了，真应着了"不是东风压倒西风，就是西风压倒东风"这句话，好似他们天生不是一对父子，而是一对对手。从前，在他子杰十七八岁风华正茂之时，父亲总要拿出划满红杠杠蓝条条的"毛选"和各种社论，煞有介事地向儿子提出问题，还做笔记，谦卑得让子杰不敢抬眼正视父亲的眼睛，目光依旧只敢落在父亲的手上。那时父亲的手，却是筋骨遒劲、肌肤光泽的。子杰当时真想扑过去亲亲那双手，要是父亲不是私方，那这一切都不会这样别扭了。无奈那时的子杰太好强，也太激进，自然，无可否认，太爱上光荣榜、当"三好"，一句话，太爱出风头了，而他越出足风头，父亲似乎越矮他一截！

"爸爸老了，没几年了，如果在有生之年，还能恢复'添禄'名牌和'添禄'产业，也算对得起祖宗了。人生一世，总得做点事！"

尽管子杰与父亲有那么多芥蒂，但此时此刻，由不得不频频点头道是，父亲的思维和处事，有不少值得他钦佩。

"你人是老实的，但就吃亏在太老实，太一门心思了！"父亲看看他，又说，"人不能太碍面子，太书生气。好在你还有我这个老父亲，否则，你有得苦了。不过话也说回来，正因为有我这么个父亲，才养成你这样的脾气。看隔壁的徐九龄，就和你不一样，活络得很呢！"

"他嘛，"子杰不屑一提地说，"要学问无学问，钻劲倒不小。劳动人民那种质朴，在他身上早找不到了！"

他迅速地瞥了一眼父亲，父亲双目紧闭着，测度不出对他这番话的反应。沉默了半天，父亲闭着双目说："这也就是能干嘛，钻劲在生意经里是很要紧的。这个徐革履①，比他爸爸可是要门槛精多了。像他爸爸，只晓得一天到夜巴巴结结地做活计，这会有出头之日？手艺再好，也不过一个穷裁缝！"

"不过，"父亲用无名指搔了搔脸颊，依旧闭着双目的脸庞上，闪过一丝狡诈的笑容，"这小子要防他的，防他过河拆桥，拿我当垫脚石。哼，他要想这样，资格毕竟嫩着点。这种人嘛，佛一般的敬他、贼一般的防他就得了！"

虽说这二十年来，子杰经历得太多了，目睹得太多了，但此时心里仍免不了"咯噔"一下。这样的人与人之间的关系，太让人恶心了！

父亲依然闭着眼睛。是的，聊天嘛，本应一讲一和才有劲，而子杰对父亲的这些话题都插不大上口，于是，又是让人尴尬的沉默。

"你去吧！"父亲催他了。

---

① 徐革履：上海方言，徐某的意思。

"过一会吧。"他决定不了是走还是留。

"你走吧,让我睡一会。对了,现在几点了?还不太晚。给我挂个电话给隔壁徐九龄家,电话号码是×××××,让他骑车来一下。就说看来明天我公司里的会不去参加了,有些话要跟他交代一下,电话里讲不清。"

子杰不再犹豫了,戴上了假牙的父亲矫正了原先那老态,又神气起来,不再需要他这个儿子了,他又成为多余的了。

"喂,哪位?"话筒那边的声音懒懒的,拖得长长的,找他的人一定很多,有点嫌烦了。

子杰心里涌起一股强烈的反感:"我爸爸……"那个"请"字还没出口,就变成"叫你来一次,有点事……"

子杰扔下话筒后,想了想,就踮着脚尖回到父亲虚掩着的房门前扶梯上坐下,在黑暗中点着一支烟,默默地守着。

九龄放下电话,用鞋刷擦了擦皮鞋,套上围巾正要走,凤娣不知什么时候闪出来,在他身后冷冷地说:"这么晚了,还出去?打电话来叫的?"

"叶信义来叫的,我这是工作。凤娣,你做啥老要这样折磨自己?再说,最近几年我大约会更忙,我大约也不会想……想……"他顿了顿,斟酌着合适的字眼。

"得了,快走吧,快八点了。"凤娣却不让他说完。

"老徐师傅!"门外有人叫。

九龄很意外地发现,仅一面之交的阿伟,依旧提着那包巨型彩条的塑料包,出现在他家门口。

"老徐师傅在吗?"阿伟一副自来熟模样,同时递上一支进口烟,"你在一样的。我是慕名而来,跟你讲一样的。我们想请你老太爷出来替我们撑个市面,一个月四百元工资打底,老徐师傅只管动动剪刀就可以了,这差事何乐而不为?钞票是闭着眼睛赚的。"

"你倒是会走门路。"九龄对他冷笑一声,"怎么,旧衣服不卖了?"

"生意嘛，就要做得活，"阿伟挺海派地把香烟往烟缸里一揿，说，"我现在搞租衣服；小姑娘参加舞会，到我这儿来租衣服，又便宜又可以翻花样，大家便当。"然后他盯着凤娣说："喏，看看，看看，法国式、日本式的都有……"

唔，这办法想得好，出租衣服！

"呃，你老太爷的意思如何？"阿伟问。

九龄不慌不忙地一笑，阿伟他们的心思他明白，无非让父亲仿照这些进口衣服裁剪，让他们冒充进口衣服卖。办法倒是个办法，无奈现在他和阿伟算同行，他阿伟要赚钱，九龄的厂也要赚钱，阿伟赚多了，他必定赚少了……他才不胳膊肘往外拐呢！这种个体户最让他头疼，仗着有钱，就到处去挖人家墙脚。他可不能助长他们的威势。

"对不起，我们的老太爷，自然首先，应当考虑到他儿子的利害关系。"他使起阿伟的口气说。

"你真是傻，"阿伟悻悻地说，"你这死活不管地干，有几个钱是落在你自己口袋里的？"

钱是不多……不过，过瘾！哪像阿伟，扛着个彩条包到处走，像走方和尚一样。

似乎看穿九龄心里想的，阿伟用手抹了下鼻子，把话说在前头："我们看着难看相，赚头是不少的。看看我姐夫的父亲，自以为是有钱人，其实是守着几个死铜钿吃点利息钱而已，我们嘛，只要不违法、不赌博，钞票是用不光的。"

九龄看看这个既没文化也没风度、看着甚至有点混账的阿伟，不得不承认，小小阿伟也是他们厂的强劲对手，他尽管没有雄厚的实力，没有名牌为他撑腰。

他不能耽搁了，得马上找叶信义去。出租礼服，倒也是一个好主意，不过，都得等一切就绪后才可以考虑。

十

　　叶家底层的客厅已装修一新，落地窗上方嵌着两只空调设备，一张猩红色的长毛面豪华型组合式沙发，很气派地置在铝合金百叶窗前。为装修这间会客室，叶家着着实实花费了一笔。"人怕出名猪怕壮"这句话现在是过时了，因着"添禄"牌子的复出，信义的社交也繁忙起来，再不弄得像样点，那就太没气派了。

　　此刻，刚刚参加了剪彩开市大吉回来的叶信义，一身黑色笔挺的西装，左襟美人眼里，还插着一朵绛紫色的玫瑰，显得既年轻又风流。他撇下满屋子的贺客，正在接待一位记者。沙发前的矮茶几上，置放着一只巨大的鲜花花篮，红绸带上写着"庆贺'添禄'开张之喜"，是他的朋友们送的。想不到清冷了数十年的信义，还能当一次老风流。夫人蕴如也是春风拂面，满脸得意地穿行忙碌在宾客之中，重温她稔熟在行的社交礼仪。

　　记者是个年轻小伙，穿着一套肥大的、上面布满斑迹的西装，那是报社发的。其实记者在执行公务时穿便服更好，衣服应当口袋多一点，利索合身一点，并且便于洗涤才行。信义默默想着一个新点子。

　　"听说你们引进一批国外面料和服装加工程序设备，难道外贸局外汇主动权下放了？"记者问。

　　今日的"添禄"工场拥有两套最新式的操作设备和为数不少的、图案成色都别致的进口面料，人家自然首先会关心他们哪来的外汇。

"我与我弟弟在香港的'添禄'签订协议，通过补偿贸易来引进国外资金、技术和原料，提高'添禄'牌时装的档次……"信义挺自负地用无名指搔搔脸颊，同时考虑了一下，觉得还是有必要提一下九龄，外贸局那关是他打下的，这小子惹冒他还不到时候。而且，当今还是他徐九龄做主的呢！"自然，徐厂长，可谓后生可畏呀……"他摆出很诚恳的样子说。

"您弟弟叶信廉先生此番一同来参加这剪彩典礼吗？"

"哦，他儿子叶子灵先生来参加了，一样的，子承父业嘛。"

"那么，叶先生您的儿子呢？"记者环顾下四周，想凭记者的灵敏辨出哪位是他儿子。

叶信义的满脸春风即刻化为乌有："哦，他……"他自己也听不清自个说的什么，借着吸烟，就含含糊糊地带过了。

"他是搞什么工作的？对企业有无兴趣？我相信在您的熏陶下，他一定也是……"

"喂，你这是在调查户口还是怎么的？"信义不无讥讽地说。

那位可怜的年轻记者的脸连同脖子根，刷的一下涨得通红。

似乎故意要让信义过不去，刚刚下班的子杰，蹬着那双笨头笨脑的灰蒙蒙的老K皮鞋，朝客厅走来，并且冲着信义，清清楚楚地喊了一声："爸，祝贺您了！"目光是局促的。

"哦，您是叶先生的儿子，您在哪儿工作？"记者一下子又来了劲，撇下叶信义拉住子杰问。

"我在小学里任教。"

"教什么？"

"美术、音乐、体育都教过，缺啥顶啥。"

看，这个连弯都不会转的子杰，他必须提醒他一下。于是，他对儿子瞪起一双冷酷而警觉的眼睛。

"您父亲可谓老骥伏枥，志在千里。今天，他恢复'添禄'的雄心已实现了，他如此致力'四化'，您作为他的儿子，有什么想法？"

"四化"又是一个漂亮的词汇，子杰实在不敢恭维。不过，撇开这个，子杰倒是很为父亲不懈的努力而感动。事实上他知道，恢复"添禄"牌子和公司，从公私合营那天起，父亲就在盼望了。凭良心，父亲倒不是为钱，更不是为"四化"，只是为了考验一下他这辈子还能不能再风流起来。父亲的目的达到了，可谓天下无难事，只怕有心人呀！

他注意到了父亲的眼色，终于沉默不语。

那边，几位客人，包括庭珂的父母，一边品尝着蕴如亲手烹饪的可口点心，一边对着忙得不可开交的薇薇的背影，坐在柔软舒适的沙发上，开始窃窃私语了：

"喂，都说叶先生如此卖力，是为着这个嫁不出的女儿呢！"

"可不，听说马上要去香港考察去，是他兄弟请的，他不带自己的儿子，倒带着那个不搭架的人。你讲怪不怪？将来，我看这二号门牌要姓徐了！"

"看到子杰了吗？看他那副落魄样……正好挑挑那个叶革履呢！"

那架由二楼搬到楼下、神气地耸在屋角的落地钟一敲出电视台新闻节目这个时辰，叶信义即庄重地打开电视机宣布："开始了！"

原来，今天的剪彩活动，电视台记者拍了电视。

荧屏上出现了一家新颖别致的门面：店门和橱窗被一个盖顶垂地的巨大"TL"①两字分隔开来。T 和 L 两字是用大块彩色人造大理石拼搭而成，两个大字边沿镶着锃亮的铝条，从而使 T 和 L 显得更加突出。

"哦，好特别！"众人都赞叹起来。

"如今，香港、新加坡、上海的'添禄'，都是这一样的门面。我此生，没有遗憾了。"信义的声音哽住了。子杰有点担心，父亲的心脏能否承担起这快乐。

---

① TL 为"添禄"两字第一个字母。

"看，信义。"客人们嚷了起来。原来，记者在"添禄"店堂里，采访了叶信义。

叶信义就穿着这套西装，美人扣上插着那朵玫瑰，有点紧张地对着镜头，操着一口浦东普通话说："'添禄'开张于一九四五年胜利之后，前身为英人所开的安琪儿时装公司……"

"真蠢，真蠢，"信义一个劲对着荧屏上的自己骂，"应该先在家里练习一遍就对了。"可是，谁知道会有电视台记者来，谁知道还能上电视？

"徐九龄来了！"人们七嘴八舌嚷了起来。

九龄家的堂屋里挤得满满的，连徐师傅的工作案头和"胜家"缝纫机都搬走了，但看电视的还是给拥到天井里；倒不是因为徐家那一台二十吋的大彩电，而是因为，把电视机的人和眼前的人放在一起看，更带劲。

"九龄蛮上镜头的，像郭凯敏。"

"我们九龄比那个糟老头可要神气多了。"

邻人们热心地边看电视边评价，糟老头指的是叶信义。

荧屏上的九龄确实风度翩翩，举止洒脱，镜头摇过那设备一新的"添禄"工场间后，即转到九龄的办公室。作为厂长兼业务部经理，他的办公室设在"添禄"店堂的楼上，原来叶信义的办公室。不大的办公室收拾得很现代化，也很整齐，还装着空调。一张硕大的黑绿钢皮写字台和一张转椅，写字台前是两张供接待来客的矮沙发，很舒适，很精巧。他曾表示陈设太奢华了，可叶信义叔侄俩都坚持，"添禄"的经理室，不管在大陆还是星马香三岛①，都应该是一样的！

"九龄像个大老板啰！"

"这……是我儿子。"老徐师傅戴着老花眼镜，忘乎所以地向人介绍着。

"这当然是你的儿子啰，没人抢你的。"人们善意地哄笑起来。

① 指新加坡、马来西亚和香港。

九龄双手抱肩，冷静甚而有点挑剔地注视着荧屏上的自己：仪表还可以，只是领带打得太长了。

荧屏上的九龄，一边玩弄着手里的一把裁纸刀，一边从容不迫地对电视观众说：

"……产品的身价与卖价成正比，这是世界贸易的规律……因此要创利润，不在于增加产量，而必须致力产品升档，追求卖价……而真正叫得起价的，是那些批量小、花色新、质地高的时装，这就是今后'添禄'牌的风格。我们的时装质量花式肯定是第一流的；要价，也肯定是远远高出一般牌子的时装，这就叫姜太公钓鱼，愿者上钩吧！"说到这里，连九龄自己也感到，自个脸上泛起一个自信、得意、甚或有点狡黠的微笑，他很欣赏自己这个微笑。他后悔没有用照相机把自己照下来。

"你这个家伙，还挺有本事的呢。"他在心里对自己嘀咕道。明年，他将去一次香港。听公司的风声，似乎还要让他去一次法国。没想到，一个老裁缝的儿子，也有今天。

镜头晃过一个年轻的、不怎么漂亮然而仪态大方的姑娘。

"看，那就是叶老板的千金。"

"哪个，哪一个？"

人们急促地在荧屏上寻觅着她。九龄自然明白人们何以对她这么感兴趣，他也听说了一些传言蜚语，只是人们往往容易犯了想当然的毛病。自然，九龄感到薇薇在尽量向他表示友好，他的目的已经达到了。薇薇再也不敢居高临下地看他了。可要为她所打动，九龄似乎还不至于。除了因为他还记得当初她曾那么傲然地对待他、他爸爸和凤娣外，还因为，他老感到在薇薇面前，他得严严实实把自己紧紧裹住，一举一动都得注意。如此理智，如此清晰，这还能叫恋爱吗？真的，如今，他感到自己必须处处谨慎，处处小心，注意不能将"沪骂"漏出来，不能扯着嗓子发脾气。自然文明礼貌是必要的，但总得有个地方可以让他尽情发泄一下，吐一吐心中的积郁，哪怕骂一下娘！原先，他还可以在凤娣跟前，穿着短裤趿着拖鞋从厂里的小三子之流骂到公司局党委的头头，他也可以狼吞虎咽地吃着凤娣送来的拿手小吃，凤娣绝不会取笑他、看不起他。然而，就前几天，凤娣对他说："我跟阿伟好了。"当时他很气恼，竟对着她咆哮着："阿伟这只'阿乌'！你看中他哪一点？无非是他有钞票！"

她垂着眼睛站在他面前，挺着丰满、结实的胸脯，轻声而坚决地说："我年纪一年年大了，耽搁不起。再说，我总得图一样，不是图人就是图钱……阿伟答应替我买一台日立牌自动洗衣机，还有金项链……"

"别说了！"九龄只感到自己的心房一颤，心疼得紧缩起来。他记得那时候，凤娣向他投来满怀希望的一瞥，眼睛里含着一眶泪水。他相信，那时只要他向她伸出双臂，她依然会投向他的怀抱的，只是他没有。因为他知道，连他自己都保证不了，会不会一辈子真心诚意地待她好。如今的他，已习惯了碰上任何事，都先权衡左右利害关系和轻重缓急再行事，他感到自己已经被剥夺掉某种宝贵的东西，他实在不甘心失去它，可是他注定只能失去它。

镜头延伸到下午的酒会上，九龄洒脱地一笑，端起咖啡杯用小勺搅拌了一下，然后举起杯子呷了一口，十分海派，动作是够格了。镜头摇过去，他边上坐着一位年轻的姑娘，他们正在互相交谈着，很随便，很熟悉的样子。这帮记者真讨厌，这个镜头什么时候照的他都不知道。

"九龄，那姑娘是谁？"有人又感兴趣地问。

"外贸局的一个秘书。"他淡淡地说。

他为什么要淡淡的呢？是故意要回避什么？事实上也没什么需要回避的。那姑娘本来就是他的夜大里的同班同学，那次，当外贸局批评他们厂特地用外汇去购买面料，扣上浪费外汇和崇洋的帽子，并且不准备再批给他们第二批外汇款时，那位姑娘主动帮了他的忙。而薇薇呢，她在学业上当然对他帮助不少，不过目前九龄……想到这里，他不禁有点恼恨自己了。但是，他又有什么办法呢？再讲，薇薇偏偏是叶家的女儿，他可不愿让人捏着话柄。

荧屏上出现两套布置舒适的住宅，是"添禄"为第一批技师购买的。

"喑，九龄，你们厂里工人都要向你磕头了。"邻居们羡慕地啧啧说着。

磕头? 九龄心里暗暗苦笑。为了这两套房子(是他花了九牛二虎之力争取购买来的),他得罪了厂里一大批人,连分到房子的也不领他的情——房子面积太小,外省市要挖走他,答应给他四间七十五平方的住宅! 而广大确实出了力、可实在由于僧多粥少而无法顾及的职工,对他意见老大。用外汇买宛平路的华侨新村房子,外贸局不批准!

现在,当九龄再走进这条窄窄长长的弄堂,工人们再也不与他勾肩搭背打招呼了,他知道他们有人背地骂他"于连",为此,即使他真的喜欢薇薇,也永远得不到她。

今天,他虽然成了人人羡慕的成功者,但有谁真心实意愿意与他分享这个快乐呢? 同行们妒忌他、中伤他;工人们怨恨他,讲他只差雇几个"拿摩温"看住他们了;他自己呢? 成天没日没夜地干,自己厂买下的房子他连自己想要的念头都不曾动过。

是不是所有的成功者都是孤独的?

他记起他一度的好友小三子。是他签字罚掉小三子半年奖金的,虽然他明知小三子的上班打瞌睡情有可原:那阵他老母开刀住院,他得每天去陪夜。但小三子又正好是新厂规公布后第一天撞在他枪口下的第一个人,如果他对小三子特殊照顾一下,那么他以后的工作怎么做呢? 如何树立他作为厂长的绝对威信呢? 自然他挽回了自己的威信,却也失去了一个朋友! 后来小三子干脆辞职不干了,听说也在摆小摊头裁剪衣服,收入并不怎样理想。是呀,都说个体户可以发大财,但真正发财的能有几个? 成功者毕竟是少数呀! 看那个精明能干、算盘珠也比别人多一档的叶信义的儿子,就窝囊得够惨了。

说到叶子杰,九龄还记得,有个雨夜,他在去夜大的路上,遇见正在一个过街楼下躲雨的子杰和一个十来岁的男孩,那男孩并不是他的儿子。看上去两人的神情都十分焦虑。原来那是叶子杰的钢琴课学生,他俩正赶着去听一位外国钢琴家的独奏音乐会,刚下车就让这场大雨给截住了。音乐厅离这儿不远,九龄张开伞送他们过去,他发现子杰把那小男孩挤在当中，他自己大半个身子都在伞外。

"真正的肖邦钢琴赛的获奖者演奏音乐会，我还是第一次参加，真该谢谢这位叔叔，否则我们要迟到了，这样的音乐会迟到可要幕间入场的。"那个小男孩仰起头，挺老成地对九龄说。他长着一对绝对聪明的甚或有点少年老成的眼睛。

"是呀，"子杰也诚恳地再三向他道谢，这在他是很难得的，"刚才小捷硬要冒雨冲过去，我说那是不行的，淋得湿漉漉的进场，不礼貌呀！"

九龄这才发现这位叶家小开今日难得胡子刮得干干净净，不似平日那样邋里邋遢。

音乐厅门口张贴着一幅巨型的蓝底黑字海报，上面简简单单印着：贝多芬奏鸣曲 101 号、雷格 f 小调协奏曲、肖邦降 G 大调练习曲……显得又庄重又古朴，九龄不禁对这些他瞧着挺陌生的字眼肃然起敬。

"我是音盲，一点音乐细胞也没有。"九龄解嘲地一笑。因为自信，他不认为这方面的欠缺会损害他形象的一分一毫。

"那也没关系，音乐而今不值钱了。一张第一流的钢琴家音乐会票只卖二元五角，可是一个乱哄哄的音乐茶座的票子，却要卖到五块钱到八块钱！"子杰冷冷一笑说。这家伙借伞借过了，倒还真有点过河拆桥的味道。

"不过，我倒认为这样挺好，百货中百客嘛！各取所需。"

他和叶子杰讲话永远碰不上一道轨道的。

不过，当他看着子杰急急地拥着他的学生进场时，忽地发现，他其实并不如他所测度的那么窝囊和无所事事。尽管他倒霉、不得志、潦倒、落魄，但他照样阵脚不乱，自得其乐，自有一块自我解脱的绿洲；从这点说，九龄还真有点妒忌他呢！

"……今后我的打算，除了继续与香港'添禄'联营外，还考虑想把纺、织、染与裁剪加工配套成龙……"荧屏上的九龄，一对炯炯有神的眸子紧逼着镜头，毫不怯场，生气勃勃，精力充沛，还显现着遇事从不退缩和手软的决断力。这副神情博得叶家客厅那些热心观众的一片啧啧声。

"这个小伙子不错，有魄力。他成家了吗?"有人试探性地问。

"哼，啥人嫁给他倒霉了。"黑暗之中，薇薇咬牙切齿地吐出一句。

荧屏上的九龄自然是听不到这句咒骂话的。他依旧春风满面地与各位来宾干杯。

"信义，这小鬼头的镜头比你多嘛，他今天唱的主角。"有人打趣着叶信义。

"啥办法，我们老了，他们这正是出风头的日子，也算一代风流嘛。"信义大度地哈哈两声，说。

一位与子杰相貌酷似的年轻人进入了荧屏，只是他的丰满和略略有点外突的嘴唇以及更为挺拔、宽大的鼻梁，使他的形象显得比子杰帅气和生动。他就是叶信义的侄子、当今名闻东南亚的"添禄"企业的副总裁叶子灵。

当着两位"添禄"的年轻经理互相祝酒时，电视播音员用激动的声调解说着："……两位年轻企业家，并驾齐驱……赞美你们，勇敢的开拓者……祝'添禄'添福添财……"

叶家的客厅内激起一阵掌声。

子杰嘴角泛起一股苦涩的微笑。

他记得好久好久以前，他用一叠父亲遗留下来的泛黄了的"添禄"便条打草稿，有个同学开玩笑在一张空白的便条上写着：请开一张一百万美元的支票。然后在经理人签章上签上叶子杰的名字，并把这张纸条到处传给同学们看，引起全班同学的哄堂大笑。叶子杰当即恼怒了，他感到这是一场奇耻大辱，即刻愤怒地扑向那个同学，事后打得鼻青脸肿的被老师关夜学，回到家里，他蒙着被子狠狠地哭了一场。这是第一次，他对自己的家产生了怨恨。

后来，"社教"开始了。一天放学后，他发现自家那条窄窄长长的弄堂墙面上挂起了一些花花绿绿的图片，原来是一个"社教"运动宣传栏，题目叫"且看'添禄'是如何发家的";在这些画技拙劣的图片中，有一张是批判解放前的叶家如何吸着劳动人民的血汗过着奢侈的生活，其中一个胖胖的形象丑陋、身穿小西装的小孩，子杰一眼就看出是自己无疑了！霎时，他感到自己的脸孔热辣辣的，他掉首就往外走，他真想找个角落大哭一场。那晚他独自一人在街头踯躅着，直到天全部黑下来了，他自信迎面看不清人面了，才回家。虽说他实在不愿意再跨进这个家门。第二天早上，他的嘴角燎开一个大泡！早餐桌上，父亲自卑地低着头。

现在想起来，这一切好像发生在上个世纪般的遥远和不可信。

"信义兄，想不到呀，你交上老运了……"

"信义兄，你宝刀锋芒不减当年呀！"

父亲满意地笑着。

其实，子杰真该为今天的改变而衷心地庆贺一番呢。不过，他的祝词在这里显得不十分值钱，况且他也没这份资格讲什么祝词。假如一切早二十年改变呢？

趁着灯还没亮，他悄悄退出去了。根本没人注意到他的离去，他本身是无足轻重的。

夜深了，客人们酒醉饭饱后都散尽了，叶家的客厅里空无一人。夜色中，飘荡着一缕困惑的、游移的琴声，仿佛是一个怯怯的询问，一个寻觅……

与此同时，那台落地自鸣钟，毫不含糊地报出一个新的时辰。

 秋天的盼望

一

　　蓝塘道，它的整个格调就如它的名字一样清丽脱俗，沿街宅第的墙头窗边，一畦一畦地垂着大片大片的姹紫嫣红，随着慢慢沿向上坡的街面，上下错落地蜿蜒着，一片花叶扶疏，绿意盎然。亚热带的秋天，依然是一派百花齐放、万物争妍的生气，色彩的艳丽灿烂，让人觉得与花团锦簇的春天比没啥不同。整条街上都飘浮着一股清新恋人的淡淡的花香，令人心醉。入夜后的蓝塘道，更另有一番迷人的神韵；四下阒无人影，整条小街，浮漾在一晕一晕迷蒙湮沉的路灯之下，如此静泊安宁，温馨得就像一曲摇篮曲。

　　自然，香港也有香港的准则：桃红柳绿任你尽看尽逛不动气，但要想拥有其中任何一样为己有，对不起；一分价钱一分货，缺一毫子都不行，这是铁一般的准则，怎么样都改变不了。由此而看，能在蓝塘道上拥有一层楼的，大多非为家资丰盛的阔人，即为新红乍紫的明星。

　　琳达非阔婆也非明星，但她在这套七百呎左右的居室里，稳稳地住了快二十年了，且已连本带息付清了房屋贷款，早就不用供楼了。为此，也生出不少关于她的闲话；好话孬话都有。她倒也不在乎，老实讲，对一个已不年轻的单身女人，有闲话总好过没闲话，人家对你不闻不顾，多你一个少你一个都无所谓，那才够惨呢，只能说明这个女人一点能量都没有了。不过，对琳达的闲话，确是越来越少了，且她的客厅，也好久没这般热闹了。几乎是清一色的吴侬软言，让人好比感到置身在江浙的同乡会之中。原来，上海 H 大学首届沪港同学会年会的第一个夜晚，就假座她的客厅开幕。

近来不知什么原因，在琳达这辈坐五望六年岁人之中，刮起一股无法抑制的怀旧热，从发狂般地重看《乱世佳人》和《卡萨布兰卡》，直到形形色色的校友会成立，似乎都为了一发那时光不再倒流的幽怨。

琳达的客厅足有四百余呎大，这原是两房一厅的一套房，她打通了一厅和一房及一走道，因此这厅就显得特别宽敞；一进门就是餐室区，穿过乳白色的花架才是会客区，花架上，茁壮肥厚的常春藤满棚满架，一片油绿，使这里充满田园气息。

酒吧小小巧巧的，就设在大门一进的墙角，与大门和全堂餐室家具的木质一样，都为白坯原木，木头上的疤疬和年轮，几乎是夸张地从故意上得薄薄的腊克下显突出来，很有点韵味。这一切与那道拱形的、故意横着一道笨重粗糙的大门相映成趣，让人联想起西洋古典小说中海盗们常光临的小酒店。不过，正在酒吧台里忙着调酒的琳达本人，倒一点不像经营这种小酒店的婆娘，虽说她已不再年轻，也不属漂亮，但那活泼泼的眼风和甜腻腻的一口上海话，还有那保养得依旧曲线姣好的身材，使她的身影，依旧起着引人注目的效果。

她穿着一件墨绿色的日本缎长裙，腰胯间一半尺来宽的同料黑缎腰带，在左侧松松地垂下一只大蝴蝶结，恰到好处地点出她那段风流的身姿。身上丝毫没有一点珠宝气，只左手无名指上一枚硕大的翡翠戒指，随着摇晃着调酒器的手势时闪时现，惹得一边坐着的几位太太止不住轻轻议论着：

"看见？滴绿滴绿的，看来像真货，忒个女人不简单，单枪匹马的闯世界，她像是个钢琴先生吧？钱搔了不少吧。"一个羡慕的声音。

"哼，"也有人酸溜溜地说，"现在的首饰，假的也做得跟真的一样，真真假假，假假真真，你一生一世也弄它不清，反正你当它真就是真，你当它假就是假……"

"不过，人家这层楼硬碰硬是真的，现在跑马地（港地中上层人士居住地)这样一层楼，一百万打底是起码的了。"说话的人，眼珠一边止不住滴溜溜地四处打量着。自然，H大出来的上海学生，仗着那点教会大学的老关系和英文底子，在港地大都过得不错，只是一个女人家单身一人，光靠教琴就能混得如此风光气派，这倒是不多。

"啧啧，你也真是。你认真相信她教教琴就能教出这一层楼？你真把她当成女强人才阿莫林做进呢！"几个蓬蓬松松的头即刻凑在一起，声音也低下去了。

琳达自然听不见这几位太太讲点啥，但那副交头接耳的鬼相，她是早就感觉到了。

她故意把头一扬，笑盈盈地说："大家尝尝我调配的鸡尾酒，这是一种新方子，各位太太看牢点自己先生，他们贪杯醉了自己可别怨我。"说着，她眼睛向那几位太太挑战地瞟了一眼，随即端起托盘，好看地摆动着垂着绸缎的腰肢，把酒分送给各位。琳达汗涔涔的脸上，已蒙上一层薄薄的红晕，这不是化妆品的功效，这是因为或许她有点累了，或许她太激动了，不过这层天然的红晕使她显得十分娇艳照人。

今天的客人，纯粹是一个新的圈子。虽然琳达现在算得上老香港了，但与H大校友会面，这还是第一遭。好久以来，在香港，似乎只注重目前你在哪儿供职，讲得客气点，即"你在哪儿发财"，而不大刨根问底你究竟毕业于哪个大学。自然，留学生博士生及现在年轻的一代，则又是另一回事了。因此，一旦同学会活动一发起，大家都不曾料到，弹丸之地的小小香港，竟云集不少燕京、圣约翰、H大等名牌大学的校友。琳达这组H大校友，大都同校不同系，因此彼此间并不十分熟悉，但又因着香港地小人多，且上海人之中，转弯抹角的总搭得上点关系，因此尽管彼此从不来往，但互相间的隐私趣闻，也都似曾风闻。琳达相信大家一定都听说过她，因此为了今天的冷餐会，她是着实花了点功夫的。她只想给她的新客人，留下一个深刻的印象。

真的，今天一切都是那样新鲜，因此琳达连着她自家的客厅，她调配的鸡尾酒甚至包括她那款款的腰肢，都带着一种崭新的光彩。客人们细细地观赏着她玻璃橱里的小摆设，交口称赞着她舒适的品位高雅的住房。H大在上海，也算和圣约翰及沪江平起平坐的名牌学府。但出来的人，不见得个个风光发达，特别是内地几位校友，看他们参观琳达居室的羡慕样，就看得出未必个个都有这样一套阔气的住房。

琳达自来港后做了不少傻事，唯独买楼这件事是做对了。当时二十几万买进的这层楼，现在据说起码值得一百万呢！

她得了一个再次详尽叙述着她装修这房子的经过的机会，她再次感觉到男客人们在暗暗窥视追随着她依然散发着几分风韵的身姿，女客人们，则细细估量着她那身特别的衣衫和室内的陈设，当她重新被簇拥着注目着时，只感到一阵莫大的安慰；至少，她还未老到让人讨厌吧？

"……这就叫青春判袂，白首重晤，这毕业后的四十年，犹如南柯一梦呀！"

那边客厅里，范企章正在大抒情怀，也是命该他们这组H大校友有福，出了个大阔佬范企章，"我包了"三个字当胸一拍，就包去了大半花费。自从他娶了第三任太太后，已有好一阵未登琳达的门了。以至当那天他电话通知她有关同学会的计划时，她还以为自己把别人的声音当作他的了。

到底太太娶好，生活安定了，他显然发福了，微微凸出肚腩。他穿着一件烟灰色的薄绒冷衫，那目感轻软的高贵质料让人一下就猜出是欧洲名牌。下身一条浅灰的裤子十分合身可体，微微些许的肚腩默默道出他那春风得意的状况。只见他双手插着裤兜，口里嚼着牙签，站在比他年轻多，且要高过半头的自己太太身边，却是神态自若洒脱，丝毫不感到有任何威胁。

这个范企章，天生像要吃鱼中段那样来吃女人：最早中国还流行"女子无才便是德"，他在读高中时老家就替他找了个旧式闺秀，令他年纪轻轻就尝尽了"红袖夜添香"的闺房之趣。后来那位闺秀太太竟死于难产。那阵时兴知识女性作太太，范企章娶了一位金陵女大生物系毕业的太太，无奈这位太太重才不重财，当时范企章不过徒有虚名顶着个"范老板"

的美称，靠雇几个散工在闹市开档卖"收盘货"而赚钱，她很是为此委屈，最后，就提出与他分手了。于是，他又得以一个更新太太的机会，这次可是笃悠悠地候着"天时地利人和"之合，精拣细挑了现在这位英国留洋、在某大企业任女主管的、俗称为"女强人"的年轻太太。这家伙尽管已六十出头了，但似乎他的妻子，是为了他而永远停留在作为妻子的最佳年龄，三十到四十之间。这是女人最佳的年龄：成熟、颖悟和温柔。琳达也有过这段女人最佳的年华，她把这段像熟透了的苹果一样透人的时光，统统无私地给了范企章，对他施尽了妻子的义务，却始终没有享受到妻子的权利。每每想到这里，琳达总恨不得抓掉他几根头发才解气。但真正再次与他面对面时，她只感到自己的眼睛不争气地老想往他身上溜。

他依旧漫不经心地嚼着牙签，施梦绮，是这次请来的上海校友中唯一的一位女校友，范企章很绅士地为她从托盘中拿了一杯酒，"请，你是这次我们请来的客人中的 Only Rose(仅有的玫瑰)。来，为你的青春常驻干一杯！"他很洒脱地举杯呷了一口，在杯沿上对施梦绮微微一笑，那对一笑就隐成两抹月牙牙般的眼睛得意地一眯，还是一副花得要死的腔调。"唔？"他上下唇轻轻搭了几下，"大家尝尝琳达调配的鸡尾酒，真是另有一功，这叫酒不醉人人自醉呀！"他摆出一副俨然男主人的架势，自然，这也不过分，他本是这次同学会的主要资助者。

施梦绮，与现在正进入电视小姐决赛轮中一位叫周梦绮的佳丽，仅一字之差，然而假若时光真能倒流四十年，这位施梦绮也算得上 H 大园内的一颗明星了。那时在 H 大，施梦绮在她心目中显得好高好高，直至解放，当着那些个原先在 H 大校园内活跃风流、社交广泛的老同学们开始一个个在社会上销声匿迹的时候，施梦绮那一口标准纯正的牛津英语，通过电台的无线电波和她灌制的教育唱片，使 H 大的老同学依旧能经常听到她的声音和名字。但现在，这位内地校友将被安排住在琳达家里，为着琳达是单身住的，大家都认为大可不必去住酒店吃那老虎肉(高价)，琳达想着自己，总算也有了扬眉吐气之时了。虽然听说施梦绮现在在上海职位也挺高，似是外贸公司女经理，但不管怎样，香港人总有一股自恃的优越，特别与内地人相比，先不说别的，光那股土气，就足以让香港人自喜。

岂知，现在的上海人真厉害，红磡站台上他们这行上海校友，竟和其他游客呒啥分别，以至他们接客者一下子都没悟过来，他们一行几个已先和他们打招呼了。只见几位男校友或是脚登波鞋 T 恤旅行装，或是西装领带 H 大正统打扮，一个个气度宇扬。而他们之中的"Only Rose"施梦绮，那雍容华贵气度非凡的风采，较之月台上其他的旅客，真叫比香港人还香港人；只见她穿一件宝蓝色带绸结的衬衫，象牙色薄呢窄裙，白漆皮鞋与配套手提包，不慌不忙地跨着 H 大女生特有的步子笃笃走来。毕竟是 H 大素养有方，在大陆思想改造了那么多年，那股与众不同的高贵气，还是让人一眼就感觉到了。看她那架势，很有几分置地广场里写字间的女主管的威仪，琳达心里凉了半截，悔不该把她接到家里让自己作她的陪衬人。虽说梦绮额面上已无可抵抗地出现了电车路，特别在她微笑时，一对鱼尾纹更是显然，那双手更是不对了，一挨上去，毛毛糙糙的，铁板般，但琳达深感，自己那外表保养得十分得当的身上，缺乏一种梦绮所有的吸引力。

"范先生在 H 大，我怎么竟一点印象也没有了。"梦绮优雅地用食指和中指托着酒杯肚，此刻，她已换上一件串珠珠的黑丝绒旗袍作晚装，其实现在香港人也越来越不讲究那种繁文缛节的穿着，都趋向随便简单，这身过分正式的打扮，反使她显出一股活脱脱的上海气，俨然一位四五十年代琳达常见到的上海太太，那件串珠珠的黑旗袍，给琳达的客厅带来一股浓烈的怀旧气氛。

"我自然是不能和你相比的，我那阵在 H 大，不过无名小卒一个罢了。"企章呷完杯里最后一口酒，举着空酒杯的手洒脱地在半空中划了个弧形，表示他一点也不在意这"无名小卒"之称。"再讲，我是胜利后才归队，跟着抗战时撤至后方的 H 大分校从重庆迁回，这已是我大学的最后一年了，在你们这班上海小姐眼里，自然是土包子一只，毫不起眼的。

老实讲，刚刚到红磡车站来接你们时，我心里是别别地跳，怕你们心里嘀咕，怎么我们堂堂 H 大人中会冒出这么一只老猢狲？从前在 H 大园内从没见过这个人嘛，别是个冒牌货！阿拉香港就独出冒牌货！"说着他搔搔头皮，做出一副夸张的尴尬状，实质上却给人一种胜券稳操的得劲。

"唟，这种肯给我们会钞，请我们吃海鲜的冒牌货，倒是多多益善，十分欢迎。"有人跟着卖口乖，惹起一阵笑声。

"哦，我们在上海就听说了，H 大四七届有个范企章，在香港十分发达呢。"梦绮微微一笑说。"哪里哪里，不过做点小生意。"企章用手扶着梦绮肩头轻轻地拍拍，琳达懂这手势，就是"谢谢，你真会讲话"。企章这个人，总觉得在 H 大时不过是一普通穷学生，像梦绮这样的明星女学生，他想高攀也不敢。如今，范企章又是另一番世面了，虽不是"衣锦还乡"，也可属"威风凛凛"，因此当年可望而不可即的学生明星，他也可以亲热地拍拍她搭搭她，以了昔日一番夙愿。老实讲，他肚皮里有几根蛔虫，琳达都一清二楚呢。

琳达殷勤地替梦绮把酒加满，打断企章的话，说："梦绮，多吃点。喏，吃点橘子，真正的暹罗蜜橘，你们上海吃不到的。"琳达忍不住，又要在内地校友面前，特别在梦绮面前摆一下香港人的魁劲。

"你也是的，"企章忙忙地护着梦绮，"这几年人家梦绮美国瑞士都去过了，世面也见得大了，几只暹罗蜜橘算啥！"

"我吃吃，不过名堂不一样，其实味道也是差不多的。"梦绮从腋下抽出一条麻纱手帕，小心地用手帕拭了拭唇角，这一动作似乎也只能从黑白老影片中才能看到了，自从面巾纸问世后，琳达已有好久不使手绢了。看着企章居然如此袒护第一次会面的女校友，琳达心里很有点酸酸的，无论如何他不该这样无情！

"去年我在《人民日报》海外版见过你的一篇采访记，你现在是高级经济师了吧？有几个学位了？反正那篇介绍你的文章讲，你在有两个孩子的情况下，再去读夜大学，读下一个化工本科的文凭，不简单？"这最后四字，他是转向自己老婆的，仿佛在场众多之人，唯有自己家主婆，才领略这四个字的含义。

这位第三任范太太，琳达以前见过，她曾是企章手下一位不起眼的女秘书，琳达从前去企章公司找他时，对这位貌不惊人、鼻梁上架着一副学生般本白色镜架的女秘书，根本是不屑一顾的，想不到竟是她，夺去了范企章。

"哦，工作后再去读书好辛苦，我对此是深有体会的。"范太太是土生土长的香港人，讲着一口生硬的北京话，"当初我也是下班后天天去读夜校，一边还得筹集将来准备留洋的学钱，就再替邻居小朋友做补习老师，几乎总是天天睡眠不足，如此四年后才得到英国银行公会的文凭，到钱积得差不多了，再去英国留学，留学生的日子也不好过，那几年添了失眠症又加胃病，也不知怎么就熬打过来了……"范太太说着轻轻摇摇头，大有不堪回首之态。

范太属那种瘦长型的、穿什么都有模有样的女人，只是浑身的线条太僵直，无论在脖弯、腰际还是肩头，都缺乏一种浑圆的柔美，让人一下就拈出，她属那种有咎必究、有利必争、寸步不让的女人。她穿着一袭浅褐色底深咖啡大圆点的细麻布直身裙，精于时装之道的琳达从它领肩式样一眼就看出此物来处非日本即意大利。她颈脖上是一串与裙子颜色十分协调的人造琥珀项链，虽价廉却品位很是高雅，一头似凌乱又别有风姿的直发，其实是经过发廊美发师刻意修饰的，宽松的大敞领下，是她笔挺瘦削、肤色细致光泽的背脊，现今的她，就像丑小鸭变成白天鹅一样，在貌似简朴的装饰中，透着一股高贵气，眼睛架着的那副精致的翘角 K 金镜架，又替她增上几分书卷气。她不过四十来岁，这样的年龄也不算轻了，但在琳达眼中，还是个如花似玉的年华，还有着一段不短的风流岁月等着呢。

"好呀，你这位范老板，怎么就一点不照顾一下你的秘书小姐，由着她一个人苦斗，你不心疼呀。"有校友揶揄着企章。

"你们这就不懂，"企章悠悠地吸了口烟，说，"我正因为喜欢她，才让她去折腾的。我认为，年轻的时候，受点磨难，有点不快乐的际遇，不是一件坏事，这是最好的职前训练。老实讲，主管工作，非一般女人能胜任的，脑袋要像电脑，忍耐性要像牛，体力要充沛，连生病的权力都没有，我早就看出这位秘书小姐非同一般女孩子，乃可塑之材。这里用得着基督教里常讲的一句话，我不是基督徒，用得不当勿责怪：即上帝正因为爱他的孩子，所以要教诲他，用困难、苦难来教诲他，使他的孩子更坚强。其实，我内心也挺心疼她的。"说着，他朝自己太太了眼睛。

"谢谢你，我的上帝！"范太朝自己丈夫作了个揖，说，"人嘛，也挺奇怪。开初我做小秘书之时，倒也感觉要学的东西也不少，虽对此毫无兴趣，倒也不觉得沉闷，可是连着做了三年，便发觉已没有新的东西可学，且老在别人指挥下做，也没意思。我也不甘心自己的资历永远停留在预科的程度。想想还年轻，也就搏了一下。"她垂下眼睑羞羞地笑了一下。

此时琳达方悟起，企章有一阵是老在她跟前提过这位女秘书，只为着她那不起眼的姿容，竟使琳达疏忽了。原先，她以为成功只会替男人增添魅力，却不曾料到，成功得意的女性，也会因此增添万斛风情。

"对对，人，有时就是要搏一下的。"梦绮连连点头称是。本来，她一直摆出一副不卑不亢、不温不冷的神气。现在，看来对范太太生出十分的好感。

或许，人是要搏几下的。但在琳达这样的年纪刚刚领悟此道理，似太晚了，现在，她还有啥拼搏的本钱呢？

"哦，马丹施(施女士)是外贸公司业务部经理，我们之间就可以来个cooperation(合作)。鄙公司小到家私，大到钢锭压路机搅拌机，什么生意都做。"范太太说着，从不离身的手提包里摸出自己的名片恭敬地递上去。

"唷，范太厉害厉害，真会抓紧做生意。在我这里做成一笔生意，我可要抽红利的。"琳达有点酸酸地说，同时趁势在范太脸上留心地掠了一眼，想试探一下，这位范太对她和企章间的事，究竟知道多少。想来，企章也不像那种一五一十都向枕边人倒个明白的糊涂男人。然而，范太那精明的 K 金镜框后透出的目光，却是滴水不漏的。她虽说年轻，但自有一种震慑人的威仪，琳达不敢太肆意地打量她，忙忙收回自己的目光。

然而，对这些当年 H 大的先生们，仗着他们比她大一截，且也曾经在上海滩上风流过，于是竟也有人，吃起她豆腐了：

"好啦，范太。你范先生是吃不穷的，乐得钞票上松松手享享福。当心，企章兄花头也是很透的，别钞票赚足，老公飞脱了。"

看来，范企章的不安分，也是出名的，其实就在这间客厅里，也难保没有人不清楚琳达与他那段风流账。

"我不怕，"范太太此时一改那女主管式的威仪和持重，娇俏地一笑，举了一下握着酒杯的左手说，"我用结婚戒指把他套得牢牢的。"涂着浅紫色蔻丹的纤指，在淡褐色酒液陪衬下，更显得晶莹光泽，那枚她用来套牢丈夫的白金婚戒，闪闪的光耀刺疼了琳达的双目。

"哟，这么厉害的家主婆，"范企章说着亲昵地把太太从衣领里翻出来的商标塞进去，然后幽默地说，"怪不得，这般厉害，原来是意大利名牌。"

"不，是英国名牌！"范太太则巧妙地接着他的话茬，她这指的是自己毕业于英国名牌大学。

在一片哈哈笑声之中，琳达感到自己再也不能待下去听任他们夫妻俩唱双簧了。这个范企章真正是可恶之极，似乎存心带着老婆来伤她的心。看他虽然头发又白了不少，但举手投足的当儿自有他的昂扬之慨。他的微笑很奇特，嘴角没动，然而你却知道他在笑，脸上其他部分都因此闪烁着微笑的喜悦。男人就是这样幸运，每经历一次感情上的波折，反而会因此增添一层风采。哪像女人，经历一次就像给扒掉一层皮，实在经不起折腾。

她恣意地打量着他，竟然全无一丝遮拦。蓦地他忽然一个回眸，窘得她浑身发热，他却像掠过这客厅中一把椅子、一角窗幔那样，并不留意。她顿时感到鼻子酸酸的。

她悄悄绕过众人身后，快快地正准备离去，冷不防范企章一伸手轻轻挽住她肘部，把琳达激得脸红心跳。他那温软的指甲永远修得干干净净的手，她曾十分熟悉。有一阵，它们老喜欢留恋在她的颈脖和发际之间。她轻轻摆动一下手臂，想把那只手甩开，可不知是因为甩得不坚决还是那只手有点死皮乞赖，反正它非但没被甩开，反而移上来亲热地揽住她肩头，一副西洋绅士的派头。

"这位也是名牌呢。我们 H 大名牌大学就是出名牌学生。琳达是社会学系的，芳名为林湛秋。各位是否记得胜利后我们 H 大的首届英语演讲比赛吗？琳达那题为'无知是阻碍社会更大障碍'的演讲；得亚军呢。看：她今日为我们准备的 party，真正是一位既能干又漂亮的女同学。"

怎么啦，又来说起她好话了。老实讲，范企章，琳达到底是不是真的聪明能干，你范企章心里是最明白了，真正厉害的女人，是绝不会像她这样听任他突然又彻底地结束他俩长达多年的情史，竟然一点条货都不开、一丁点都不开呀！

那是一个细雨蒙蒙的黄昏，她早早地拉上百叶窗，下了窗帘，只开着一盏矮茶几上台灯，柔和的灯光慵散地洒在舒适的单人沙发上，沙发上那只宝蓝色的软缎大靠垫拍得松松软软；鲜亮的色彩和光滑柔软的质感，令人有种抑制不住要一头栽入它怀里的欲望。融融的灯光一点一点渗向四周的暮色，使这个舒适的角落，有如电影中的特写镜头，这正是琳达期望达到的效果。她愿他从阴冷潮湿的街上一进屋，就能看到留给自己的位置，感受到温暖恬静的居家气氛。一大早就接到他电话，说下午要到她这里来。告诉他今天下雨就算了，可他坚持要来。于是琳达回掉一切有可能来做客的朋友，早早地收拾停当候着他。情妇的生涯总有点不尽如人意，瞻前顾后、提心吊胆，但也为着有种缺乏安全感的胁迫，使她永远像个恋爱中的女人，执著、热烈、天真，她自己想改都改不了。不管怎样，她感情上总算有个归宿。

不久，她就听到电梯门咔嚓一声，然后是她熟悉的急碎的脚步声，接着是钥匙缓缓的插入门锁的声音，它似乎迟疑了一下，再缓缓旋转钥匙，门把轻轻旋转一下，他进来了。

她的手环住了他的脖子，他没有回应她，只是伸手在她臀部拍了拍，她熟悉他的这一手势，那等于说：等一等，让我喘口气。或者说：行了行了。至于究竟属哪层意思，就得看当时当地的具体情况了。就是那天，琳达竟发现，他那手势，似乎都不包括这两层意思，她有点诧异，不过她把这归结为他遇到什么不愉快的事了。

她从厨房端了两杯浓浓的咖啡出来，一杯放在他边上，自己则托着杯子，倚坐在他沙发的靠手边。他对她轻轻抬了抬下巴，示意她在他左侧另一张沙发上坐下，同时，十分奇怪地，像是要重新认识她似的看着她。

她娇嗔地一笑："今天我去发廊换了个新发式，这适合我吗？"她把这一切异常，归结于她今天换了个挺时兴的狄安娜公主式发型。

他两手托着后脑勺仰脖定定地凝视了她片刻，然后发出一声低叹："你这样的年岁，已不合适随便改变形象了。"

这道理难道她还不懂？但他哪里明白她心中的苦衷？她只希望，自己对他，永远持一种新鲜感，不要让他厌倦她，对她感到乏味。她毕竟没有一枚可以套住他的结婚戒指呀！

她启口想解释一下，他则做手势制止她，似乎料到她会说什么。

"我要结婚了，琳达。"他直截了当地说。

她自然知道不会跟她结婚的，竟也十分冷静地问："哦？什么时候？"托着咖啡杯的手竟然一点也不颤抖，只是下意识地用小匙越来越快地搅着咖啡。

"我想定在圣诞节。"

"哦，那没几天了，很忙吧？"

"是呀，这几日正在物色酒店。"

"我刚刚参加过'希尔顿'的一个婚礼，不错，满五十桌宴席的，酒店将免费赠送一个结婚蛋糕及一瓶大香槟，还有新娘的花球……"她竟然还能替他出主意，其实，双方都明白，大家只不过是用那些不着边际的话拖延着交谈的要害。

他在沙发上坐正了一下身子，终于决定结束掉这些毫无意义的对话。

"因此我想，我们以后……"他停顿了一下，似乎想寻一个合适的词汇，但一下又找不出，瞬间，一阵令人窒息的沉默压着这间房间。她不得不努力地调整自己的呼吸，免得像拉风箱样气喘吁吁，努力等待着他找出那个合适的词汇。但他还是找不出那个合适的词，最后，只是无奈地把双手一摊，道出了那个他没讲出的意思。此时，刚刚想出一句婉转的话："怕我们不大容易再经常见面了。"

她很快地接口道："既然你立即要结婚了，我们当然……"她不愿再讲拐弯抹角的话了，但也想不出合适的词，只能重复着他把手一摊的动作。

接下去他们又无言地对坐着，还是那压得死人的死寂。不知过了多久，她那麻木了的思维，才开始慢慢恢复过来，她看见，他正双肘支在膝盖上向前俯着身子，把脸埋在自己一双手掌里，认命般似乎下定决心再也不愿开口申辩什么了。

她开始可怜他了："那你早点回去吧，这几天有你忙的了。"连自己都不相信这是自己的声音，那么平静，那么柔和。

她把他送到门口电梯边，轻轻一声"拜拜"，就像他平时离去一样。就是这样一声"拜拜"，就像一个不谙世事的十七岁女孩，结束一场男女追逐的游戏。直到听到他熟悉的汽车引擎渐渐远去了，她才像刚从舞台上下来的演员，如释重负地松了口气。接着，她就嘤嘤地哭了起来。其实她对这一天的到来，是有预感的，只不过是，不愿去多想罢了。

这一切已过去多年了，可那一幕的每一个细节，都像电影那样清晰无误。可他，竟像什么都没发生过似的，一手揽着她肩膀唱歌般地唱出一句"又漂亮又能干"。无论如何，当一对男女有过亲密的肉体关系后，当着众人的面，怎么也不可能再扮出没有这种关系时的那种坦然相处的神态了。可是他，竟能作假作得如此坦然，是他真的能把这发生过的一切一笔勾销，只作没有发生过，还是这就是他成功的绝招——会装假呢？真正岂有此理，或许此时此刻，她应该当着旧日 H 大校友都在的场合，当着他第三任太太的面，将托盘里的鸡尾酒全泼在他脸上。但事实上，她只是无所谓地笑了笑，居然还讲了句俏皮话。

"这篇演讲稿题目就是不及格，应该改成'三座大山是阻碍社会的障碍'，可见那亚军，也是受之有愧呢。"

原来，她也能装装假的。

唉，演讲比赛、社会学系、H大的文凭，还有那"人生不是索取，是给予"的信奉，这些曾让她一想到就自感身价陡增的花头经，现在看来就像洋娃娃样中看而无生命力，只能骗骗小孩子。说到底，在人世中滚打，靠的是冷拳、运气、歪门邪道……啥文凭、才华，除非是对像施梦绮、范太那种循规正道的读书人才有用，她琳达走她们这条路是走不通的。

"唷，琳达不错呀！如是就是九七年大限到了，还可捞个政协委员做做呢！"

"九七年，九七年又怎样？还不是马照跑，舞照跳！"

琳达那句俏皮话，却引出如今香港人谈得最多的话题。

"呃，×兄，你的袋鼠国移民办得如何了？决心走人了？当心点，投资移民上当不少呢。我妹夫与人合伙在美国中西部科罗拉多州买了块牧地，约八亩，首期付了三分之一，其余分七年付清，岂知这根本是个骗局，那只是一片几十年都不会开发的荒地，白白扔了两万美金！"

"找律师告他们！"

"哼！律师。律师业对此案视为'扫不完的垃圾'，多的是。再讲，付付律师费又是可观的一笔，这笔钱终归蚀定了。"

"你呢，×兄？"

"我嘛，做空中飞人最好，趁九七大限之前先捞它几票，再见风使舵嘛。企章兄，你的打算呢？你是十三档算盘，棋子一只只早摆好了？"

琳达不禁也侧耳细听着，虽说她与企章的路早已岔开了。

"空中飞人是十分危险的杂技表演，一个触霉头跌下来，跌得你眼冒金花呢，骨肉分离；持着张绿卡飞来飞去，听说吗？有人入境时被没收了绿卡，移民局理由是根本没有定居美国的诚意。也有家庭因长期分居而发生变故，我看要慎重，慎重。"企章讲话时爱把肘部撑在沙发上，十只指甲修剪得十分干净的手指岔开相触着，一对食指不时触抵着自己的上唇，作出个短暂的思考状，然后再娓娓接下说，这手势为他的讲话加强了慎重感和可信感。

"那你——"

"我是，以不变应万变。看，我家主婆还在与上海谈生意呢。"他说着用嘴唇努了下在客厅另一角交谈的太太与施梦绮。

"我也想过，如此举家移民，便是将这个家庭导致'出族'……"

"哟，老兄，你哪里又挖出个老古董话，'出族'！真是老古板。需知华人归化外邦，其实也是一种文化转移……"

男人们的话题，除马经、生意经和女人经，现在最热门的，就是九七年了，这正是需要男人做决策的时候。太太们早躲过一边又另成一圈，谈着她们自己的话题。

"……当初六十年代两人一个铜板也没有，从大陆出来的，全靠他太太与他一起苦做，秘书、跑街一手包，总算出头了，亚皆老街的楼也买好了，那太太自然也就开始享福了，在家里相夫教子了，谁知，男的变心了……"说话的太太用右手指背轻轻连连地击着左手手掌，显出一副十分为难焦急的样子，也不知讲的是谁。

"男的要与她离婚？"

"离倒没有离，就是外边弄了个女人了。他太太有啥办法？现在男人钞票赚了木佬佬（上海话，十分多的意思），不怕她吵她闹，更不怕她离婚。作孽，这太太现在瘦得只有一百磅，人也不像人了。昨天哭到我家里来问我怎么办，我有啥办法？"说话的人双手一齐交叠在胸前，摆出一副无奈的神情。

"世界上就是有这种不要脸孔的女人，专想拣现成福享，狐狸精一样。"另一位太太忿忿地说，琳达甚至觉着她目光刺刺地在她身上停留了一下，"要我是他太太，就死也不同意离婚。等那狐狸精人老色衰，也就没有啥法道了，那时候用不着太太动手，先生自己也会打发她的。这种女人，看着，不会有好结果的。"

"他太太也老实，喏，范太就聪明。丈夫事业办得这样大，她照样霸着那女主管的位置，做的还不是自己先生的秘书工作？她这就叫门槛精，真的回家享福那才憨大做进呢，又得再让丈夫请一个年轻漂亮的女秘书，不如自己辛苦点了。"

"所以讲，我对我朋友讲：你就是太老实了。现在路只有两条，你吃不下这口气的，争气不争财，就离婚算数。假如面子上还是要做他太太的，就委曲求全一下，睁一只眼闭一只眼算啦，反正钞票有的是。年纪也老大啦。"

"就是嘛，拼命吃她的先生，用她的先生，狠性命地用他铜钿……"太太们热心地出着主意。

各人围成各人谈话的小圈子，且谈得那么投入，似乎已忘记女主人的存在，不过是借她舒适的客厅和美酒，好久不见的同学互相叙叙旧。谁也没想到与她敷衍客套几句，或许因为，她的舒适住房已夸奖过了，高超的调酒手艺也品尝了，驻颜有术也赞过了，此外，似乎与她无啥可谈了。

她讪讪地先到先生们圈子里替他们加了点酒，他们匆匆做了个甜蜜的微笑又忙忙地接着他们热衷的话题，并无邀她入座的表示。她想过去替梦绮范太俩加酒，发现她们的酒杯根本是满满的。她踅到太太们那里去，她们即停止正在讲述的什么，有礼貌地向她敷衍了几句："你去坐一下歇歇吧，忙坏了。"脸上却明明白白地写出对她的不友好与不屑为伍。她百般无聊地站了一会，只得重番回到自己的小酒吧台里。

琳达打开一瓶琴酒，麻利地在调酒器里兑好各种果汁，她调配的鸡尾酒很有特点，既按调酒方子、又凭自己的嗅觉味觉，因此上口十分特别。

琳达双手晃着摇酒器，忽然感到手臂再也举不起了，有如鸦片鬼靠鸦片提起的那股劲头已过去了，浑身却瘫软下来了。她停住摇酒，坐在高脚椅上停了停神，想到已过了吃药时间，她也懒得再吃。怔怔地用一种超然的目光看着客厅东一簇西一簇的请来的客人，好比一个陌生的闯入者那般好奇又冷漠地看着他们：太太们还在神秘又热烈地谈着什么，先生们的话题似乎已由九七年转到女人身上。只见企章站起身子，神采奕奕地比划着。

"你们知道世界各国的新娘花烛之夜的下半夜对丈夫说的私房话吗？美国新娘，'你说什么？春宵一刻值千金？你这说的是美金还是黄金？'日本新娘是，'对不起，服侍得不好的地方请原谅，下次力求改进。'英国新娘是，'亲爱的，我们的孩子将来让他念剑桥还是牛津？'法国新娘是，'呵，亲爱的，你还活着吗？'"

话音未落，先生们中爆出一阵惊天动地的笑声。

"企章兄有三妻之命，所以对此颇有研究呀。"

也有人贼兮兮地说："下一辈子娶个法国新娘来，试试看。"

"那我宁可要日本新娘。"

但这惊天动地的笑声既未惊动范太俩，也没有能打断那班太太们的窃窃私语。人与人相通竟是这般艰难，就是在这间小小客厅里都是如此，更别说整个世界了。

琳达感到自己通身都在淌汗，那许是药物反应。这阵，她正在接受化学治疗。为了应付今晚的场面，她已经停止了两次化学治疗，因接受过化学治疗后，人总得在床上瘫几天后方能下地。琳达在今年年初，读到一篇关于自查乳房的文字，就信手按按自己乳房，竟就此发现黄豆般一粒硬块。年少时，每每发现女伴遇到什么困难之事，她总爱好奇地问："你当时哭？"因为她知道自己太容易哭，如果谁回答她当时没有哭，她一定会刨根问底，"那你是怎么一想，就不哭了呢？"但这次，她惊异地发现，当医生诊定她是患癌症了，她竟然没有哭，并不是她坚强了，而是她无暇哭。她得去诊疗所检查，接受化疗（她坚决拒绝外科手术治疗，哪怕马上死掉，她也不愿意带着不完全的女身去见上帝），又得不让钟先生——也算是她的现任男朋友，前几年丧妻的一位七十来岁的船坞公司经理，觉察有任何异常。琳达虽说对他谈不上有爱情，但此时此刻，身边能有个人可以谈谈，对她是多么需要！明知此事早晚瞒不住，但琳达宁可自欺欺人，能瞒过一天就瞒过一天。要知道，这位钟先生可能是琳达此生中最后一个会在她生日或圣诞节里，想到给她送花送小精品的男士了。虽然琳达已往六十上奔了，但六十的琳达也依然是一个女人呀，依旧需要找一个归宿，身体和感情都需要。因此在最初那段最可怖的等待医生诊断结果和宣布医疗手段的日子里，每天往返在医院——超级市场——菜市——与阿钟约会及尚余的几位有数的学生家之间，竟也真的没有时间流眼泪。现在时间长了，她对癌症患者的心态竟也慢慢适应了，曾近在咫尺的死神似乎也隐身于那日常事务应付之后了，她过得很平静。

或许死并不怎样可怖，就比如此刻，她明明在客厅里，可那么多人竟然就是漠视她的存在，自顾自谈笑风生，就好像她没在这屋子里一样。将来当她自己从这世界上消失时，那情景不过也跟眼前那样，人们照样忙自己的事，不过，她是再也看不见这个红红绿绿的世界了，看不到她那留在上海的一子一女了，她最疼爱的女儿元伦都三十好几了，还未成亲呢！来港近三十年，她竟没有能为他们留下什么，除了这层空壳房子，说不定还值百万元，但分到他们手里不过一人四十来万，可怜她离家弃子，孤苦伶仃三十年，留给他们的就只这么四十来万元！想到这里，眼圈都红了。

"不，我现在不能死，怎么着也得再捞上一笔，至少，阿钟那儿，得捞他一笔，总不成这一两年里白白地替他做保姆。"她在心里对自己说。阿钟是企章给她介绍的，企章总算有良心，没有对她撒手不管。阿钟虽不属阔佬，终究也算上台面的人，孩子也都大了，琳达真能有这样一个归宿，也算上上大吉了。无奈，她又不甘心于做侍候他的不拿工钱的阿妈，这种七十好几的老先生，以后讨人厌的事多着呢。不过想想他已七十好几，又有糖尿病、心脏病，一旦成为他合法妻子，总有两个铜钿还可捞捞，于是也就应承下来了。都活到这把年纪，心都给磨得粗糙了，很难再能真诚地爱了。但怕就怕她反而要走在他前面了！

"琳达,这向好久不见,从前我没搬到九龙时,倒是常常会在马路上碰到你。"一位校友太太终于发现快快地坐在一角的琳达,即端着酒杯过来与她敷衍了,"我看你今天太吃力了,脸色看上去也不大好。这向忙?还在教琴?收了多少学生了?"

琳达振作了下精神,一边摇酒一边回答:"哦,没有关系,我这里三天两日都是如此闹热,我也惯了。"

其实,有一阵,因着她那富有特色的鸡尾酒,自然,也因着她楚楚动人的风韵和殷勤好客,她的客厅倒是三天两日热热闹闹的。只是近年来,有点门前冷落的味道了。一则因为如今这种殖民时期留下的家庭聚会在香港似已不大时兴了,年轻人喜欢去岛外海滩大自然中度过自己的时光;上了年纪点的,则爱上茶楼酒吧,可省略许多琐事,有钞票的,更可以上"文华"、"丽晶"等处度过一个辉煌富丽的晚上。欣赏着家制鸡尾酒,坐在舒适的客厅里斯文地聊天,这种场面似乎只有旧粤语片里才能看到了。归根结底,这一切都不是让琳达感到门前车马冷落的理由,最最根本的原因:是琳达老了!一个不再年轻的单身女人,保养得再好,她的客厅也是乏味的。

"讲到学生,我倒想托托你,有啥七八岁的小朋友?我最近回掉几个大年龄的学生,倒想收几个小学生,我欢喜教小学生。"琳达趁势问她。社交少了,学生来源也少了。从前,她的学生,一度也是应接不暇。曾有一时,在港地上海人的中产阶级圈子中,都以孩子能在琳达小姐处学琴为荣。其实琳达的琴艺也不过一般,但大家心里明白,钢琴教师与钢琴演奏家,完全是两码事,而上海人,就最讲究"层次",说得白一点,就是"社交圈"的层次,尽管那时琳达的授课表,日程排得满满的,但来求教的学生,还是源源不断。那是琳达的黄金时代!现在,从前的学生早已长大成人,结束了钢琴课,与琳达不大相熟的人,是想不大到把孩子往她那儿送的。她现在手中稀稀落落几个学生,还是几个老朋友看老面子介绍给她的,统共那么两千出头三千不到,远抵不过一个广东阿妈的人工。虽说琳达只是一人过,但脂粉费,应酬费,交通费,还有,上海两个儿女的生活费，自己将来的养老费及欲留给子女的"遗产费"……都令她越来越感到有心无力了。

"哦，我有便替你留心着。你一节课学费多少？我有数了。"这位太太一口答应了，即端着酒杯走回她自己的小圈圈去。

"哼，琳达困扁头了，"一回到小圈子，这位太太即细声对她的周围人说，"诚心要抓几个学生，价钱又开得如此高。当今推崇名牌，你索性有香港大学或皇家颁发的文凭，那要价再高，照样门庭若市。否则，宁可送到无名小卒手中去，学费可要低多了。现在内地出来不少音乐学院专业琴手，本事又大，价钱又便宜……"

"她还以为自己是从前的琳达……"

不过，这些话琳达是永远听不到的。她依旧独自一人坐在酒吧里，自己也感到活像个酒吧里的女老板，果真如此也不错了，自己有个店面，好歹也是个入钱的营生，自己吃自己饭，总强过眼下这个抓学生的钢琴先生！

身后架上一口仿古座钟滴答滴答地走着，偌大一个客厅，这么一房间的客人，也唯有这个钟声在陪伴着她。她压下一口已涌上喉咙的叹息，懒懒地用右手的食指和中指，合着滴答滴答的钟声，的笃的笃地敲着台面。

"怎样，在想啥心思？"

蓦地，企章像从地底下冒出来样出现在她眼前，手肘搁在酒吧台面上，那手指，竟也合着她的节拍的笃的笃地敲着。

"要你管，反正不是想你！"她停止了敲击台面，娇嗔地回了他一句。低垂的吊灯下，企章的脸离她很近，这是一张不再年轻的脸了，但那对浓密得很有几分霸道的眉毛、方正的下巴上那张抿得紧紧的、有棱有角的嘴唇，依然很有几分让女人动心的魅力。

"当然是不会想我。"他哈哈一笑，偏侧着头看看她，眼睛却明明在说，"那可讲不定，我看就是在想我！"嘴上却说："阿钟好？你自然在想他。今晚为啥不请他一起来热闹热闹？"

琳达不愿与企章谈阿钟，正像有一阵，她不愿与他一起谈论自己的前夫文达一样。

　　"叫他来做啥？他是沪江大学的，与 H 大根本不搭架，再讲年纪也比我们这里大上一截，与他有啥多讲。"她冷冷地说，口气中带着几分对阿钟的不满，待讲到最后一句，仿佛又明明是打自己耳光，一个失口使她狼狈地止了口，半天才又加了一句："再讲，他也不喜欢夜世面。"

　　企章在一边笑眯眯地听着。这个人真孬，当初明明是他甩了琳达另外娶了现在的范太，是他欠了琳达，却因着他替琳达介绍了钟先生，非但因此似乎从那自责中解脱出来，反而好像琳达欠了他一笔人情账！因此，一提到钟先生，琳达就故意虎着脸。但接下去企章的一句话，却让她笑了：

　　"你这儿有鲜奶油吗？好久没尝到圣代酒了。"

　　"知道你就中意圣代酒！"琳达终于绽出一个娇羞的微笑，内心却不住地骂自己的不争气。昨天她特地去"惠康"买了罐鲜奶油，心里却一再对自己解释，不过是想品味一下久违的鲜奶油，事实上为了控制体重，她早已习惯连喝柠檬汁都是不搁糖的。她买这罐鲜奶油，完全是想给企章调一杯他中意的圣代。只怕他根本已经忘记了她的圣代，没料到，他自己倒先提起来了。

　　她小心地滤出冰碴，将调好的酒注入高脚杯里，杯子是事先冰镇过的。琳达做这些事，向来一丁点都不马虎，就像药剂师调配他的化学混合剂一样认真和一丝不苟。顷刻，一份混合着新鲜奶油、可可酒和白兰地的圣代酒，放在企章的面前，杯壁上蒙上一层薄雾，散发着阵阵甜恬的酒香。他贪婪地啜了一口含在嘴里，琳达见他舒服得甚至闭上了眼睛。一阵凄美之情淹没了她。她禁不住心疼地说："那么喜欢它，我等一下就抄个调酒方子给你太太，你可以让你太太给你调配，很容易的。"

　　企章左右顾盼一下，用一种委屈的腔调说道："唉，她才没那个心思呢。'想喝酒，自己上咖啡室去！'这是她立下的规章。"

　　企章结婚已有三年了。三年，对于一对夫妇，足可以互相了解透彻，对方是否合自己。这个念头一经冒出，她内心，则犹如一根被不经意拨响的琴弦，虽然只是微微的一颤，但那振起的声波，却一阵强似一阵地传遍她的全身。

"那当然。她的时间是赚大钱的，要比我的值钱多了。"她嘴上却帮着范太。

"那作为太太，总应也分一点时间给家里呀，哪怕放在儿子身上……"他以一种十分坦荡的推心置腹的口气对她说。她却糊涂了，他哪来的儿子？她光知道他只三千金，且都在外国。

"儿子？"她纳闷地重复了一下。

"哦，我儿子快两岁了，调皮得很。"他泛起一抹慈爱的微笑。

她这才悟过来。他当然应该有个儿子，他而且应该有个儿子。琳达亮着萤光口红的双唇往上一掀，勉强挤出一个微笑，凄切之中透着妩媚和无奈。

企章燃起一支烟，在烟雾中眯着双眼，用大拇指顶着自己下巴，沉吟着说。

"没办法，现在的世界与我们年轻时大不一样，一切都放在高速公路上运转，连飞机，都是超音速的。咖啡也是速溶的。人也是如此，几乎隔五六岁，就是一式想法、一式做人的准则。当今的女人，开口闭口，就是汇率调整，金子买价卖价，再也不会有人去关心冯秋萍编结法了！"说罢，往烟灰缸弹弹灰，隐起眸子自嘲地一笑。

"你怎样？啥时请我吃喜酒？"顷刻，他又问。

"我不急你急点啥？"她怨恨地瞟了他一眼，冷冷地说。是呀，只要她一嫁人，他就连最后一点负疚都可以解脱了，没那么容易。

"这当然。不过，你总不能一直一个人过下去。"企章有点忧郁地打量她一眼，"要不，把上海儿女弄一个出来，至少也可以伴伴你。"

话也对，风流过后，该安心养老了。好比鱼已啃剩一副骨架了，就该撤下席去，再躺在精美的盆子里赖在宴席上，简直有点不可理喻了。

"也难。"琳达被他的挚情感动，不禁也讲了几句心里话，她也实在不大有人可以讲讲了，"我们各人都有各人一笔账，因此感情就老停留在原地踏步，不温不热的。现在不过互相做做伴，出去吃顿把饭，看场影戏，解个闷气，远没提到这一步呢。我有时想想，也不一定要结婚，一个人过我也习惯了。"说起这位钟先生，人也不坏，就是大家都已做了大半世人了，难免各人有各人的如意算盘。他有点想婚后住进琳达的房子，如是自己的房子可让给儿子，而他自己、房子和侍候他的女工都一并解决了，不花一文。但琳达是想住到钟家去，房子可让给自己在上海的女儿元伦，元伦正在打申请呢。双方都在费心机，就陷于目前这种状态了。也难怪他们，生活程度一年高过一年，就苦了钟先生这种靠养老金过活的老先生。养老金一笔看看很可观，但只出不进是只无底洞，难怪阿钟有次半真半假地抱怨过："养老金用用倒快见底了，人倒还不死！"但说到底，这里还用得着一个"情"字。琳达看看让日光浴调理得黝黑茁壮的企章，假如他破产了，遭太太遗弃，老而病，一副穷途末路的样子重番找上琳达，她依旧会全心照料他的，她甚至想暗暗向上天许个愿，让企章再回到她身边！一层烟雾蒙上她双眼，想忍都忍不住。

"你呀……你呀！"

企章爱怜地轻轻对她说。

"哟，阿章和琳达躲在这里喝 Tea for Two(体己茶)呢！"冷不丁有人以酒盖脸，半真半假地起哄了，琳达忙用手背拭下湿润的眼眶，慌乱无措之中，只见企章不慌不忙地起身，慢悠悠地说："讲起来，我与琳达，还做过一场夫妻呢……"

琳达手一颤，酒洒了一大摊，他怎么了？难道连圣代的酒精含量都经不起了？

"……在 H 大时，我们上英语会话课是打乱年级上的。一次上'宴会对话'，外国先生临时点了我和琳达俩充当男女主人，再有另外两对男女同学充作宾客。琳达倒挺像个标准的女主人，唯独我穿着一身灰布长衫，推了一只平顶头，怎么看也顶多是个跑堂的，却硬要装模作样作'尖头慢'(英语：'绅士'的谐音)，弄得我窘态百出……"

"现在，你可是个货真价实的'尖头慢'了。"有人不失时机地捧了他一下。

这个琳达听他讲了不下十次的轶事，自然又引起满堂的捧腹。

"啥事，这里这样热闹。"什么时候，范太款款地摆动着修长的体态过来，琳达与她猛一照脸，不禁心虚地扑楞一下，她却依旧一脸粲然。是呀，她才犯不着去妒忌一个既不年轻，也无才学，庸庸碌碌的女人。她再一次感到内心被凄怆侵蚀着；女人到了这般地步，似乎连妒忌都对她不屑一顾了。

"企章，我身上的传呼机叫过了，是邝先生打来的电话，你打还是我打？"范太轻轻地附着丈夫耳边问，俨然一位精干标准的贴身秘书。

企章沉吟一下，即说："我去打。"

琳达目送他走到电话机边，从口袋里掏出一副老花镜戴上，这副玳瑁式老花镜，给他添上几分稳健与学者气。范太早已从不离身的提包里掏出纸和笔默契地跟上去。"这对夫妻：真叫夫唱妇随，不发财也冤枉煞了！"梦绮赞赏地看着他们的背影说。

琳达依旧怔怔地看着企章，她相信，范太太或许可以做丈夫得力的助手和持家的妻子，但永远成不了丈夫的情人，听听他刚才那番话，好似也是一肚子的不快。

企章那边挂好电话，敏捷地摘下老花眼镜放入口袋里，一边激动地打手势比划着："……阿邝这位仁兄就是心思太软，我向来咬定，千万不要与你的投资发生爱情。譬如你买了一只股票，它替你赚了好多钱，但现在是否仍然赚钱呢？有些人因为那个股票替他赚过钱、有了感情，就是不肯放。但聪明的投资者就会考虑，这个股票是赚过钱了，但现在是否还能赚钱？若不能的话，就要坚决放手。不要像对女朋友那样，想想不舍得，结果弄得个湿手沾干粉，甩也甩不掉……"说毕，他自己也纵声笑了起来，笑得洒脱调侃。

琳达只感到自己头皮一麻：他对待女人，何尝也不是这样干脆利落？不过，在这个危机四伏的世界里，不心狠手辣一点，要发财成功又谈何容易呢?

酒杯都见底了，女宾们开始偷偷在椅子底下，把脚从窄窄的皮鞋之中伸一半出来"放肆"一下，大家浓浓的谈兴开始一点点冷却下来了，人们开始恋起家里那张软乎乎的眠床了。

"好了，世上没有不散的筵席。"范企章是这次聚会的主要资助者，自然也是当然的主人，经他这一示意，大家方才开始星散。

听着电梯将最后一批客关进，琳达一下踢掉鞋子，一头跌坐在沙发上长长地舒了口气。她毕竟不行了，早几月，她一个通宵雀战下来还是活蹦乱跳的。她忽地萌发一种不祥之感：这或许是她最后一次在家里举行聚会了！

电话又响了，这么晚了还有谁打电话来？今晚真是热闹过头了，似乎有点像回光返照。

"琳达吗?"是企章从下面看更佬房里打上来的，"下面信箱里有一封你的信，你下来拿一拿。"他还是没有忘记临走时注意一下她信箱的习惯。

琳达重番把脚探进高跟鞋里，浮胀的已经解脱了的脚再回到那窄窄的紧箍里真不好受。

电梯上来了，门打开，出乎意料的，企章一人在电梯里。门关上后，霎时，里面就成了个两人世界。企章并不去揿电钮，说：

"很难得有与你单独这样相处在一起的时候了。"他俯首对她说。她想他大约会轻轻吻一下她的脸颊，但他没有，他总是很能控制自己的。

一阵无力感涌上心头，她疲乏地把头抵着电梯墙。

"时代是一天一个样，今天不同于昨天，明天可能又不同于今天，凡事不要太认真，能安定下来就早日安定下来，这样，我也好放心。"他从她身后伸出双手搭着她肩膀说。

就是要让你一辈子觉得亏欠她琳达了。

琳达伸手在电钮上按了一下，电梯就下去了。

"哦，"似乎随便想起，企章从口袋中摸出一封红包，"这点是我的心意。梦绮从内地来，港币总拮据一些，你帮我给她，我对她还不熟悉，怕她不肯受，就算我们港地 H 大同学一番心意。另外，方便时能否替我留心一下，她在港地还与哪几家公司有生意来往？"

琳达刚刚下意识地接过那只红包，还来不及悟过来，电梯门已咣当一声打开了：

"拜拜！"企章匆匆向她招招手就走出大门，不多久，就听见缓缓起动的汽车引擎声，接着，只见他那辆浅灰色的"奔驰 280"缓缓起动，车前两侧雪亮的灯光把前面一片静谧的夜色照得通亮，随即扬长而去，即刻消融在深沉的夜色之中。

琳达再次捏捏那包沉甸甸的红包，似乎悟到了什么，脸上裂开一个凄惨的微笑。

她打开信箱取了信，林湛秋女士亲启，是上海寄来的，她的三十有好几的女儿寄来的。女儿明知她是单身一人过，但每封信上总要特别注明"亲启"两字，女人的心，永远就是这般敏感周到。

回到房里，梦绮已在她的餐桌前摆开纸笔忙碌起来，银白色框架的老花眼镜上，垂下一条银色的眼镜链条环在她颈脖上，在黑丝绒衬托下，犹如钻石项链一样，晶莹夺目。那头灰白却依旧浓密自然的头发，让吊灯灯光罩上一个黄澄澄的光晕，乍一看，颇有点像十八世纪法国贵族的假发套，自有一股凝重又睿智的风采。这样的女人，无论在哪里，人们都不敢低估她的见识和学问的。

"哎呀，这深更半夜的，你还要办公呀！"

"我想即刻起草个情况汇报及合同契约草样发回上海，让公司先研究起来，我们上海的步子，总要慢几拍，我就早点发出去。合同不容易定，要拟得严密，免得授人以柄，这种事让我们公司的年轻人来做，总归不放心，稍有出入，洋钿出入就是几万！有次，一个小青年不慎将 rosin 打成 gum rosin，虽然两个词都能解释为松香，但对方公司就是以货名不符拒绝付款，经过多次交涉，最后减价百分之二十八，另付仓库租费四千多美金才算了案，你看冤枉哦？"

噢，这事要让企章碰到才走油呢，非难受得吐血。不过，他有这样一位能干精明的太太秘书在把关，笃定好啦。

"呃，范企章的太太真不错，"似乎是脑电波的功效，梦绮说，"又能干又用功，女人这样肯不断要求发展上进，真难得，何况她嫁了个如此阔气的老公，居然还能这样奋发。真是又是好秘书又是好太太，也不知范企章哪儿修来的福。"说毕她抿嘴一笑，笑得既含蓄又飘逸，眼角和嘴角的皱纹，都在这一笑中骤显出来，但这张布满细密皱纹的脸面，却很有一股折服力，是一张经历过人世一切爱与恨，睿智而悟世的脸，每一条游丝般的纹路，都令人想到里面必定蕴藏着一个故事。或许，对琳达这辈年龄的女人来说，适量的皱纹，有如衣服上的花边，会点缀出一种意想不到的效果。琳达抬手摸摸自己面颊，几年前她去日本做了一次整容手术，花去她积蓄中好可观的一笔，这是她手术后第一次没把握地问自己：这值得吗？

"确实不错，是个标准太太。"琳达从心里发出这声赞叹，随即深深地叹了口气。真应着了范企章那句话，一切都在高速公路上运转，昨天不同于今天，明天更不同于今天。琳达在教会女中读的中学，她早早就接受了如此一个标准太太的形象：即美国《生活》杂志上常见的，扎着漂亮的花围裙在四眼电灶前忙碌着的能干主妇，不知从什么时候开始，一群手持装有名牌大学学位公文包的太太杀将出来，她们白天冲锋在大公司的写字间里，晚上，在餐桌上为丈夫献计谋策，铺路谋位，她们刷新了标准太太的形象，天知道，明天的标准太太又该是怎么一副模样！

"梦绮，你也是一位标准太太吧？"她问。

"噢，差远了！"梦绮连连摆着手，"我老头子到现在还在抱怨，结婚到现在，已做外公了，还没穿过一件我织的毛衣。"说毕，她爽朗地笑了起来，像个大孩子似的。琳达很难相信，一个女人到了这般年岁，还可以发出这样无忧无虑的笑声。

"你真不容易，从小用功，到老了，还是这样用功，要我，结婚后再读书，怎么也读不进了。"

"其实，这也叫逼上梁山。"梦绮摘下老花眼镜，一双眸子依旧闪发活泼，"刚刚解放之时，好像我们这帮学经济的，一下都成了处理品，顶多去银行滴滴答答拨算盘珠，要么去师资培训班待两年，出来做中学教师。我这个人粗心得很，脾气又不好，这两个行当看来，都做不出成绩的。看看自己不过刚刚毕业，才二十几岁，还有大半世人要做下去。我就先去考俄语专科学校夜校班，学俄语，总算我英语也还可以，就在大学编译室工作，专门将英文资料译成俄语。后来看看社会科学方面的资料远不及自然科学的丰富，但不懂自然科学，翻这些东西翻不好。咬咬牙，再去读理工科夜校，这段日子最苦，正好三年自然灾害时，肚皮也吃不饱，再去读夜校，肚子更容易饿了，两只脚都肿得像象脚一样，软软的迈步也迈不动，到了晚上，真的连只书包都拎不动，总算也读出来了。于是，我就调到轻工业研究所资料室。后来，俄语不怎么吃香，英语教学师资供不应求，为着我是 H 大出来的，H 大这张招牌嘛，讲它是臭豆腐干一点不错，闻闻是臭的，吃吃是香的，于是，我就调到交大去教科技英文，后看看我口语还可以，又去电台上英文课，灌唱片。现在，经济和企业管理青黄不接，我又被调来做老本行，让我搞外贸专业，也评上了个高级经济师职称，总算，毕业四十年，也有个交代了。"说完她长长地嘘了口气，抬起并起的双脚端详一下脚上那双黑漆皮高跟鞋，猛地插进一句毫不相关的话："琳达，我这双皮鞋还是蛮不错的吧？我刚刚留神看了一下，那几位太太们的皮鞋与这，也差不离。我这是'蓝棠'（上海著名皮鞋店）买的。"

哦，"蓝棠"，琳达心里微微地温柔地牵了一下，在上海，她也没事有事地，老爱往那儿去逛几下，那儿的皮鞋就是不同一般。难怪向来埋头用功的梦绮，也会去那儿溜达。女人嘛，怎么样，不管是做了女经济师还是女主管，总归是女人！"蓝棠"对面，就是泰昌食品公司，女儿元伦小时候，最爱吃那里的酸牛奶，再过去一点的斜对面，就是"凯司令"了，那里自产自销一种松软可口的牛舌饼干，印在一长条曲纹纸上，就像顽皮小孩留在粉墙上的一串串不规则的脚印。这种饼干因为易碎，总是要黏在纸上，于是，纸也作饼干价一起称分量，是极不合算的。为着元伦从小易泻肚子，吃别的饼干都不易消化，于是，琳达也就狠狠心三天两日地买这种牛舌饼干，做妈妈的，就是这样一颗心，可怜孩子是永远不会领情的，特别像琳达这种，早早地就离开孩子。一人出来闯世界的母亲，那孩子对她，更是淡泊无情了。她不禁深深地叹了口气！

"是呀，眼睛一眨，我们踏上社会也有四十年了，"梦绮误会了，以为她这是在为时光流逝而叹息，"读书苦是苦，但比起踏入社会谋事成事中，所遇到的艰辛与复杂，我宁可读书，一头埋在书堆里装聋作哑才好呢！"

"对了，"琳达猛想起企章给她托带的红包，"这是企章要我交给你的，是我们……"她踌躇了一下，说："香港校友的一点心意。你来香港，总要买点东西吧……"

"噢，琳达，"梦绮推开她的手，"我虽穷，总不至于来求布施。"同时，她脸上显出分明的不快，脸涨得通红。

"老同学啦，客气点啥。"琳达拿过梦绮扔在沙发上的提包，自说自话地就欲把红包往里面扔。她一心只希望完成企章所托之事。

"林湛秋！"梦绮正式地说，"我正在与范太洽谈生意，你想想看，我怎么好接受范企章的红包？你这不是存心要我好看了。"

琳达见梦绮脸有愠色，方不敢硬来，讪讪地把红包搁下，借口洗澡躲到洗澡间去。

这是一间镶着粉红色花瓷砖的浴室，门上一面大镜子，此刻上面挂满了浴巾、晨衣之类，把面镜子遮得严严实实的。

她慢慢脱掉垂着花边的衬裙，除下紧身褡和长丝袜。一下拉开淋浴器。自从接受化疗后，她一直强迫自己洗澡时不看自己那日渐衰老松弛，因化疗和病变而发生了很大变化的胴体。但今天不知为什么，一股无法抑制的欲望，在内心唆使她，非要她看看，自己已变成怎样地步了。她壮胆地用湿漉漉的手拉去镜前的遮拦，抹了把熏在镜面上的那团雾气，怯怯地打量着镜中人，但还是竭力回避着自己患病的乳部。她学着那些选美的佳丽们，略略踮起一只脚的脚尖，还好，大腿和小腿的线条起伏得还是比较柔美，但再仔细一看，不行了，只见小腿上的肌肉和骨骼似乎只靠一层松弛的皮肤连接在一起，如果不求救于紧裹着腿肚的丝袜，那么跨步时，就会像一只生育过多的老狗肚皮一样，一步一抖晃，别说男人，女人看着都不好受。事实上，她身子的每一部分都在下垂、松弛。腹部那几摊褐色的花纹，明白地显示出，她是个生育过的妇人。是的，她生有一子一女，按常情，这是最称心的了。她甚至已经有个快周岁的小孙女了。对了，刚刚还收到上海的家信，她竟也还没打开，不开信她也知道，信中会说些什么，要么托人带港币给他们，或者要些什么新奇的，有时连她这个香港人都没听说过的新奇玩意。最近，反反复复唠叨不已的就是要出来。女儿要来香港，儿子要去澳洲，好似她是一个取之不尽的大扑满，总能满足他们无尽的索取。儿子去澳洲留学，连学费加生活费，要她供三万美金的经济担保费，她哪拿得出？告与儿子实情儿子也不会信，她正在为此事犯难。有心让阿钟帮个忙，可怎么也开不了这个口。今天猛一下遇见范企章，想他们还有几分念旧情的样子，正想请他做做儿子的保人，反正跟儿子讲清楚的，只是空头担保，绝不会用他一分钱的。但刚刚电梯里那一幕已让她清醒了不少，到头来，是她自己那旧情难忘的流露让他利用了，却在梦绮处代他碰了一鼻子的灰。自己就这么一个儿子，她离开他时儿子还未满周岁，欠他的也实在是多，理应竭尽全力培养他的，但真的倾家荡产典给儿子留洋，她实在不甘，且也无能为力。病归病，看着也不见得这几日就会死，总要留几个铜钿养养老的。元伦，也是她一块心病，这孩子她从小疼她，并曾许诺过，只要她不在大陆成家，她总归想尽办法会把她弄出来的。岂料这期间她自己坠入情网，与企章如痴如醉的，不愿意再有其他人进入他们的二人世界之中，最主要的是其中隔着十年"文化革命"，只一晃眼，元伦已三十好几了，还是孑然一人，还是坚持要出来。三十好几，比她琳达当初只身一人从上海到香港时，还要长好几岁，单身女人在异地拼搏实在苦，何况女儿既没梦绮的学问，也无范太的能干，更无琳达的风采，怎么办？

一样到香港来做车衣女工，也嫁不到好男人，一样这样丢人显丑的，不如还是在上海生产组做做，瞅机会找个相当的人家成家算了，女人独身过，到老好苦呀！她抬眼看看对面渐渐又被水汽弥漫了的镜中的自己，不禁伸出双臂环抱着自己日渐瘦削的肩头，把下巴搁在自己的臂膀上爱怜地搓磨着，她只有自己疼惜自己，自己钟爱自己了。

她举起淋浴器，让微烫的热水在自己发际、脸庞和颈脖间狂滥地冲泻，一边还在不住地叹息：难怪人说，儿女是讨债鬼。对琳达来说，她这对儿女，与其说是前世欠的债，不如说就是今世欠的债，不管这笔债她已还了有二十来年了，但利加利息滚息的，撑着这把老骨头，还得一笔一笔还，除非她咽了这口气！可是，人家欠她的呢？一阵昏晕，她双目一黑，就不省人事了。

二

　　不知何时形成的规律，每天下午三时一过，元伦所在的生产组就开始不安分了；电话响个不停，男士们开始吃茶、看晚报、谈论社会新闻及国家大事，女士们则开始数落着自家的婆婆或妯娌小姑的不是，并轮流朝旁侧的盥洗室去，待出来时则一个个腮红唇亮、粉脸含笑，早早地做好了八小时外的准备。反正，一种松松垮垮、慵慵懒懒的空气，随着日头的西移，渐渐充满了这个服装加工组的空间。

　　生产组专接邻近南京西路上几家著名的时装公司批来的料子和纸样，在这里制成成衣后，贴上名牌公司的挺唬人的商标，就出现在他们橱窗里，成为十分抢手的名家货了。

　　成衣工场就设在一幢老式洋房底层，这种外观坚实的红砖老式洋房，现今在上海属很不起眼的旧建筑，显得又陈旧又寒碜。但在大半个世纪前的上海，也是体面人家的宅第呢。下面是会客间和餐厅，二楼则为主要活动场所，是主人的卧室和全家起居场所，朝南一排宽敞的阳台间，做做书房或小客厅是极理想的，三楼也是照式照样的一层，整个房子布局可合可分，很合适半新不旧的三代同堂的家庭过。

　　现在，下面全部成了加工组工场，楼上两层还是住家；只要看那堆得杂乱无章的楼道，就猜测出住家有好几户呢。

　　这个成衣间的所在，原先应是这幢房子的大客厅了。屋角是一只雕花的橡木框壁炉架，膛内砌着油绿色的瓷砖，再配上很有古典味的炉栏图案，默默地显示着昔日的豪华与气派。

　　元伦却依旧埋头在自己的活计上。这是一件料子图案很别致的、以黑白两色为基调的夹大衣，那种眼下十分时兴的斜开襟，泡泡袖的式样是不容易做的，特别是上袖子，这是一道最棘手的工序：肩胛要上得平服，袼肩又要舒而不肥，垫肩也要铺得既特别又不夸张，元伦应付得很好。她合心扑在自己的活计上，她希望赶在下班前把它全部完工。她不愿意把这活儿半吊子扔下，到明天再接下去做。因为，明天，明天……她不用再到这儿来上班了。这将是她在上海缝制的最后一件大衣。真想在大衣口袋里塞上一张条子："谁穿上这件大衣，就是有福的人，因为，这是一件幸福的大衣！"就像圣诞夜在蛋糕里藏一个硬币似的，看最终是谁将获得这件大衣了。她很高兴自己终于能独立完成一件大衣的全部工序。她虽然没有大学文凭，但她有手艺，有手艺怕什么？听说香港时装业发达得很，想不到她这一手还能有用呢，亏得她这十几年在生产组，什么活计都是尽心尽意地留心着学习。

　　"哎，这样卖力做啥，这时候还做啥活，都快下班了。"一位女同事好心地劝着她，"你还想争取入党还是怎的？"

　　"哈，就凭你那肩膀上扛着的那个脑袋？"一位男士，正一手插着牛仔衫口袋，一手搁在壁炉架上，模仿着《简·爱》里的罗切斯特，学得惟妙惟肖的。几位年轻女孩子，正在用皮尺认真地互相量着各自的三围。自从一份杂志偶尔披露了邓丽君小姐的"三围"标准后，组里的女士们似乎一下子在迷茫中发现了奋进的目标。

　　"有人讲做哑铃操不好，越做肩头越宽。"

　　"还是节食最好。做操一旦停下来，比不做还要容易胖。"

　　她们认真热烈地商讨着。

　　"大家看，"机子正好挨窗的一位，是全组的义务瞭望哨兵。仗着这个位置，她随时可以向组里成员汇报邻里们的行迹，同时像观察家一样加上自己的评点了，"十二号里的蓓蓓回来了，她刚去了两年怎么就可以回来了，一定是绿卡已拿到手了。怪不得临去时又开双眼皮又绷头颈皮，肯定现在找到男人结婚了，所以这么快就领到绿卡了。"

于是，大家"呼"一下都涌到窗前看野眼了，七嘴八舌地讲她胖了瘦了的，元伦还是平静地踩着机子，生产组嘛，就是这点水平。她自己没本事飞出去，那就只能入乡随俗，忍着点了，好在，也有出头的一天了。

"呃，元伦，你妈怎么一次也没回来过？她去了有快三十年了？怎么一点也想不着回来看看你们？太没良心了。"

听这口气，今天下班前那两小时不到的时间里，是元伦的世界了。反正每天，都得拉出一个人作重点议论中心，以打发这段活计做不进、又不能提早下班的两小时辰光。

"上个月在香港不是举行了 H 大沪港校友会？我妹夫也去参加的，讲你妈在那边发财了，混得不错呢！"有人说。

上海人就是有这点本事，拐弯抹角的能把你祖宗十八代的老账都打听得一清二楚。也真正奇煞，世界这么大，但人的活动范围，却兜来兜去总兜不出这个圈子。这生产组所属的华荣街道，漂洋过海的也属不少了，唯独元伦妈，有如传奇人物似的，永远是一个话题。在元伦进组的十几年里，一批一批，原来的老阿姨们告老退休了，当年上山下乡的老三届们进来了，然后那些有出息的老三届们考上大学或远走高飞了，更年轻的一代进来了。但对元伦妈的好奇心，却是有增无减，渐渐地，这种好奇心又慢慢移转到元伦身上。

"都讲你挺像你妈妈的，凡在香港见过你妈的都这么说。"

"不会吧？我看看照片是一点都不像的。"元伦抬头静静地一笑，又埋头在机子上。对这种没有恶意的好奇心，她唯能做的，就是置之一笑。

元伦长相平平，却生有一副呈大提琴形的好身材和细腻光泽的皮肤，这是来自母亲的基因。此刻，她套着一件宽松的高领紫酱色毛衣，毛衣本是弟弟的，洗过后缩水了，她就穿了，她对个别衣着样式不甚讲究，但十分讲究全身的格调。为了这件毛衣，她配上一条半旧的黑灯芯绒裤，这身女学生型的朴素打扮使她看起来比实际年龄要轻上一截。那从腕到肘部的袖口里裸露出的不住忙碌着的嫩白的手臂，及那得不时往后拂一下的那头乌黑浓厚的剪发，使她那平平的长相充满一种淡雅的韵姿，不过，不是每个人都会欣赏这种韵姿的，至少眼下组里这些一心想追求新潮服饰的同事们，私下认为元伦是十分"板板六十四"，太一本正经了。她具有妈妈那种万斛风情之态，不过，她是不经意地慢慢释放出来的，怨不得见过她妈妈的人，会感到母女俩是相像的。

虽说同事们单刀直入问得很不礼貌，但她一点也不生气，这或许是她置身在这组内，与大家在一起度过的最后一个下午了！刚刚得到公安局电话，她的单程赴港申请总算出来了。她无数次想象过，当她一旦得到批准的消息时，会兴奋到如何地步，这是她憧憬了有近二十年的梦，竟然顷刻就要实现了。但事实上她搁下电话后，竟是出奇的平静，如果说心里有什么新的感觉，就不过好比候车室的人，终于知道列车确切的启动钟点，仅此而已。但那"东西"还在公安局搁着，没到手的东西总有点不踏实，因此，她对此一声也没吭。料想这事到了这地步，百分之九十九点九九是已定了的，但她还是诚惶诚恐，不露声色。爸爸早告诫过她，人为什么生来两个耳朵一张嘴巴？上天的意思也是要你多听少讲！

华荣街道，因其区域为旧时的租界地，故不少上海著名的住宅楼坊，都集中在这一带，所以，居民也多为高知、老板，解放后，又增添了一些老干部。因此，别小看在这里踩缝纫机挥裁衣刀的，名门望族之后还真有一些，要么有钱，要么有权。他们中很多是自愿待在生产组里，为着这里离各自家近，中午还可回去吃上热菜热汤，奖金不少，上个月发到八十元一人，为着华荣街道企业是上海滩上最富的街道之一，与赫赫有名的延中街道是平起平坐的两大财主。更有想的深远的，有的在名声好听的大全民干些不着边际的营生，不如在生产组里学些手艺，如是走遍天下都不怕。

唯元伦，既无钱也无势，只是为着近年来爸办成人教育办出名，上过电视上过报纸，还去过次美国，于是捎带着她自己也觉得有了点光彩，但真正使她感到自己从此可以在组里挺直脊梁的，是从她得到公安局通知领到单程通行证开始。她相信，当明天，大家都得知这一消息后，全组的人起码会以羡慕的心情将她作话题起码谈论一星期，让人羡慕，真是一件好事呢。似乎从来也没有人羡慕过她，妒忌过她。她终于成为一只天鹅，飞出了这个小小的生产组了。

"嗵"一声，门推开了，进来一个敦厚壮实的男子，一件旧夹克衫敞着，裤管上夹着两只晾衣的木夹，那厚厚的嘴唇和镜片后和善的双眼，让人一下就辨出他属于那种厚道诚恳、不善辞令之辈。

"唷，啥辰光了，伟民。都快下班了，再送货色来，搬搬弄弄的起码得一刻钟半个钟头，这是算义务劳动还是加班呀！"组里几位小姐开始责怪他来得不是时候。

他息事宁人地微笑着，汗涔涔的。皱巴巴的外套里，衬衣领子倒是笔挺的，蓝条子的衣领与藏青毛衣颜色也十分协调，宽松的牛仔裤下，是一双厚底软皮跑路鞋，因此虽是踩三轮货车，倒一点也没有"落拓"相，如果说与组里各位先生相比，或许他的衣着随便了点，但元伦感到，他因此有点旅行者的潇洒风采。他随手抓起登记来料的活页夹扇着凉风，元伦忙替他倒了一杯茶，他用双眼对她微笑了一下。

"下午三点出头，临时来了一大批货色。他们店堂的栈房都堆满了，就叫我们即刻分送到各加工点。碰到现在黄鱼车(三轮车)又难踏，这里不能走那里不能驶的，绕着圈子过来，就得这点辰光了。"伟民依旧心平气和地解释着，"算啦，你们办好交接手续，到辰光尽管下班，我一个人来卸货色。这点弄弄快得很。"

"那怎成，我们要锁门的，过了一夜东西少了，谁负责。"一位年轻的女孩子，仗着年轻就爱处处摆出"骄傲的公主"的模样。

"那……"伟民抿着自己那对厚嘴唇，为难了。

"哎呀，这还不容易，让元伦留着锁门就是了，反正她就住在楼上，最近了。你们两个人嘛，也热闹点。"有人半认真半开玩笑地说，嘴角间隐凝着几分讪笑，明显地露出了不屑与不值。

伟民在追求元伦。大家都知道他在追求元伦。

其实，在华荣街道，生产组与生产组人结姻并不罕见，且也不坍台，说过了，华荣街道豪富之后多的是，人们宁可图个门当户对有实力的人家，也不稀罕那光有全民单位好名声的空户头。两头皆光彩的自然更好了。问题是，伟民这个人，实在是一无取处：既无好工作也无好家庭。原先，他父亲倒是这一带小有名气的西医，在乐安公寓三间一套的公寓内设着个诊室，伟民的妈妈管挂号兼打针之类，邻里街坊有个啥病疼，一个电话，不管刮风下雨也会上门诊病的，名声甚是好。岂料后来天主教会出了个龚品梅事件，伟民的爸爸这个再老实不过的好好先生，竟也会变成龚品梅的爪牙被捉进去，没几年就病死在监牢里，可怜他做医生轮上自己生病，竟也治不好。从此伟民家一落千丈，三间房间退掉两间，全靠伟民妈替人打针过活。好在老街坊都有交情，念着伟民爸的旧情，总算也未断了生路。现在虽然伟民爸早已平反昭雪了，但这家境明摆着是有限的了。

想是伟民也有自知之明，组里这么多未婚小姐，就独独挑上了元伦，谈不上门当户对，至少也是彼此彼此。挑上了，他就颇有耐心恒心地逐步挺进。此刻他听见说让元伦留下来锁门，玻璃片后两眼都发亮了。

元伦自然是看不上伟民的，为着深知伟民的忠厚老实，倒也从不忍心去嘲弄他促狭他，不过摊上这样一个毫无噱头的骑士，她说老实话也总觉得无趣得很。无奈她自身条件欠佳；工种不好，年龄也不小了，家境也一般，再有个名声不怎么样好的母亲，自己社交又少；天天下了楼就上班，上了楼就下班，难得看场电影也是单位发的票子，左右前后看到的还是街道生产组的这批人，有啥办法呢？如是有个忠实的骑士追随在侧，多多少少也可了却一点春闺的怨恨和寂寞，因此也就始终持一种若即若离的态度。

说着这话时，下班时间到了，大家"轰"一声鸟散而去，只剩下他们两人的工作间，霎时显得十分空旷。她起身准备与他一起去卸车。

"你坐着别动，我去把衣料卸下来。"伟民体贴地叫住她，噔噔很有精神地走出去了，虽然还是同样一个人，那原先的木讷模样竟都看不见了。

元伦依旧坐在自己的机子上，她忽地十分恋起这个坐了十几年的位置，椅子上她自己用灯芯绒面子做的坐垫，灯芯绒都已给坐平了。她从敞开的门看出去，一直看着伟民走出去。其实，伟民的肩膀长得挺宽，声音很浑厚，个子虽不太高，但很有一股男子气概，如果说缺点什么的话，说穿了就是缺几张钞票或一张大学文凭；要是他依旧住在那三间一套的公寓里，或要是在某研究所某设计院供职，那一切就是另一番世面了。也难怪，当着现今满街都是"日野"或"丰田"、"三菱"车时，当着时髦男士都时兴驾着铁骑摆威风时，他却成天踩着一辆堆得山一样高的三轮货车，行进在八十年代的上海马路上，与"丰田"、"日野"等为伍，动不动就让那些戴着墨镜的神气活现的司机吆喝着："闪开闪开。"怨不得这些踩三轮货车的，大多粗话满口、动不动就吹胡子瞪眼，他们是以此来维护自己作为男子汉的尊严的。然而伟民却不同，他只是以温文的举止、修剪得干干净净的指甲和认真的工作态度，来维持男子汉的尊严，可惜很少有人意识到。不过，元伦早就注意到了。

他出出进进地卸着成捆的衣料，吹着口哨。那是著名的《日瓦戈医生》中的插曲，《重逢有日》，也有译成《我的爱在哪里?》的，这原是一首忧伤的曲子，但他却快乐地把它吹成像一首圆舞曲似的。

他已脱掉那件夹克衫，深蓝色元宝针的毛衣，清晰地勾出他壮硕的体形。

她撑起肘子支着自己的下巴，小手绢不住在自己的唇中部位蹭来蹭去，她的唇中部位很深，形成一个十分显眼的锲形，她自认这是自己脸上最漂亮的一部分，这是她照过无数次镜子后证实的，可惜似乎从来没人发现过它，唯有伟民曾经说过："你这一部位很像陈冲。"

她茫然地抬头望着天花板，这里，原是自家的大客厅。小时候听妈妈说，某某、某某某都是唐家的常客。这些人名元伦都记不住了，不过从妈妈报出它们的郑重其事，可见他们都是很不一般的人物，直到"文革"后，从大字报中才得知，他们中竟有虞洽卿、刘鸿生之流上海名人，想来爷爷那阵也定是得意得很。

成色已蔫蔫的天花板上雕满了四角对称的浮雕，那凹凹凸凸里嵌满了灰尘——老式洋房天花板太高，不易搞卫生。正中是一朵硕大的睡莲浮雕，想来就是原先垂大吊灯的地方，同样也嵌满了尘垢。画镜线和墙脚上的踢脚板，都是既宽又厚的，只是已裂得像树皮样，到处绽着小口子。组里的一位男士曾经十分可惜地说："这点木料拆下来够打几件家具了。"反正整个建筑的布局是呆板俗气的，但质料却是坚固牢靠得很，好像准备世世代代在这儿生根繁衍似的。

大门口进来门廊上，原先是一大片蓝边白瓷地，正中用深蓝色的瓷砖清清楚楚地砌着硕大的"1930 年"字样，那是这幢房子的落成之日，岂料到了"三反"、"五反"时，爷爷犯了事，为了退赔，除留下三层楼一层外，底楼二楼都典出去了，从此唐家的威风再也振不起来了。"文化大革命"一声破"四旧"，把大门口那"1930 年"字样也挖起填掉，往事的踪迹更是无处寻觅了。这种默默显示着一代人或两代人的繁华与没落的场景，也只有元伦，才看得见！

伟民出出进进地忙碌着，一直不停地吹着《重逢有日》，不知道他对自己的身世，是怎么想的。元伦对他却一直持十分好感，除了因为她向来是以自己的准则来评定一个人的气质和教养之外——伟民虽然有点上海人讲的"土"气：不会跳舞，不爱时髦，但事实上，他谦和、诚恳，教养极好……这些，元伦认为是最要紧的。另外主要的，是生活的漩涡，卷走了他俩那令人羡慕的一切，而将他们抛到小市民的行列中去。这就是常常说的"同病相怜"吧。自然，也有有本事的，自己经过一番努力，重新回到那令人羡慕的阶层去。元伦从前的同班同学，不少人后来考上大学，再考研究生；或也有人画画，一下子画得出了名，各大单位都活打活抢地要他。唯独他和她：先天不足，后天又不争气，活该在这生产组里受窝囊气！不过，她唐元伦这番窝囊气可是受到头了。她并没有仔细想过，香港是否也有小市民，或者说，小百姓这个阶层，但她知道，妈妈在香港，拥有一切他们在上海所失去的，她想，待她自己到了香港，一定也能捡回她原本应该得到的。

"好了,最后两捆了!"伟民把两捆衣料往屋角一扔,快乐地说。他的神情在人前和只在元伦眼前,总有很大的出入:一个是包藏着的,一个却是放开的!

"慢慢来嘛,这么急做啥!"元伦看他热得只脱剩一件单衬衣,腋下两大摊汗渍。领子敞开着,裸露出十分结实粗壮的颈脖,元伦清楚感受到他身上辐射出来的阵阵潮热。出汗的男人身上,常常会杂带着一种汗味不像汗味,臊臭不像臊臭的不愉快味道,元伦向来最怕闻到这种味道,虽然小说中有时把这描绘为男人的味道,但元伦则认为这是不大洗澡的身体发出的不卫生的味道。过去,元伦爸爸在冬天时,身上就常会散发出这种不愉快的气味。奇怪的是,近几年来,这种气味倒从爸爸身上消失了。爸爸现在几乎天天洗澡,冬天也不例外,身上还隐隐散发出一股不触鼻的檀香气息,元伦起先还以为父亲在偷偷洒香水,后来秘密终于被发现了,父亲在放衬衣的抽斗里搁着几块檀香香皂。这几年来,爸爸可真是越活越年轻了。

满头汗涔涔的伟民,身上并没有散发出这种不愉快的汗味。元伦早就觉得,他是极讲卫生的。他的衬衣领口袖口永远是干干净净,他是天天换衬衣的。不像有些穿着时髦牛仔衫甚至西装笔挺的她的同组男士们,外边光生笔挺,衬衣三四天也不见得换一次。

说实话,如果伟民有好的家庭背景,如果母亲不是早早的就有言在先:"要想到香港来,无论如何不要在上海找对象。"她或许真会考虑伟民的。这自然谈不上她对伟民有任何"爱情",明摆着放着这许多"如果",那还有啥"爱"有啥"情"好说呢?不过,三十好几的元伦,总会虑及自己的终身所托,想来想去,总觉得伟民的宽厚稳健,良好教养,是十分合适做一个丈夫的。不过现在,一切又当别论了。许是因为近年来,赴港出国的热浪,使她感到自己一旦取得这张通行证,就身价陡升了,竟有点悲天悯人的感觉;她走了,他却还留在这里,踩着辆黄鱼车,再去另找一个合适的追求者。把他葬送在这里,实在是很可惜的。

"我抽支烟可以吗?"伟民从兜里摸出一支烟点上。好多女人对男性抽烟有非议,唯元伦不这么认为。她认为正在抽烟的男子有种男性美,当然,抽到面黑齿黄,浑身香烟味则又当别论了。虽然她心里惦着快快下班赶去公安局取那张通行证,但看着伟民如此汗涔涔地急着要把货包一股脑儿都卸光,还不是为着想多与她待一会,因此她也不忍心即刻把他支走。

"我给你带来一样小东西。下礼拜三是你的生日吧?"他一下揿灭足有寸把长的香烟,笑逐颜开地盯着她,厚嘴唇努力地紧抿着,似乎一张嘴活蹦蹦的就会笑出声似的。

元伦也感染上他的兴奋,想到他还记着她的生日,她很感动。"什么稀奇东西!"她娇嗔地乜斜了他一眼。

"看。"伟民像变戏法似的从口袋里掏出一只钥匙圈,那是一只牧羊狗图案的钥匙圈。难得他还记着送生日礼物给她,且那牧羊狗也实在娇憨可笑,她急着伸手就要去抢,"我看看。""等一等!"他却用一手拦住她,另一手把那钥匙圈往一堆布料里一塞,随即连击几下掌,只听见布料堆里那钥匙圈"嘟嘟"地反应着。"这是专门为找不到钥匙的糊涂虫们设计的声控钥匙圈。我想着你用挺合适的。你也是个小糊涂呢。"伟民侧着头笑眯眯地对她说,很显然地洋溢着几分疼惜之情。

元伦自忖从不糊涂,不知伟民打哪儿得出她是个小糊涂的结论。大约大凡男人,总希望把自己喜爱的女人放在他的庇护之下。因此她也没有申辩,只是细细地把玩着这只确是有趣的钥匙圈。这是日本制的。想着伟民为了要替她觅这样一件特别的生日礼物,一定也费了不少劲,心中只感到又是不安,又是安慰。其实,自己马上要动身去香港,这种小玩意在那边,肯定不属稀奇,不如还是让伟民自己留着,上海要弄到这样一只钥匙圈,倒是不大容易的。有心不收下,又怕会伤了伟民的心。与他在一起的时光也是屈指可数的了,不如大家开开心心,好好珍惜一番。她把钥匙圈塞进自己这个下午总算赶成的那件夹大衣袋里,再拍拍手,那钥匙圈果然"嘟嘟"叫了起来,她把它掏出来再放到坐垫下,又如法玩了一下，倒越玩越来劲了。"外国人是想得出，真正好玩。"她哈哈笑着。

看着她那么喜爱自己的礼物，伟民很是得意，并且他感到，今天元伦似乎比往日对他都更友好，更热乎："看你，你小时候一定十分调皮！"

"女孩子哪会有调皮的？倒是男孩子，调皮得要命。那阵每天晚上，总有一大群男孩子在我们弄堂里玩官兵捉强盗，玻璃窗也给他们敲脱过几块，想来你也是有份的。"此时房里已是暮色重重，他们面对面坐着，彼此的脸面看上去都已经有点朦胧了。门外窗外不时响起自行车铃的声音，那是上班的都又下班回家了。想到今天她的通行证是无论如何拿不到了，公安局都已下班了。不过，横竖明天一早去取，也是一样的。为着伟民坐在她对面，笃悠悠地吸着烟，她只感到这个世界很宁静，很安稳。

"肯定不会有我份的。我小时候文气极了。摊上这样一个爸爸，还敢顽皮吗？"他闷闷地吸了一口烟，那燃着的一头红点一亮，又幽幽地暗了下去。厚厚的嘴唇唇纹在那一亮之际，十分清晰可辨。

"哦，我小时候也是很孤独的，"她不禁有点心旌神摇，目光忙忙离开他的嘴唇，即刻羞涩地垂下眼睛，"我玩什么都不会，跳绳、踢毽子、橡皮筋……记得我们女孩子的游戏吗？通常总由两个实力相当的女孩子唱着'我们要挑一个人'，反复唱着，然后依次把她们欣赏的人挑走，我总归是没人要，常常要搭给一个特别会玩的女孩子一起，人家才会收下我，就像买啤酒要搭花生米一样……"说到这里，她自己扑哧一下笑了出来，那道深深的唇中，使她的笑容增添万种风情。

"要我在，我肯定要你！"他在一边冲口而出。

元伦顿住了，答不出话。他在旁边也紧张起来了。

"哦，我的申请批出来了。"她不知道她的申请和他的"我要你"这句话究竟有什么直接关系，但她就是在这时候，把这拿出来作为对伟民的回答。

"哦——很好，恭喜恭喜！"他长长地透了一口气，好像有一肚子的委屈无从说起似的。他一定很是明白她的赴港与"我要你"这句话的关系，因为他马上把这话题煞住了。他一抬手，拉亮头顶上一盏日光灯，那苍苍茫茫朦朦胧胧瞬时变成白亮亮的一片，元伦感到一阵深深的惋惜。

"好，锁门吧。"伟民套上毛衣，起身说，带着一股冷峻的神情。这个老实人，他是怕自己的过分柔情会引起元伦对他的误会，怕他另有企图……真正是个把细不过的老实人。

"看看还有啥东西忘记吗？我锁门了。"他走到门口，继续用目不斜视的态度说。一听说她的申请出来了，他好像一下子即离得她远远的了。

元伦下了楼就上班了，本没有啥挎包之类，但为着将与这一切告别了，目光也就恋恋地扫了一圈。忽然记起那只钥匙圈不知刚刚搁哪儿了，东藏西藏地藏着玩，最后一次放在哪儿竟不记得了。

"这不容易！"伟民说着啪啪扬手三下巴掌。它竟在他自己衬衣口袋里叫起来，一定是他刚刚顺手藏进去让元伦找，一下子忘记了。

元伦很想哈哈大笑，她觉得这十分好笑，但看了一眼伟民郁郁的脸面，却也笑不出来。她闷闷地伸手去接那还散发着伟民体热的钥匙圈，在触到他汗潮的手掌时，她再也忍不住，把手伏在他掌上连连摇曳几下，"你待我的好我都知道，谢谢你！"她突然感到自己其实是喜欢伟民的，不过那是一种极有理智的爱。

"如果你认为这是一件十分可笑的事，就把它忘了吧。其实像我这样一个人……"

"你生气了？"她惊异自己的声音竟如此温驯。

"不，我很高兴。能出去总归是好的，总比待在这生产组里好！祝你一切顺利！"他的厚嘴唇中，艰涩又真诚地吐出这几句话。

门外楼道开始热闹起来，噔噔噔的，是下班的人们扛着自行车上楼了。

"锁门了？"他似乎已巩固好自己的情绪，平和地说。

她坚持把他送到弄堂口，他边上推那辆黄鱼车，吱吱轧轧响着，这副模样要让义务瞭望员看到，一定又有一番文章好做了。

路旁泡桐树上飘下一片叶子，硬壳壳的砸在黄鱼车上，"扑"的一声，是那种闷闷的、木木的声音，秋风吹上来，已有点幽冷的感觉了。

"你冷哦？外套也没穿一件，回去吧。"伟民侧首对她说。

"送送你。"她习惯地把毛衣袖口拉到肘部，交叉着双肘在胸前慢慢地踱步。

"真像她的妈妈。"伟民在心里默默地说。虽说元伦妈已走了二十多年，但伟民对她还是很有印象。或许因为男孩子对女性天生有兴趣，那时他家楼下一个女孩子，就是元伦妈的学生，元伦妈每礼拜天都要去。因此伟民经常在楼道口看见元伦妈。元伦妈穿毛衣时，也喜欢这样把袖口拉到肘部，裸露出一对肤色白白的手肘。伟民中学时代爱好美术，也描绘过各种石膏像，他不知为什么总认定，女人最美的部位是手臂从肘部到手腕，然后舒展成手掌的那两条曲线。或许大腿到小腿及踝部的线条更美，无奈伟民无此艳福目睹过真正漂亮的真实的大腿。暮色朦胧之中，元伦那两条交叉着的手臂白得像牛奶一样，左手腕上，一只黑皮带金壳小表，在夜色中闪烁着。更使伟民感到身边那浓烈的女人味。

"你很有魅力，元伦。"伟民憋红着脸说，"将来，要找一个真正懂得你的人。再见！"说毕，他翻身上了车，熟练地踩着空车走远了，那吱吱轧轧的叶子板声倒十分清晰。直到连那声音都听不见了，她才缓缓地回去。她觉得自己在惋惜，在追悔，她没料到自己竟会如此惆怅！

如今，这幢楼连亭子间、灶披间、阳台间一起，究竟一共住了几户人家，元伦也搞不清楚了。原先还属十分宽敞平坦的楼道，现在堆满各家弃而不舍的杂物，旧床架、装电视机或洗衣机的硬纸盒，把楼梯口的窗台都堆塞了，令整个楼道黑黝黝的，令人想起《孤星血泪》里那疯女人的楼道。元伦是亲眼目睹"文革"初开煤气自杀的爷爷和姨娘奶奶——爷爷的姨太太，从这儿抬下的情景，因为发现的时间太迟了，因此两人的尸身都是蜷曲变形的，他们是并排并坐在两张安乐椅上，相约而去的。白布下，姨娘奶奶一只弯曲的手肘"嘭嘭"地敲着楼梯把手，就像木头与木头相撞而发出的，闷闷的。因着姨娘奶奶是姨太太，她的口碑一直是不大好的，但自从发现她与爷爷肩并肩地离开尘世之后，至少元伦，对姨娘奶奶的看法整个改变了。爷爷比爸爸幸福，真的！连平时背地里"小老婆长，小老婆短"，从来对姨娘奶奶不屑一顾的妈妈，在得知姨娘奶奶与爷爷的噩耗后，竟也特地寄来一笔钱，让元伦设法代购一些黄票子烧给他们。她哪知道，当时连活人都无法过了，且也买不到这种黄票子，结果那笔钱到的第二天，就成为他们改善伙食的菜金了。

从此，元伦总也不敢碰扶梯的把手，也不大敢独自一人爬这座楼梯。不过此刻，空气中弥漫着一股炒菜的香味，赋予这道冷冰冰的楼道一缕恬静的生命的气息。

元伦打开自家房门，扭亮了灯。这是一间与楼下工场间同朝向同面积的一间，弟弟元辉已成家了，房间就隔了一半给他做新房。弟弟的房门紧锁着，为着集中精力去澳洲深造，弟弟这几天每晚都在夜校读英文，弟媳则带着孩子回娘家住。余下的半间，元伦与爸合住，又兼起居室，有点拥挤，但全仗着元伦收拾勤快，倒也布置得挺乐惠。只是现在正中一张吃饭桌上一片凌乱，看来是爸回来过，吃了饭又出去了。近年来，爸的变化真大，就像从冬眠中苏醒过来。自退休后，他和几个志同道合的朋友办起业余教育，劲头越办越大，学校名声也越来越响，他自嘲为"回光返照"，元伦心里明白，那是爸心境好，让人看重的原因。上个月，爸还在旅美的老同学帮助下，专程去了次美国考察了下美国的成人教育，回来后更像上足了发条似的转个不停。只是那不爱收拾的，让妈不知咒了多少次的老毛病，却是怎么也改不掉。现在身上开始注意光生生了，但家务事还是弄得一团糟，就这样既当爸又当妈地带大了她和弟弟，想想也真难为爸了。

吃饭台上竖着一只鲜酱油瓶，瓶底压着一封香港来信，自然是妈寄来的。信封上面，酱油瓶瓶底的污渍，就像图章般印了一圈。

妈的信从来只写元伦的名字，因此爸几十年来也从不私拆过妈的信，而且也从不打听信中讲点啥，倒是元伦经常主动把信中内容向爸"汇报"。一对昔日的夫妇沦为如此冷漠，真叫元伦苦苦思索不解。早几年，她还在力图公正地私下判断着爸妈之间的谁是谁非。现在，她早已不费这份心了；生活，怎么着都是对的，怎么着都是错的，只要不杀人放火，坑害诬告，本来就很难像看电影样容易地划出好人坏人。

元伦的记忆中，妈妈的印象仍然十分清晰，不过与现在经常在信封中不时附上一张照片的妈妈，似乎很难合二为一。

记忆中的妈妈很迷人。为着是私人钢琴教师，没有固定工作，因此她的身份介乎于家庭妇女与职业妇女之间，至少，她可以打扮得比一般职业妇女花哨些。妈妈当时梳着那种短短的"柏林情话"发式，元伦现在，是多么喜欢也能梳那种十分洒脱的"柏林情话"式，可惜而今的理发师没有一个知道那种式样了。淡淡的似有若无的腮红，将妈妈烘托得十分娇媚。那时的妈妈，称得上华荣街道一枝花了。与妈妈相反，当时的爸爸，却永远是一身灰溜溜皱巴巴的蓝布装，真是一个越发活泼鲜亮，一个更是晦气沉沉。

"做啥呢，如此招摇过市，俗话讲，人怕出名猪怕壮呀！"有时爸爸耐不住要劝妈几句。妈就会冷冷地回十句：

"哎唷，人怕出名。你们唐家这名气还算小？'三反'、'五反'时华荣街道第一只大老虎，名气够大了，此地远近啥人不知道呀……"几句话就把爸爸骂得闷闷瘪瘪的。

妈妈很有素养，并不属泼辣女人，就是发发脾气，气势也并不凶，但她最厉害的一着，就是阴阴地将一件件对方最不愿意多提的事，慢慢地抖搂出来，诉说着它们的种种不是，过一段时间，再重新来一次以温故而知新，如是一遍又一遍，连素来严厉的爷爷和乖巧的姨娘奶奶都受不了，更不必说爸爸了。大凡妈妈在家时，爸照理总是埋头看书，不大开口的。妈不在家，爸就会拉起京胡哼哼呀呀地唱上几句，很是自得其乐的。因为妈要合着小学生的作息时间上课，因此越是周末越是忙，常常要忙到晚上九十点钟才能返家。而爸爸只有趁妈不在时可以自得其乐一番，但看得出，一到钟点就在盼着妈回家，即使有时回来后免不了有一场吵架，但到时候爸就老在看钟点，只要楼道口响起妈熟悉的脚步声，爸似乎就宽心地舒了口气。因此不管爸妈如何三天一小吵、五天一大吵，元伦总归还是认为，特别在窗外风雪交加的晚上，那四口之家，还是温暖的、可爱的。

每天晚上妈与保姆对小菜账时，总是元伦最最担心之时，这往往是妈与爸吵架的导火线。

妈总是要怀疑保姆买菜揩油而反反复复要核几遍账，爸看不过，若在边上讲几句："相差一两毛算啦，何必如此斤斤计较呢?"那就是拉响了导火线了。

"是呀，你唐家是大户人家，自然不在乎这一点点，看看你一月才五十来元工钿，口气倒像是五百来元的……"

冷冷几句就像一场倾盆大雨，把爸泼得垂头丧气，只有出气而没有吭声的份。因爸大学毕业后一直没持续工作过，从前因着有祖父做后盾，四周又不乏逢迎的人，因此，不过在混混差，这山看着那山高，还常常走马灯样调公司。解放后正逢闲在家里，就作为闲散知识分子再重番登记就业，因为参加工作起点晚了，因此老大年纪还拿的是大学生的起点工资。初初仗着爷爷这棵大树，不过只当赚几个香烟工钿;直到爷爷伤了元气，要自己负担日常开支时，这五十八元工资显得如此微薄如此无力，这突变拮据的家庭经济，使原先快乐活泼的妈妈开始变得阴沉促狭了。

要是父亲用一张报纸挡住自己装聋作哑，这种以沉默作顽抗的手段，更易激起妈的怒火："瘟气! 我看你们唐家寿数到了，出了你这饭桶一只的儿子。H大毕业像你这般岁数的，赚两百三百不稀奇，赚五十八元五角的，倒是独一无二的，这等好事倒让我撞上了……"然后，又开始阴阴地数落起来，尽挑爸的伤口上抹盐巴，让元伦听了都不禁在心里暗暗央着，好了，妈! 得了，妈!

如是每对一次小菜账，就是一场争执，然后就是持续廿四小时的冷战对峙，不过这期间爸到时候还是看钟点等着妈的脚步声，妈到时候也就踩着惯有的步子回来，默默在大床上爸的身边躺下，到下次核小菜账时一切再来过。因此，哭泣、冷言、压抑，终日充塞着元伦的家。令她十分不解的是，这期间她竟添了个弟弟。

每当爸妈发生争执时，元伦总倾向爸爸，她感到爸爸老实，妈妈凶。

不过，妈也有可怜的时候。

有一天，在照例地对父亲发了一通脾气后，妈突然哭出声："我看，等家里这点老底贴光后，怎么办？我可再没这本事撑下去了。"妈哭得如此伤心，如此绝望，连元伦也心酸。

"这有啥，人家一家七八口六七十元一月开销的，照样过。到辰光，佣人辞掉，房子调小，照样过日子……"父亲漫不经心地说。话音未落，妈即摔了一只玻璃杯，连茶叶带茶汁，黄澄澄地溅了爸半身，元伦又开始恨妈了。

人都说幸福的童年，为着妈，元伦的童年谈不上痛苦，但总有点遗憾。

但后来，她长大了，特别是经过与伟民那么一段……她把自己感情驾驭得挺好后，她内心的天平，又悄悄倾向妈妈！

自妈去港后，活脱脱变成另一个女人：年轻、快乐、风流、顺利、能干……这从她寄来的照片中看得出。特别是妈买下这层新房子，装修一新后在房里角角落落都拍了照片寄回来，虽然人没有来，但这批照片的来临，大有"衣锦还乡"之味。

爸爸对此向来只是粗粗一览，就再也不看一眼了。元伦和弟弟，都老是一遍一遍，怎么也看不厌。遇上知心可靠的朋友同学来，更会主动向他们炫耀一番："这是我妈妈在香港的家！"言下之意，也是他们在香港的家！

买楼置业，这原本应是男子汉的事，应是当爸爸的义务！每逢此时，每每视线触到在屋角旧沙发上吞云吐雾的爸爸，元伦心中竟也会升起一丝感慨与不值的念头。

一个没有母亲的家庭，是杂乱的，常常会出现坐在马桶上才发现没有草纸了，早上刷牙时发现牙膏没有了，每每过了夏天拿出毛衣和毛毯时，会发现又多了几个蛀洞。开初姨娘奶奶看不过，倒常常过来帮他们料理料理，一边开始数落起他们的妈："……没良心的女人，老公不要了，连小孩都不要了……一个女人家在外边……会做得出啥好事……"爸爸听了心里发烦，请姨娘奶奶少讲几句，姨娘太太赌气就从此不管他们，让他乱糟糟地过着日子。

元伦是服了妈了。因此她恪守着妈早几年就留给她的庭训：要到香港来，就不许在上海成家！她明白妈的意思。她想妈是对的。

元伦快手快脚地收拾好碗盏，把它们放到隔壁盥洗室的一只大塑料桶去。这种老式洋房的盥洗室特别大，为了避免与邻人有纠纷，他们家把煤气灶也接入盥洗室。由于地方大，放进一只煤气灶也不感到太拥挤。待一切弄舒齐后，她洗净手，就去拆妈的信。

唉，姆妈！她已有好久好久没有这么叫过了，信上写写容易得很，正式开口叫，总觉得有点叫不出口。她嚅动着嘴唇想叫一声试试看，但声音就像哽在喉头里，她只能耸耸肩，相信船到桥头自会直。想着马上要和妈生活在一起，她有点紧张，有点忐忑不安。没有那种去妈妈身边所有的踏实的感觉。整天朝夕相处，哪有这么多话好讲？她们曾相隔太远，各自身处的环境太不一样，就像大太阳底下猛不丁走进幽幽的张灯结彩的士高舞厅，一下子，即使近在咫尺，都看不清彼此的脸面。将来一有可能，她宁可搬出去自住。

"……你来港事一有眉目即来信告我，我已替你物色好一相当住所，在九龙，但乘地铁来我处还是很方便的，你可一礼拜到我处吃一顿夜饭……"啊！可以不住在妈那里。虽然元伦按理可以因遂愿而舒一口气，但却不知为什么，倒鼻子酸酸的，要是，妈妈说：孩子，妈床铺都与你收拾好了，等你呀！那有多好！

"……你想在香港做车衣工作，这万万使不得，不要坍我台。你一定要来先读书，职业补习学校英文等要读。你的钢琴怎样？可先做做钢琴老师。另外，到港后，切记不要叫我妈，叫我安娣（英语姑姑的意思）……"元伦放下信纸，目光落到屋角壁炉架上。一只蛋形小镜框里，妈穿着一件紫罗兰色毛衣，宽宽松松的衣袖拉到肘部，肘上是一串与紫相配的黑手镯，背景是隐约可见的自由女神像。是妈那年去美国旅游时照的。妈对着镜头微笑。妈的嘴部好漂亮，上方也是一个形似元伦的深深的唇中，嘴唇光泽饱满，在抿唇微笑时，上下唇中央微微启开着，形成一扇缩小的又一个唇形，正中则是一片深莫可测的阴影……几乎每个来访的男客，都会在妈这张照片前细细端详片刻。同壁炉架上方，则是一张八时的黑白旧照片，是在 H 大时妈妈的一张大半身照。妈穿着件长大衣，包着一条花绸方巾，头巾上和双肩上撒着一层雪花，羞怯又忸怩地对着镜头微笑着，似乎在镜头前还有点紧张，她微微耸起着双肩，虽然烫着一头蓬松的卷发，但眉眼间的稚气道出那时的年龄不过就二十出头一点。元伦和弟弟都不大喜欢这张照片挂在壁炉上方，这里从前挂领袖像，再从前挂爸妈结婚照。弟弟认为这部位应放一幅大油画，元伦则认为，宁可挂那只蛋形小镜框也好过挂这幅已泛黄的黑白照，这种旧照片挂在这个部位，说得难听点，简直有点像遗像的味道。两个镜框上都已蒙上一层淡淡的尘埃，元伦用抹布轻轻掸了一下。这两个她都应该叫"妈妈"的女人，都用着一种奇特的、似乎不是来自她现在所处身的这个世界的目光，从照片上冷冷地打量着她，而留在她记忆中的那个妈妈，脾气不好却毕竟还是疼她爱她的妈妈，却竟连一张照片都没留下！

记得在上海最后一次看见妈，是一个极普通的早晨，她按例急急地划着稀饭——元伦的早晨，永远显得那么急促，常常会濒于迟到的边缘，好像上帝因此看不过了，才让她后来的工作单位就安在楼下似的。妈妈坐在边上看着她，今日妈起得特别早。往常元伦上学时，妈还未起床呢。妈不时替她夹肉松，替她剥白煮蛋，元伦却不耐烦地扭着身子："烦煞了，我要来不及了。"

妈妈脾气尽管孬，对元伦却是十分钟爱的。

"妈要出远门了，你要乖，要听爸的话啊！"妈一再叮嘱着她，在提到爸时，也不是往常那样怒气冲冲的口气。元伦注意到，妈新烫了头发了。

元伦很后悔，她当时满心关心的只是别迟到，因此，竟也没好好认真听听妈说的。只是她感到这天，爸爸出乎意外地穿得清清爽爽，笔挺的裤缝可以削铅笔了。妈妈有时发脾气并不是没有道理的，穿得笔挺的爸爸毕竟神气多了。"好了，你让她快点吃好读书去吧，她要迟到了，"爸在边上催促妈，"你也抓紧点，等一下八点半下面生产组上班了，我们再出去就麻烦了。"元伦敏锐地感到，今天爸爸妈妈之间都十分和气，她是多么希望家里，爸爸妈妈经常能这样有商有量，和和气气地过日子呵！

"爸爸妈妈再见！"元伦按常拿起书包就往外走，妈却一把揽住她，嘟嘟地往她脸上亲着："元伦乖，妈一弄舒齐，就把你接去呵！"

元伦老担心着要迟到了，趁妈手臂一松，就一溜烟下楼了，走到下面底楼了，猛一回头还看见妈站在扶梯拐角上频频招手："乖点！"她随便地向妈妈挥挥手，一拉门，就走出门洞。秋深了，开始落叶了，金黄金黄的叶子，一阵风，就窸窸窣窣地落了一地，那种干枯的、缺乏生命气息的空扑扑的声音，全然不是夏日枝叶茂盛时那种沙沙的、饱含水分的声音。但少年不知忧愁味，她只是使劲地往空扑扑的一堆里踩，觉得好玩极了。

晚上，妈不在了，是爸与张妈对的小菜账，很快就对好了。往常，趁着妈不在家，爸总要拉几下京胡咿咿呀呀唱几句，但今晚，爸的胡琴没有响过。爸爸打开琴盖，夹着香烟，用一只手弹着那首妈妈爱听的《时光流逝》。妈妈不在家了，没人再惹爸爸生气，元伦也不用担心爸妈吵架，但家里的晚上，却显得十分空旷十分寂寞，曾几何时，爸妈的吵架声，已和屋里的壁炉架，那架元伦一出世就倚在墙边的旧钢琴，以及元伦已看熟了的格子窗帘一样，成为"家"的全部含义，缺其一样，这个"家"就是不完全的。

元伦离开壁炉架，踱到钢琴前。这架在元伦家经济濒于十分尴尬境地时，与妈肩并肩地立下汗马之功的"施特劳斯"，"文革"中被抄掉过，经过十几年折腾，竟还能物归原主，也属难得。元伦揭开琴盖，泛黄的琴键就像一个不讲卫生的人的满口黄板牙，有几个音也已不准了，难怪这几十年，人都会老了呢，又没有人留心替它校校音，用腊克周身替它擦拭一下，谁也没这闲工夫。她试着弹了一曲，正是刚才伟民反反复复吹的《重逢有日》。

爸推门进来了，一件芝麻呢西装上装，配着深色裤子，身上散发出一股淡淡的檀香，往日那股窝囊样和畏怯样，现今是一点都没有影了。爸现在是一业余英语进修学校的校长，在上海业余教育界颇有点名气，竟然也上过几次报。

"怎么这样忙，才放下饭碗又出去了？还要再吃点什么？暖窝里有热的血糯粥，我给你盛碗来暖暖身吧？"常年没有母亲的家庭中的长女，总会对爸持一种小妇人的语气。

"哎，不用。看，我一双手还是火热火热的。到底还不是糟老头子。"说罢爸爸走到大衣镜前左右端详下自己，眉宇间荡漾着一股颇知足的神情。

"别照啦，蛮漂亮了，蛮可以再去轧女朋友了。"元伦打趣着他。

"轧女朋友？"爸抬手拂了下稀疏却依然乌黑的头发，"老实讲，现在就是要轧女朋友，我都忘记了该怎样轧，还得再重新学起来呢。"

元伦打量一下爸，爸的肌肤细腻白嫩，手背下能看得清淡蓝的脉络，颀长的身影还是十分挺拔，周身上下散发出一股老派绅士的风度。元伦知道，自妈与爸分开后，是她和弟弟成了爸再婚的障碍，现在她又要走了，弟弟早晚也要走，她真希望，爸爸能再重新好好生活一次。

"元伦，你妈病了。"忽地，爸用一种低沉的声调说，"刚才我参加了H大同学会，我们H大有位女同学施梦绮，这次参加香港同学会活动，正巧住在你妈妈那边。那天，你妈洗澡时，昏晕在浴室里，亏得门没有上锁……"

"对啦，爸，你以后一个人洗澡也要当心，千万别锁门。浴缸底贴几条橡皮条，可以防滑跤，洗澡水不要放得太烫，年纪大的人最容易在洗澡间昏晕了。"爸爸的话立即让元伦担心，将来她和弟弟都走了，爸爸一个人将面临的种种不便。

"梦绮把你妈妈扶到外面沙发上，这时发现，你妈妈乳房在接受化学治疗……"爸爸继续往下说，言语中流出隐隐的牵挂和同情，"她竟然一个人住。多危险！要是那天梦绮不在，真不可设想……"

"但是，妈刚才的来信，只字都没提她的病。"元伦拿起妈才到的信，说。

"她当然是不会提的，她的脾气……"爸把下半句话咽回去了。

真不巧，说不准她这番去港，未及大施鸿图，就得先做家庭护士了。这念头刚闪过，即感到是十分大逆不道的。她偷偷往壁炉架上那位高贵的太太照片瞟了一眼，好似照片上那对眼睛具有透视机的穿透力，会看见她刚才冷不丁冒出的一念。

或许，她应该焦虑，应该担心，但感情这东西就是奇怪，就好像煮开水，火候不到，是不会嘟嘟冒泡的……妈妈生上这种病，真是倒霉透了，然而除了觉得替她感到倒霉外，她想应该有别的一些感情，但她就是没有。这时，爸爸也在抬眼注视着，壁炉架上方，那还属窈窕淑女时代的妈妈。

"我的申请批出来了。"她这才想起该告诉爸一声。

"是吗？那好。你可以去照顾照顾她。"爸似乎松了一口气。

"难说。"元伦再看一眼神情优渥，倨傲地对着镜头微笑的，被一团高贵的紫雾包围着的那个漂亮太太，她应当叫她妈妈，"刚才收到她的信，还说替我另外找了房子了。"

"哦，"爸沉吟了一下，"或许你与她一起住，她不方便。但是……"他又恍惚地看了下年轻时代的妈妈，她正羞答答地对着镜头微笑。"她在生病，那很讨厌的病。除你以外，还有谁能照顾她呢？"

是呀，那种……人们很害怕说出口的病。

"在外边一生病，就很糟糕。梦绮劝我们请她回上海来养病……"

元伦敏锐地打量一下父亲。难道，爸还有重修旧好之意？

爸对她笑了一下，笑得有几分凄凉。"梦绮也劝过我，想也一定劝过你妈，让我们俩再……套句俗话，破镜重圆。这也只是她这种好心人生出的良好愿望，其实无论是你妈还是我，怎么可能会……又不是小孩子，吵了一架打了一架，然后一个大人过来讲，好了，别吵了。两人拉拉手，哪有这么容易！不过……"爸从口袋里掏出烟，不好意思地瞧一眼元伦，但还是把它点燃了。原来爸只是不在家里，或当着元伦面抽，身上还是随身带着香烟的，"如果她真同意到上海来养病，我会帮她找医院，到底现在，她生病了。"他的语气中，充满的是同情也是焦虑。他掸掸烟灰，长长地嘘了一口气，"反正，一个人几十年，眼睛一眨。争也好，斗也好，风光也好，倒霉也好，最后总要往一条路上去。不过，你们年纪还轻，出去闯闯丰富丰富自己，也是值得的。"

元伦第一次深切地发现，老境的无奈与凄凉。

"唐校长，"有人急促地敲着门，"临时有几个美国人，要来我校考察参观我们的成人教育实况，老丁一个人怕应付不了，请你马上去一次。"元伦看看钟，九点钟都快到了。

"这么晚了，天还在下雨呢。"元伦阻着爸。

爸爸边在皮鞋上套上雨套鞋，边说："如此卖力，不过是为着对得起自己。毕业四十来年，总得做些事，做些贡献。我们老话讲：积点德。哪能一辈子装糊涂装到死呀？"一声"走了"，就噔噔下楼了

元伦重番回到那架五音不准的旧钢琴前，又开始想着妈妈那讨厌的病。但在她记忆中，妈妈似乎早已去世了，在她十一二岁时，在扶梯口与她匆匆一招手时就已去世了，不会再回来了。现在那位倒霉的还生上这种病的……太太，说到底与她有什么相干？不对，不对头，她应当感到难过，应当流泪呀。她用一只手抚着琴键，弹了几组琶音，她自己渐渐辨出，那又是《重逢有日》的旋律。一股酸楚之情涌上来，她的视线模糊了。不过，这不是为着妈妈的病。似乎很不应该，但她也无奈……

雨下大了，沥沥地打着窗玻璃，秋凉重了，玻璃蒙上一层雾气。

单调、孤寂的、重复的《重逢有日》。

单调、孤寂的、重复的雨声。

三

　　琳达机械地移着脚步，一辆辆空晃晃的电车驶过她身边，她也懒得去追它们。反正也没人焦虑地等着她回家，而且反正，她在往那条绝路上走，那么迟点早点，又何妨？

　　中环闹区，已是一片欢欣的圣诞气氛，还有十来天，就是圣诞节了。琳达，已再也提不起兴致，再举办一个圣诞聚会了。按理，这是元伦在港的第一个圣诞节。原先，她们也真有这个意思，在客厅里再开个圣诞聚会，一来也热闹热闹，这阵家里老是暮气沉沉，一股晦气，也让元伦见见世面。同时，把元伦介绍出去，或许她运气高，会碰上一个好男人。她真希望元伦早点安定下来，一个没有家的女人，是很苦很苦的。无奈，她精力不济，再说，朋友们也早已疏散星远，如今人情极其脆薄势利，从前簇拥着她的那班朋友，早已不再走动了。甚至连自己疼爱的亲生女儿，也因着隔了那二十来年漫长的时光，互相竟是无可挽救地冷淡隔膜。那天，当她在月台上看着一个三十来岁的女人，迈着没有把握的步子向她走来时，她怎么都没想到，自己竟是这么个三十来岁女人的母亲！

　　"姆妈。"女儿轻轻地勉强地叫了她一声，全然不是她二十来年梦中苦苦追忆的那种甜甜的、撒娇的声音。八九岁时的元伦，剪着一头覆盖到眉毛上的浓密的童花头，每天晚上，总是帮她绷绒线，因为个子矮，埋在沙发上两只脚总是腾空地晃着，嘴上会有口无心地跟着唱机用半懂不通的英文哼唱《时光倒流》、《神秘的月光》，在她集中精力时，鼻端下那深深的成楔形的唇中部位，会轻轻地抖动着，就像一只小兔子！但是曾几何时，小兔子已不复存在，站在她面前的，是一个陌生的、谨慎地看着她的年轻女人。元伦穿着一套紫红色松身宽袖的羊毛裙，上海的时装倒也做得不错，很有几分风姿，好好调理一番，说不准可再塑一个二十年前的琳达。

"走吧。"琳达急促地催着她离开了车站。她怕遇到一些半生不熟的人，猛不丁知道她突然冒出这么大一个女儿，圈子里不知又会怎么说叨她。

盼望已久的女儿见着了，但她并不感到安慰。依旧感到孤独难忍。

平·克劳斯贝深沉缠绵的《白色的圣诞节》，从一家布置一新的精品店传出。平·克劳斯贝怕早已化为泥土了，但他的歌声，还能征服第三代歌迷。那悠悠绵绵的歌声，就像拌了蜂蜜，直甜到心里。唉，平·克劳斯贝死了，褒曼也死了，亨弗莱·鲍嘉也不在了，赵丹、金焰也死了，她这一代人迷恋的偶像，都一一过去了。看来，琳达的时光，也差不多了！

走过置地广场，似乎是出于惯性，她两只脚竟也就跨了进去，一家精品商店橱窗里，陈列着一条华丽、别致、脱俗的金刚钻项链，自然是假的，但价钱也是不菲。琳达站住脚恋恋地打量着它，她就有钟情饰物的癖好，好在而今假的做得也跟真的一模一样。

"太太要戴戴试试看吗？"售货小姐笑容可掬地迎上来了。那是个体态丰满、面带浓郁笑靥的小姐，要是元伦能进这样的大公司工作，也是她的福气，可惜她年纪已太大一点。

"太太戴着真好看！"小姐在一边谦卑地奉承着她。

好像是不错。她瞟着镜中的自己，颈脖还是白皙细嫩，衬着这一圈项链，是很有气派。镜中一角，映出售货小姐健康年轻、挺得高高的胸脯。

"这个扣钩有点松动了。"她开始挑剔着。

小姐不敢怠慢，忙忙地给她换了一根，替她搭好。又小心翼翼地退在一边，镜角里重又映出她那漂亮的年轻的胸脯。

"但这条色泽不如那条光亮……"琳达很不满地说。

小姐赔着笑，微微喘着气，忙碌在柜台与琳达白润丰美的颈脖之间。她自己，则像个不可一世的女皇，高贵地伫立在大镜子前。

琳达酷爱购物，除了这可以丰富她的色彩和欲望外，她可以利用购物的机会实实足足地摆一次威风，做一次公主或女皇，这真正是一种快乐、一种享受，像她这样的气度，没有小姐敢怠慢她的。

"……太太好眼光呀……"小姐的怒火已升至眉间了，但还是摆出微笑奉承在琳达的左右，极力掩饰着自己的不满。人人都活得极可怜，无论是这位售货小姐，还是家有万贯的范企章，有时不得不像只哈巴狗样，为了博得一根肉骨头，不得不吃力地做出好多讨人喜欢的动作。

琳达以充满了高贵与尊严的姿态，扔出一张金牛（一千元港币）买下了这条人造钻石项链。虽然直到付钱时，她都十分明白自己再也不需要这种小东西了，但折腾了半天不买下来，那就要遭小姐白眼了！小姐扭着漂亮丰满的身姿去付款台提单，袅袅娜娜的，想当年，琳达的风采也不亚于她呀！

她信步蹓出店铺，揣着那毫不需要的人造钻石项链，在商场中心的喷水池边，一位身材修长的年轻太太叫住了她，是范太太，以前她们偶尔也会在大街地铁口相遇，虽然彼此知道是谁，却都心照不宣，只作不认识，自那次同学会活动后，十天里几乎天天见面，因此，再在路上撞见，免不了要寒暄敷衍一番。

范太太手挟着浅灰色的、她们这种女主管常不离身的公文包，伸出左手懒懒地与她拉了拉，不温不热的模样令你不舒畅，又无可挑剔，显得极度的洒脱。

"哎哟，"未开口，范太就摆出一副怏怏不悦的样子，"这阵忙得我真走油，想想在你家那个晚上真有趣，好像我们香港人，而今都已没有这样机会和闲情，好好坐下来泡上一杯茶互相谈谈了，老是不知在忙点啥！"说毕，深深地叹了口气。

像她这样一位正踏步在成功的坦途上的女性，都会这样长吁短叹，那么这世界上，究竟还有什么可称之为"幸福"呢？大约故作痛苦也像钻石等饰物一样，是一种最时髦的装饰品，且也有天然和人造之分。琳达相信，她自己的忧郁，则是天然的，因此也是沉重的，有分量的，很难启口向人吐露的。而范太的，则是典型的人造的，就像她刚买来的那根人造钻石项链，虽然也是光彩四溢，却是只能博得赞美，很难得到珍惜。

　　"与梦绮公司的生意谈得如何了？"琳达没话找话。

　　"呵，有点眉目了，我过几天说不准要飞一次上海，你上海有啥事吗？"她笑眯眯对琳达说，琳达却感到有一股嘲讽之情。

　　"没……没事。"她禁不住有点结巴地说。

　　"下个星期梦绮又要来香港了，你不知道？她难道没写信告诉你？那你也就只作不知道，她也是怕多事，怕惊动大家她应付不过来，正经事倒来不及做了。她这次是公出，住酒店笃定了。"范太依旧笑眯眯地说，但句句都刺痛琳达。范太是个聪明女人，按理应当知道琳达听了这番话会不开心的，但琳达不开心与她范太无丝毫影响，因此她也犯不着斟词酌句的。她得省下这份精力，使在她认为需要的人身上。

　　"企章可好？"克制了半天，这句话还是脱口而出。

　　"他呀？"范太一挑眉毛，似笑非笑扫了琳达一眼，许是琳达过敏了，她只感到一瞬时，弥散在她俩周围的空气凝重起来了。

　　"这几天也要去美国了，男人家，总得他先去打前站，总不成还要我去打前站。"范太接着往下说，带着一种娇贵矜持的口吻。

　　"哦，你们也准备动了？"琳达一愣。

　　"我们企章早就揣好了美国护照，难道你不晓得？你们那天谈得这么起劲，他这倒没有告诉你？"还是那笃悠悠的，让琳达听了触心的话语，而且，她品出简直有点幸灾乐祸的味道了。

　　"你不走？"

　　"公司走不开呀，再看看光景说了，和上海生意又刚打开。"范太开怀一笑，很自负地说。范企章向来不做蚀本生意，同学会十天的开支固然不菲，但老婆那边生意一打开，他这点同学会开销，比如做次广告呢！范企章也是，同学会一过，也就把她琳达仍当作陌路人。她琳达，只不过为范太做生意提供了一个价廉物美的社交场合及廉价旅馆，同学会一过，就又没事人一样了。眼看他已决定合家西迁，即刻要远走高飞了，看来也是不想向她辞行道别的了。自然，琳达了解他，他势利倒是说不上，只是，要操心的事太多，琳达，已不值他再牵肠挂肚的了！

范太提包里的传呼机开始嘟嘟地响了起来，她抱歉地向琳达笑笑，说一定公司有急事要找她了，急急向她告辞后，就冲向最近的一个电话亭，透亮的玻璃壁里，起先她是一面笑一面讲，后来，神情严肃起来，又流露出那种滴水不漏、寸土不让、据理力争的神情。

行人匆匆，很少有像琳达这样闲逛的，琳达跨出置地广场大门，蓦地感到，在这人群密集、高楼四耸之间，竟有无立足之地之感，心中一片怅惘。

圣诞节还未到，橱窗里，精明的商家，已推出明春时装的流行式样了。"冬天过去了，春天还会远吗？"琳达突然记起这两句诗，这几十年，诗，离她已经十分遥远了。

橱窗后的大镜子让她看到，自己一身咖啡色的装束，与那穿着蜜黄丝质直身裙的模特儿，形成鲜明的对照。与那活泼鲜亮、光彩夺目、生趣盎然的蜜黄色相比，她那一身咖啡色，真有点像历尽万紫千红之后的秋的感觉了。近来，她开始爱上咖啡色，那深沉温和的色彩，就像一片能接纳一切的宽厚的胸怀，让她那颗绝望孤寂的心，得到一点安慰。

春天还会来吗？不会了。

她感到一种昏晕。自从接受化学治疗以来，她自感越来越孱弱了。刚刚又去过医生那边，医生已严正地警告她，非得动手术，否则，癌细胞继续扩散至脊骨处，会形成高位瘫痪。

她支撑着踅进邻近一家麦当劳店坐下，只感到额上已蒙上一层细细的虚汗，她松开几颗上装纽扣，薄毛衫后面的胸部，依旧显得浑圆高挺，但已像一只让虫蛀空的苹果，从里面开始溃烂了。或许动了切除手术后，她还可再争取几年生命，但她已不值得再为任何人保留着女性的线条了。自那晚昏晕在浴室里被梦绮扶出来后，在一时恐慌中，她向梦绮报了阿钟的电话号码，迷糊中听着梦绮在电话里急急地向阿钟叙述着什么。琳达就知道，从此，阿钟不会再登她的门了。她倒有点感谢梦绮，终于替她把实情"捅"出来了，这事迟早得"捅"出来的。不过，她也不怪阿钟，无缘无故娶进一个整日要手捧药罐头、身患绝症的太太，这种事摊到她琳达头上，她也不干的。市场上流行一分价钱一分货，你的感情投资资金不到，就只能有这点水平的爱。哪怕投资多年，遇上范企章这种商场老手，也会贬值的。

唉，感情投资，她是彻彻底底的失败者！

她呷了口可乐，冰镇过的液体带着些微的辣味，从舌尖一直传到体内，使她精神顿时一振。一群女学生嘻嘻哈哈地涌进店堂，穿着清一色的蓝士林旗袍，外加一件蓝羊毛衫，颇像琳达中学时代的制服。唉，她的春天，已是一去不复返了！

杯中碎冰块在搅拌中，发出的脆声，有如微微晃动的风铃，玎琮悦耳。她记起那一次真正的自然界冰凌相击的声音，是脚踩在雪地上松散的雪花凝结成冰凌的声音，"咔嚓咔嚓"，那样真切，还带着一股沁凉！那是她读大二时的寒假，旧历大年初三。雪花稀稀地飘着，隔夜下过一场上海罕见的大雪，本与同学相约去吃火锅的，岂料刚刚拐出大门，她就被那一片茫茫的银色迷住了。墙头树梢上，聚集着厚重的雪块，在柔和的阳光下折出透明的轮廓，那平时再也熟悉不过的街景，由于这一层洁白，却也蒙上一层神秘莫测的轻幔。嚓、嚓、嚓，洁白无瑕的雪地上留下她的脚印，有些地方因为雪积得浅，竟因此而变成一小洼污水，令她不忍，令她无奈。年轻的心就是那样的善良脆弱，特别她当时，正处在家道陡落、卖屋典业的尴尬困境，家里能否继续供她在 H 大求学，以取得一张渴望已久的沙纸(大学文凭)，还是一个问题呢。世俗的势利，人情的淡泊，就像那陌生的路人无情地践踏在雪地上的脚印，凌乱又清晰，留在她那尚且稚嫩的心田里。

　　她开始可怜起这片任人践踏的雪地。她终于驻足伫立着。那些斜斜伸出的树桠似乎再也承受不住上面厚厚的积雪，积雪霍然落下。有的就落入污水塘中，那洁白的一撮迅速地消失了。她脱去手套，在一棵枝桠上抓了一把雪，雪并不太冷，只是沁凉的，她把它们捏成一只冰球，"咔嚓咔嚓"，那是雪花被捏成碎冰的声音，一旦成为坚实的碎冰，就是冰冷冰冷，刺人肌肤，一直冷到心里。她忙忙把那个雪球狠狠地甩出去，看着它跌成粉状，那股因雪而引起的童稚般的振奋也消失了。她有点懊丧，何苦冒着严寒踩着雪地去吃什么火锅，跻身在一群不愁吃穿、不愁学费的同学中，会令她更感触更难过。她真想从此不再见他们。

　　一辆雪佛莱飞驰而过，持着汽车阶层特有的傲气，四只轮子毫不留情地压过雪地，从后轮下激溅出一阵污水，然后留下两道泥泞的轮辙。她忽然生出一种奇怪的念头，要是这辆雪佛莱把她撞倒了，她静静地躺在雪地上，殷红的血一点一滴淌到雪地上，就像散落在上面的花瓣。雪花轻飘飘地纷飞着，宁静地陪伴着她，这样的死亡，多么美丽！正围在火锅边聚餐的同学听到她的不幸之后，大家会惊惶地赶到雪地上，呼唤她，摇曳她，可她再也不会答应他们了。于是，他们哀哭着，光记着她的好处，于是在 H 大的思晏堂里，特地为她举行一场隆重的追思礼拜，许多外系的同学也来参加了她的追思礼拜，痛惜她那过早结束的生命。他们会伫立在她那嵌在鲜花簇中的照片前，努力追忆着这位生前并不活泼，也不令人注目的女同学的音容笑语，但终于记不起来。这位大名林湛秋的女同学，实在太普通太平凡，他们会因此而感到遗憾。死亡，就像那一片茫茫的白雪，把一切不足和丑恶都遮盖了，只留下一片晶莹纯白。于是，琳达、湛秋，就这样从 H 大中消失了。不是因为家境陡落，不得不中止学业，早早地成为职业妇女可以帮助养家活口；只是因为，大年初三，她兴冲冲地准备参加同学们的团拜聚会，却葬身在车轮底下，静静地躺在雪地上。一个美好的令人生出无限遗憾的告别。从此，H 大会一届接一届地流传着有关她琳达的故事，就像在 H 大后院有个小土堆，传说 H 大原址是前清某大官僚的私邸，他家里一位小丫头因着在受夫人责难时回了嘴给残暴地剪掉了舌头，后因出血过多而死了。据说就埋在这个小土堆下。这个悲哀的传说自一九一六年 H 大建校时就在学生中流传，一届一届，到了琳达这一届还在传说中，并不断增加了许多美好的细节。不少多情的男同学为此还作了不少类似"红绡帐中，公子情深，黄土垅中，妾何薄命"的中英文诗篇，每年清明，这个小土堆上还会出现几束鲜花。虽然，不少同学怀疑这土堆下究竟是一堆黄土还是确是一座坟茔，却也终究没有人挖开追究考察一番。这个薄命女孩的故事还是一届一届地流传着，依然有人为她叹息，依然有人为她献花，而她的形象，永远是个十几岁的楚楚动人的女孩子，谈不上不朽，却也流传下来了。要是她当时没死掉，不过嫁个男人生儿育女，浑浑噩噩地过着日子。那么到了琳达这一届，就是不老死，也不过是个老太婆，哪还会有鲜花和美好的诗献给她？

"琳达！怎么了？怕跌跤吗？我带你过去，走出这条小路，就好走多了，外边大马路上的雪都扫清了。"

远处有人在后边呼唤她，是高她三级的唐文达。虽说这位唐君其貌平平，学业也平平，但却因着一个"富"字，也就成为 H 大园内的人物之一。

出于自爱，也出于女孩子的矜持，特别是家境处于如此拮据的琳达，近来更是以一种莫名其妙的高傲，可怜地包裹着自己脆弱得不堪一击的自尊，特别对那些家境富有而本人平庸的富家子弟，她总是有意无意地持一定的冷漠。

她一下没认出他，也没听见他在对她嚷嚷些什么。她还没从自己编造的那场带着甜美的伤感的幻梦中全部苏醒过来。

他左手按着短大衣的下襟，那是一件咖啡色花呢大衣，一条紫红色的围巾很随便地搭在颈脖上，那斜斜地甩在后肩的那一端正颤巍巍地往前垂滑，眼看就快溜下肩了。他滑稽地在雪地上跨着步子，原来他是专门挑别人踩过的脚印，看来也是不忍破坏这一片洁白。

"好了，就这样，别动。"说着他就从大衣襟下掏出一架"蔡司"，对着她摆起摄影的架势，就在这时，那一端围巾终于滑下来了，裸出他那瘦瘦的、对男人来说过于白皙的颈脖。"哟，他不冷吗？寒风直往里灌呢！"虽说平时与他交往并不深，但她此时竟也生出一个温存的念头，难怪女性生来就是母亲。与此同时，相机快门也咔嚓一声。相片洗出来后效果非常好，以后一直挂在上海家房里，壁炉的上方。在一片洁白的背景下，琳达的深色大衣挺自然地勾出她婀娜动人的身姿，因为与唐文达并不太熟悉，所以对着镜头她有点害羞，不敢正视镜头，她知道这有如正视他的眼睛。她目光略略往下看几分，就落在他赤裸在寒风中的颈脖上，哎哟，他会着凉了。心里不知为什么，又升腾起几分怜惜。他毕竟是个年轻的先生，她又希望自己能在他相机里留下一个漂亮点的倩影，于是她努力微微一笑，结果，就形成十分独特的神韵。后来，她虽说越来越会拍照了，但却再也显不出这么个楚楚动人的神韵了。原来青春，竟是一丁点都留不住、一丁点都复制不出的。

不过当时听到快门"咔嚓"一下后，她并不知道自己留在对方相机内究竟是怎么一个傻样，当唐文达放下相机时，她反复叮嘱着："洗出来后可别给别人看，连底片一起还给我呀！"然后，她对着还在低头摆弄相机的唐文达盈盈一笑，抬手把那围巾的一端轻轻给他围上去。他双手依然忙着收拾相机，但眼睛却抬起来对她作了个感激的微笑。

要么是这片雪景在作祟，要么是新年伊始令唐文达也像孩子过年穿新衣服一样，换上一种全新的神情，反正那天的唐文达，给她的感觉全然不像往日那样窝囊平庸。"难得这样一场大雪，我想去佘山拍几张雪景，真正机会难得。新年里一家吃一家是最没意思了……"

呵，佘山大教堂！她想到此时此刻罩在一片白茫茫之中的佘山，一定是另一番世界，有着她向往的宁静和肃穆。

"这倒是个好去处。"她不由自主地说。

"你去吗？不过……你好像有事要出去吧？"

"不，我本来就没事，不过想在雪地上走走。"

"哎，那就去吧。现在的光线正好。"

她兴奋起来，再也顾不上爱惜脚下那一片雪地，他们步履轻快地穿越马路，一辆有轨电车突然当当地从拐弯处开来，她一惊，下意识地往身边唐文达身上信赖地一靠，唐文达则抓住她肘部往后一拉，直等那辆电车开过后，唐文达才嘘了口气："危险！这种下雪天穿马路真要当心！"

她也余悸未定，只感到胸口与鼻喉之间气也喘不过来，仅仅那么一瞬间，她对自己年轻的生命又开始钟爱起来。

是呀，在这么个晴朗的冬日，置身在圣诞卡里才有的雪景之中，自己年轻又健康，边上又有一位家境在 H 大也属首屈一指的男士陪着，她把那令她自惭形秽、心烦意乱的家境暂且抛在一边，只感到自己活得那么快乐、惬意，浑身充满着新鲜活泼的生命力。

就是这样，那难得的雪景恍如一场美梦，泛柔地向她展开，把她轻轻包裹着，让她不知不觉地编起了浪漫的故事，使她后来成为唐文达太太最开始最关键的一步。

虽然如今，那段婚姻已随着她只身一人由沪来港而自然告终，但那一天的雪景，却从此永驻在她心中。

她继续茫然地用吸管搅着已溶化成鸽蛋般大小的冰块，屋角那群女学生还在嘻嘻哈哈。但她们的笑声似乎离她好远好远，如同人在将醒未苏时的睡眠中所听见的，那般含糊、那般渺茫。她想，一个人在弥留之际，大约就是这样的。想来，死并不可怕。

平心而论，琳达，毕竟也有过一段幸福的时光，如是也觉得，死而无憾了。

新婚头几年，她是快乐的。特别在外边飘着雪花的冬夜，新婚的她，穿着轻软的丝棉旗袍，薄薄的丝袜外套着一双黑面金花的绣花鞋，傍着烧得旺旺的壁炉架坐着，火炉另一边，是一台当时属十分时髦的"西屋"自动落片唱机，但翻来覆去一遍遍放的只是一张片子、她钟爱的《时光流逝》。自从《卡萨布兰卡》上映后，成千上万的人都迷上这首曲子。她轻轻地哼着《时光流逝》，惬意地晃着架得高高的双腿，文达则坐在她对面沙发上，一边帮她绷绒线，嘴上叼着香烟，曼曼升起的青烟使他微微眯起眼睛，倒也有几分潇洒风流。她哪曾想到，在《时光流逝》的旋律中，这平和的居家小憩之景也正在消失，不过几年，一切就全变了。不过，琳达是抵死也不肯承认，她是为着唐家走下坡路而嫌弃文达。她其实从没爱过文达，只是暂时，这裂痕因着家族财富而弥盖着，就冲唐文达那得过且过的窝囊相，她早晚会与他"拜拜"的。他那样子她实在受不了：天天早上眼睛睁开就摸香烟，像鸦片鬼样在床上无聊地吐着雾腾腾的白烟圈，赖到九点半才起床，不管是拖鞋还是毡鞋甚或皮鞋，他都会一律当拖鞋踏倒后跟耷拉着，起先还是一切因着一个"富"字，只当做是大少爷无所谓的派头，但到后来要真正面对现实，公公的财产靠不住了，要靠自己吃力地过活时，再回过头看他那被踏拖得光光的鞋后跟，带着两摊光光兀兀的印记穿到大街上，穿到戏院去，琳达就直感到他一副寒酸相和邋遢相。人不怕穷，就怕穷得没有志气。文达就属于这种一富就神气、一穷就没有气的窝囊男人。说实话，要不是后来公公处没有靠了，文达还不肯去师资培训班报名就业呢。其实，文达原是很有点品位的，他的英文不错，摄影更是没话好说，可后来连那架"蔡司"的镜头都霉掉了。

"你试个样子，走出去就像个三轮车夫！"看着丈夫成天价穿着一套晃荡晃荡皱巴巴、褪色的蓝布人民装，她就来气，出门装装样，披上一层蓝色保护色倒还情有可原，可回到家里，也这样邋邋遢遢，看着就触气。

"现在嘛，就要人家看作你像三轮车夫才好呢！"他倒是笃悠悠地呼着白烟圈说。而且，竟也真会像三轮车夫那样在大街上啃大饼油条，在小摊上吃豆腐酱，叫他早点起来在家里吃罢早饭出去，他又不愿意。

"碰到个熟人朋友，看你的脸往哪搁！"她狠狠地责备着他。

"嘿，你成天要么躲在家里，要么跑的都是钢琴阶层，自然觉得这是坍台的。其实，喏，"他举出一个解放前大明星的名字，他就住在他们家附近，"他也是边赶电车边啃大饼油条的。"

琳达为着贴补家用，主要是为了让自己也有点经济权，一直在外边做私人钢琴先生，所得虽有限，但见到感到的，还是她曾经十分熟悉也十分留恋的一套。她明知大势所趋，"时光流逝"，一切不会再回来，但还是紧紧地抓住那正在流逝的一角，苦苦地想把它们留住。至少，在她目光所能及的范围内，依旧能感受到它们。岂料自己丈夫，第一个就把这一切都搅糊掉了。

为着煤饼供应紧张，家里烧煤气的，就不再配给煤饼等燃料了。因此，壁炉也熄灭了多年，原来的炉膛已改成鞋架，放着一列各异的皮鞋、布鞋、套鞋……她依旧傍着壁炉坐，但空气却是冰冷的。文达放下饭碗就早早钻进被窝里，有时懒得脚都不洗。琳达再不愿让他帮着绷绒线，一看他那副落拓的无所事事的腔调，她就会怒火中烧。他就知趣地自己避免与她接触，把自己埋在一堆《三言二拍》之中。那黄黄的发着霉味的书也让琳达恶心。

手头还是有着忙不完的毛线活，那台"西屋"落地唱机老当益壮，翻来覆去唱的，还是那曲《时光流逝》，八时大喇叭把平·克劳斯贝的脉脉含情的歌声，填满了房间每一角。只是唱片不时会发出"咯噔"一声，那是因为上面已有一条裂缝了。替代文达坐在对面帮她绷绒线的是元伦。元伦当时留着一头浓浓的童花头，眉眼长得一副典型的唐家脸孔，浑圆的脸庞和略略肿泡的眼皮。但元伦的唇中部位特别深，很明显的一道楔形，这深深的一道立时使她这张平淡的脸生动起来。

因为屋里没有火，琳达得套上棉毛裤、羊毛裤、丝棉裤，外出时再加一件笨重的派克大衣，使她整个冬天都不敢照镜子。晚上上床时，她会瞧着扔在椅背上的一大堆衣服发愣，难道她余下的尚且年轻的岁月，就要像她那依旧窈窕诱人的身体一样，要永远隐没在这一大堆沉重的颜色晦暗的装裹之中吗？

她感到这个冰冷的家，已毫无留恋之处了。

她终于出来了。这里冬天不用生炉子，但假如需要，照样可以炫耀贵重的敏克大衣(世界名贵裘皮大衣)，这就是香港。她那爱排场爱繁华的天性，得到了充分的补偿和发挥，她重新把自己细细地装扮起来，充分享受着她重新获得的自由与奢华，有一度，她如鱼得水地快乐着。把那壁炉架边的时光忘记得干干净净，而且，再也不愿意想到它们了。

只是不知为什么，最近几年来，她很是想念上海老家的壁炉架——不管是生火的还是改制成鞋架的，还有那张唱起来沙沙作响的、平·克劳斯贝很伤感地唱出来的《时光流逝》。小女儿各种童稚发问的声音也令她留恋不已，甚至唐文达那曾一度令她气得要吐血的抬杠到底的口气，而今回忆起来，也只留下他令人可笑的迂腐了。上海的那段生活，就像是一件已经过时了的旧衣服，一直给搁在一边，但每每看到它，就会回忆起穿这件衣服经历过的各种场合，乃至在哪儿买的料子和哪位裁缝制的。

近来，琳达常常容易怀旧，是到了这把年纪必然会有的心态吧？虽则她早几年就去日本做过绷脸、开眼睑和隆胸等延续青春的手术，但岁月刻在心灵上的刀痕，是抹不掉的！原先一直以为前面的日子是漫长遥远绵绵无绝的，现在看来，竟也有一种"到头"了的感觉，已没有啥风光可看了，于是，她就不得不经常地回顾。

在她昏过去的以后两天里，梦绮倒常常陪着她，阿钟接过电话而不见影，聪明的梦绮一定也明白几分了。一次她曾提议她，回上海去治病。琳达不明白，对她来讲，应当是说去上海更妥还是回上海更妥。如果她成了一个名副其实的阔婆，如果她真的成了范太，说不定她倒会去一次上海。现在，哪成？文达倒是单身一人，是她坑的他，一个男人家不富裕，又带着两个孩子，是很难再成家的了。她欠他太多了。许是报应，上苍再弄个范企章来折磨她，使她在他身上蚀得这么惨！

第一次遇见范企章，还是她在香港的创业阶段，她住着北角一间楼房里，天天顶风冒雨地上门去学生家授琴。那天，就在一个学生家客厅里遇到范企章，那是在她上完课从学生房里走出来时。

"哦，这位是范老板。这位是林小姐。"出于礼貌，女主人只是作着一般的介绍。

"范老板"！好唬人的称呼。初初到港的琳达并不懂得，香港"老板"多如牛毛。只见这位老板乍看相貌平平，皮肤晒得黝黑，脚上一双跑鞋，看上去一副精明能干样，隐隐散发着成熟男人稳健的魅力。

那时的琳达尚未打开自己的社交圈。如此有模有样的男士，也是第一次接触，为着脚上穿着一双黄泥涌道皮鞋店里淘来的断码鞋（清仓物），她感到在这位气质高雅的男士面前——也不知怎么搞的，当时他并未发财，且也是一身极其简朴的装束，但就是感受到他身上有一种潋潋昂扬的气度，她很是不安。

"我见过你。你是 H 大的吧？有次英语演讲比赛得殿军的，林湛秋小姐吧？"

"哦！"她很感意外，原来也有男同学悄悄留心过她。这一意外的会面，对在香港举目无亲的琳达，真有如他乡遇故知之感。她一边盈盈地笑着，一边搜尽枯肠地回忆着 H 园里对这位男同学的印象，无奈还是一片空白。

他笑了，露出一排男人中少见的洁白整齐的牙齿："你是不会记得我的，我在上海 H 大待得不长。太平洋战争爆发后，H 大迁至重庆，我跟着去，为了学业嘛。直到四六年才迁回上海，这已是我大学最后一个学期了。当时我是乡巴佬一个呢。"他那对眯成两爿弯弯的新月般的眼睛，使已生有一子一女的琳达，都不敢正视它们。

"你是什么时候出来的?"不知为什么，从一开始起，她就把他与唐文达相比。她相信，如果一开始在 H 大，她就认识眼前这位范企章，她就绝不会再看上唐文达的。

"哦？四九年就出来了。当时南京政府已搬到广州了，我这是末班车赶进了。"

又是一阵深深的遗憾。当时她也力争离开上海，虽然不曾想到去香港，但决定去吕宋岛（菲律宾的别称），一位朋友已替文达工作都找好了。无奈文达就是不愿意动。他生就这脚气，屁股一往哪儿坐下，打死他也挪不了！"我们一没杀过人二没放过火，跑啥？为人不做亏心事，夜半敲门不吃惊嘛！"看他还答得振振有词的。说穿了，这是表面现象，说到底，他是舍不得离开这幢舒服宽敞的洋房。也怪她自己没坚持到底，也皆因她已离不开那生得暖融融的壁炉架，真的到吕宋岛去赤手空拳地创业，文达又是如此无能和窝囊，她也心里不踏实得很！要是当时她嫁的是范企章，那一切又将是另一番局面了！至少轮不着她只身一人打天下呀！

"你刚出来不久？"他问她。

她无来由地一阵心跳，莫非她的土腔和寒酸气已明摆在身上了？她只是矜持地微笑着点点头。

"全家都出来了？"

"就我一个。"

"哦！"他沉吟着，随即喟叹垂首，"一个女人闯世界，不容易呀！"这句话就像热浪一样滚滚粼粼，到港这些日子，虽说琳达也有过几则露珠般短暂的罗曼史，但这么体贴入微的话，还是第一次听到。还来不及搞明白是怎么一回事，眼泪竟兀自汩汩无声地垂下。他吓了一跳，有点手足无措的样子。

"你们要坐下慢慢谈吧？"女主人客气的逐客语使他们悟到，他们这是站在人家敞着门的过道里。

他揽着她肩头把她带出去，直到铁闸门在他们身后关上，她才恢复了自制力。

"对不起。"她定了定神，说。

"我请你吃晚饭，好吗？"

"呵，不，我下面还有课呢。"她忙忙地回绝了。这怎么成呢？穿着这双断码皮鞋，拎着这只鼓鼓囊囊的琴谱袋跟他去吃晚饭？

他迅速抬手看了下表，说："下一节课在哪？薄扶林道？我驾车送你去，然后我在车上等你，上完课，我们就去吃饭。"

他们互相对望了一眼，她垂下眼睛，点点头。

楼下停着一辆银色的丰田，在六十年代，有私家车还是很稀罕的。

他很绅士地打开车门，她也很淑女式地先轻轻把自己的臀部坐上座，然后才将一双腿缩进车厢。

"保险带！"他轻轻提醒她。

她竟连保险带都扎不来，很是忙乱了一阵。难怪，从前上海坐车没扎保险带的规矩，到了香港后，至多搭的士，搭私家车怕这还是第一次。

他并没马上开车，只是悠悠点起一支烟，说：

"初初来，是困难一点，慢慢就会好的。弄得差不多了，把家里接出来，团团圆圆的还是一家子呀。"

她苦涩地笑了笑，没有回答。

他顺手揿开音响，瞬间，小小的空间中填满了忧郁、缓慢的、标准的四十年代风格的旋律。

"我喜欢听老歌，特别老片子的插曲。"他说。

"我也是。"她有点放肆地往座背一仰，闭上双眼欣赏着这她神往已久的奢华——坐着私家车听音乐。

车子平稳地穿过闹市区，开始拐入远离嚣尘的薄扶林道，在被红灯截住时，不时有穿马路的行人有意无意地往车窗里扫一眼，琳达开始体会到汽车阶层的矜持自负。她透过墨镜溜了下身边的范企章，他正聚精会神，十分认真地驾驶着；而唐文达缺少的，正是这一点。在琳达记忆中，他似乎从来没有聚精会神，认真严肃地对待过一件事或一个人！

"Hi，等急了？"

待她从学生家里出来，打开车门，对正斜倚在座上看马经的范企章打招呼时，已完全以一个相识多年的老朋友的口气了。

"去哪？"他把手搁在驾驶盘上侧首问她。

"去天鹅阁吧！"

上海也有个"天鹅阁"，就开在淮海中路襄阳路口。那里小小巧巧，窗明几净，墙上的百宝柜里，点缀着品位高雅的小摆件和西洋瓷器，气氛温馨典雅，最适宜绵绵情话了。在上海时，琳达也曾在那里消磨过不少下午。乍到香港，看见铺面上那同样造型的迎风招翅的天鹅标记，很引起她一股思乡之情。上海她的生活尽管变得"房子越住越小，车子越乘越大"，但终究是给她留下无数记忆的故土，那是如同血缘般密切的关系，对这片故土的感情已分散渗入她体内的每一个细胞，这是一种无法注释的感情，甚至，推翻了她原先的种种想法。

他们找了个角落坐下，窗外已是一片互斗光辉的灯海了。

这里没有歌唱设备也没有茶楼的喧闹，在悠扬的音乐中闲坐于内的男女，水准是相当不错的，"天鹅阁"，还是保持了它温馨高雅的格调。而且这里，不时能听到上海话。

他向她递过菜单，她看也不看地说："焗面。"（"天鹅阁"的传统菜）

"我这也是第一次来。"他抱着双肩引颈四下打量一下店堂，说。

她惊奇地瞪大双眼。

"到这种地方，非得有一种情绪，而且，必定得有一位有味道的女朋友相伴才有意思。"他这话说得很是天真无邪，想到与她所想的不谋而合，她抿嘴微微一笑。

"我认得'天鹅阁'的老板夫妇。老板是学声乐出身，太太相貌一般，风度是极好的，弹得一手好钢琴，也是上海圈子里一对小有名气的夫妻。他们不容易，出来短短几年，就重振旗鼓了。"她望着柔美灯光下的店堂，羡慕地说。

"大家都在搏命呀，我一直认为，人要吃自己饭，不得吃别人的饭。所以暂时我虽然吃力点，但我还是坚持要自己开天下，不捧别人的饭碗。"

原来，他这位范老板，不过是一个上上下下连他一起才五个人的小公司，他本人既是董事长，也是机要秘书。白天联络生意，写信发函打字，接机送机，夜里陪客应酬，都是他一个人跳进跳出在忙。原先他在屯门一不大不小的公司里坐写字间做出纳，天天朝九晚五，虽然一月也有数千之入，但他不愿意就此"一生一世卖给他们"。因此就回掉这份差事开档做起生意来了。

灯影绰绰之下，他一双眼睛炯炯逼人，信心十足。唉，这才是真正的男子汉。她不禁深深地叹了口气。

他误解了她叹气的原因，又重复着：

"所以讲，别灰心，一切都会好起来的。慢慢来，总有一家团圆的一天。"他的声音很真诚，但她却浑身不舒服，在今天这种情况下，她实在不愿意提及她留在上海的丈夫，甚至那一子一女！但他却偏偏喜欢把话题拉过去，甚至拉到还在 H 大时，他与唐文达的交往。

文达虽然学业、才华平平，但因着富家子弟出身，即使谈不上"鲜衣怒马"，亦不乏前呼后拥的伙伴，因此知道他的人颇多，即使是不同级不同系的。

"文达兄人是绝对的好人，一声唐小开，他就会像散钱童子一样。有次他带我们这帮人去逛城隍庙，扬言要请我们从第一爿店吃到最后一爿，结果吃到汤团店，我们已经向他讨饶了。我们这伙人，也是会闹的很呀！"他越讲越起劲，简直是眉飞色舞。然而，对他，这一切充满了重拾少年梦的乐趣；对她，却很有点煞风景的滋味。

"难道，我们就不能抛开唐文达谈点其他的事吗？"她终于失去控制抗议着。

他怔了一怔，低柔地说："对不起。"就仿佛他们是一对恩爱的情侣，偶而她向他使了下性子似的。

出来时，已近十一点了。他打开车锁，虽然这时琳达已知，这辆汽车属他们公司五个人所共有，但她并不因此而感到这辆汽车身价陡跌了。她再一次溜了下他聚精会神的驾车的侧影，忽然感到好生怅惘！

他只把她送到她住的街口，因为他还得赶回公司等一个长途电话。

"再见，谢谢你陪了我一个晚上。这有点像年轻时轧女朋友那种味道。"他在车窗里向她挥挥手。

不过对琳达来说，她可是真正坠入情网了，从此她回绝了一切异性朋友，像个中学生样痴痴地恋着他。以为找了个好男人就终身有靠了，这个从琳达祖母辈的祖母辈就一直笃信的真理，岂知也会像时装一样过时的。

自从琳达成为企章的情妇后，心安理得地在他庇护下生活，耐心等待他给她套上一枚婚戒，她显然感到，他不再把她看得那么高，那么可望而不可求了。

　　刚相识时，当企章因事业不发达而受尽羞辱而心烦意乱时，琳达在企章眼中，她还是来自 H 大校园里的，受过良好教育，有追求、有内涵，在校际演讲比赛中敢于讲出自己不同一般见解的知识女性。

　　"讲出来也许你会觉得我很傻，"有一次，在他们沿着路面亮着一盏盏橙黄灯光的卜公码头上的长堤散步时，他对她说，"在 H 大时我就有一股冲动，我很想追求你，可是直到毕业，我都没勇气跟你说一句话，每每与你擦肩而过，我就对自己说，等下一次，下一次吧！但我想若有一次我真的鼓起勇气来追求你，恐怕你也不会接受我的，是吗？"

　　她咀嚼着他最后一句话，半天才嗫嚅着："但自从我认识你以后，我就对你挺有好感的……""那叫此一时，彼一时呀！"他直率地说，又加了一句，"有些事，不能多深入追究下去。其实，人都是自私的、势利的，人人都是，你要细细想下去，非发疯不可。听说在战场上，首先抢救的，倒是那些伤势不重、十有八九能恢复的军人，伤势过重的，横竖非死即残……"

　　"那是打仗呀！"琳达听得汗毛都竖起来了。

　　"人生跟打仗，你讲又有啥区别呢？"他问。

　　自然，他是对的。但她不喜欢这种对人生看得如此之穿的说法。

　　"其实在 H 大，比我漂亮的女学生多的是，我算啥呀？"她忙忙岔开了他的话题。

　　"你就是个标准的窈窕淑女，自我随学校从重庆复回到 H 大时，一看到在台上参加演讲比赛的你，我就喜欢你了。一位标准的上海小姐，在重庆的那几年里，一间房置二十张上下铺，外面下雨，里面就是泥浆，在这样环境中，我一直以为，像你这样的女人，经过这样一场战争，大约已没有了，因此猛一看到你，你在讲台上那种韵致，我……我怎样也忘不了！"说着他抬手拂了下她头发，小心翼翼地，就像她是只易碎的娃娃。他依旧把她看得很高很高!

在这不久前,他的太太因嫌弃他而终于向法院递交了离婚诉讼书,这一打击,使他有点自惭,有点泄气。

那时的范老板,不过徒有虚名,靠雇几个散工,在闹市开档卖工厂的"收盘货"而赚钱。而范老板的基本工作,不过是专门调查市区有什么店铺将结束营业,他们即用小本钱买下货尾,再贴上"卖跳楼货"的招纸,引顾客来买平货赚钱,是一种不大上台面的生意。不过琳达始终相信他会发达的。他确实终会发达起来了。

六十年代中后期,基于内地"文化革命"影响,港地地产大跌,适逢当时蓝塘道有楼出卖,他竭力鼓动她买下这层楼。他估计,跑马地这块地皮最终只会涨不会跌的。那首期的三成置楼费和近十年的供楼费,还是他出的。仗着他,琳达在港地的基础终于安定下来了。

他也安定下来了。一周来琳达处过两次到三次夜,也有时光来吃顿晚饭,吃完又匆匆赶出去了。

他开始扶摇直上,小公司变成中公司,中公司变成大公司,虽然并没挤进财团的圈子,却也是被公认为会做生意的英才之一。

他不再把她当作瓷娃娃。如果说以前,当他只是个小本经营的生意人时,他只是花园门前畏怯的守候者的话,那么,在他事业上发达之后,他有点像为了要弥补当时的失意,加倍恣意地享受她。就像一个顽童闯入已摘下"禁止入内"牌子的花园,那股狂热和激情,很有几分强暴,令琳达痴迷,也令她不安。

三十来岁四十出头时的琳达,正处在女人风情万斛的全盛时期,有如那茂盛苗壮和燃烧的炎炎夏日,那阵她过得挺快乐,来学琴的学生很多,几乎应接不暇,交往的朋友也都是有身价的,衣橱里塞满了欧洲产的时装,还有身为商界名士的情人,她原以为,这段时光是挥霍不尽的。岂知就这样,她由三十岁进入四十岁,四十岁进入五十岁,尽心尽意地服侍着企章。算起来,现任范太在出洋读书时的年纪,不过比当年的琳达轻几岁,要是琳达当时咬咬牙,也拼死读出一个会计牌照出来,那就是另一番世界了。唉，人，特别是女人，无论如何爱得要死要活，总得留一点属于自己的东西，样样都无私地奉献出来，到后来，就像一条给只啃剩一副骨架的鱼，只有往垃圾桶一扔的下场了。

不知是谁开亮了店堂里一架电视，播音员开始反复提醒大家，今天是某个年份出生的香港女性居民，换领身份证的最后三天，琳达正属此范围内。她冷冷地盯着荧光屏，听任播音员一遍一遍地提醒着大家，她一直没去换领身份证，她并没忘记，但她就是不去领。播音员似乎盯着她又一遍地督促着，她赌气起身离开了麦当劳。

她上了一辆电车，不多一会，一片白色碑牌和各种形态的悲哀的塑像，闪入她视野之中，"香港坟场"到了，她的家也快到了。

尽管跑马地四周几十层高楼遍地皆是，但那仅一墙之隔的另一世界，却依旧固执地恪守着它们的法则。围墙里宁静中透出的肃穆，使人感觉到对这个不可知世界的敬畏和肃然，整理得秩序井然的石竹花床和玫瑰花床，也失却了她们天然的妩媚和娇艳，只是静悄悄地，似乎屏声息气地开放着。一个竖着天使像的墓碑前，大约前不久有人来凭吊过，搁着一束洁白的玫瑰，在朦胧的暮色中，那隐隐约约的几团白色，有如正在闪动的烛光，很是显眼。

当年企章陪她物色房子时，曾看中过一层楼，岂料客厅窗一打开，就是对着这片坟场。琳达倒不以为然，企章却连说晦气，不让她买。现在想又何必呢？那个地方，是人人必抵之地，迟点早点罢了，相差不了几十年，不管你搭乘的是豪华级的车厢，还是头等二等车，终点站总是同一个。从车窗望下去，那个如此咫尺相近的世界，比她现在置身的世界，要简单得多，安分得多，一束郁郁吐露的白玫瑰，把一切绚彩、得失、荣枯都一笔勾销了，留下的只是宽容、原谅和无尽的思念。琳达又忆起，H大园内那个长眠着一个小丫环的黄土堆，她去了，留下的，却是人们对她的惋惜、疼爱、不平……

家快到了。家家窗口都闪烁着温暖的灯光，唯独自家那排窗口，一片漆黑。自元伦来港后，总算在周末，也有灯光等着她。特别元伦抵港的第一个礼拜，几乎每晚都住在她这里，晚上琳达偶有什么事晚归了，远远望去，自家的窗口终于也亮着一盏等候她归来的灯火。以前在上海时，晚上授课晚了，一拐进弄堂，总也能看见自家那默默无语的候她的光晕。虽则她内心怨透了这个家，但它给她遮风栖雨，给她温暖和安全感，因此到了晚上，她总还是习惯于寻找它的庇护。有好几年，琳达已习惯于没有灯光等她的生活，她以为自己早已不在意这些鸡毛蒜皮的小事了。但自女儿来与她共住了那么一个礼拜后，她发现，自己其实还是十分看重这些鸡毛蒜皮的小事！在掏出钥匙塞进钥孔时，听得见室内响着音乐，更重要的，能听见有人在接应着自己。

元伦现在叫妈叫得挺顺口。琳达似乎也开始习惯，她有一个这么大的女儿了。

元伦煮的菜很可口，完全是姨娘太太的风格，偏甜偏烂，标准唐家的口味。那天，她煮了个红烧狮子头，那熬得浓浓的汤汁和入口酥甜的口味，使她仿佛间置身在上海老家的饭桌上；文达正在隔壁，马上会走出来了……

晚饭后，母女俩各捧上一杯热咖啡，埋在软软的沙发里拉起家常。

"元辉结婚了，房间隔去三分之一，原来那些家具怎么办？"

"往高空发展。四张沙发椅子堆到橱顶上，大方桌靠边放。"

"那张三用沙发呢，又旧又占地方。"

"早已把它里里外外翻新了一下，挺气派呢！"

"冬冬吃饭乖？亲爸爸还是亲妈妈？"冬冬是琳达的孙子，以前，琳达总是不敢接受自己已经做祖母这个事实，但当着她已从心理上接纳了这位三十来岁的女人为女儿时，那么，再接受一位孙子，似乎也是很自然的事了。

"冬冬挺聪明，看见火炉架上你的照片，就知道'娘娘，娘娘'地叫……"

唐家是湖州人，管祖母叫"娘娘"。

"奇怪的是冬冬既不亲爸，也不亲妈，独与爷爷亲，每天晚上，要爷爷陪他入睡……'"喏，我离上海前拍了几张照。看，冬冬与爷爷那股撒娇样。"元伦讲得起劲，忙忙翻出从上海带来的相册，随便一翻，即闪出穿着家常套头毛衣的文达的笑容，元伦迟疑了一下，因为心照不宣的原因，上海似乎从来不寄有唐文达的照片，元伦讪讪地想把它翻过去，琳达却落落大方地把相册接过来。

文达抱着小孙孙冬冬，对着镜头畅心地笑着，嘴角漾起几弧笑纹，浓浓的眉毛下，一对笑眸使六十多岁的他，还是很有几分英姿，一失往日那一直深深留在她记忆中，那种畏葸木讷之态，她做梦都不曾想到，文达也会变！

元伦索性也凑过来，自豪地说："爸现在是个社交活动家，一天到晚不见人影。工作上也蛮得意，与几个朋友在经办一所业余学校，他是校长，他们这所业余学校在上海也有点名气了。去年，在几个 H 大老同学资助下，爸还专门自费去了次美国考察成人教育，回来后就用上个新法子，教工间酬劳保密，高低差额很大……"

元伦觑视一下妈妈，发现她并没有讨厌的神气，继续往下说："现在，好多人都托爸！要想在爸学校里兼职，但爸可控制得严了，越是好朋友越紧……"

是吗，这个花花公子，还真的会八十岁学吹打，正正经经做一番事？

她默默地凝视着他，一些她了解的、她不了解又渴望了解的意念，在她内心衍生、扩大。他与她毕竟有过一子一女，现在，第三代也来临了，这毕竟是他与她一起创造出来的。蓦地，在她对文达固有的近乎陈腐的偏见中，竟也蒙上一层温柔的思触，一股新鲜的意趣。

"你爸现在还爱唱京戏吗？"琳达问。

"怎么不唱？去年他们夜校校庆，他还上去唱了一段，啥'自古不欺我'……"

"哦，'自古常言不欺我，成败兴亡一刹那'，他统共就这么一段拿手。"琳达忍俊不禁，用一种娇嗔的口气数落着唐文达。

京戏是他的癖好。在上海家里，他无论做什么，就是冲暖水瓶、擦皮鞋、洗澡等琐事，也喜欢捏着嗓子唱上一段。

"他就是摇小冬冬入睡，也唱上一段，小家伙居然也照样入睡。"

"他当初摇你弟弟入睡，又何尝不是这样！"琳达沉吟着。记得儿子出生时，家中已无力再另请一个专带孩子的阿妈，于是晚上拍孩子入睡，就包给文达了。他总是一手夹着香烟，一手晃着孩子在房里踱步，嘴里则轻轻哼唱着："看大王在帐中，和衣睡稳，我这里出帐外，且散愁情……"唱得有板有眼，幽幽凄凄的。那时她一听他唱戏就心烦，现在想想，他这也是一种消散之情。那段夫妻不和的生活，他肯定也是烦恼得很。奇怪的是，当初她视作牢狱一般的生活现在回想起来，其实也是一幅恬静美好的居家小憩。那时每晚回家，一进弄堂就能见到自家窗口那圈晕黄的灯光，散发着一种欢迎归家的亲切感……上海老家那黑黢黢的不开灯就显得昏昏然的扶梯，堆满棕棚旧家具等杂物的过道，热闹嘈杂的好几户人家合用的厨房，这一切，都已与她过去的一段生活紧紧地联结在一起，如同烙上印一样的记忆，是怎么也抹不掉的。

"你不回上海去看看吗？"女儿在边上留心察看着她，轻轻地询问，小心翼翼地。

"有啥好看，上海还不就是那般老样子，又挤又脏，我才不愿去呢。"琳达坚决地把那页照片揭了过去。

"你就一直这么一个人过？万一身体不好呢？"女儿担忧地问，声音中甚至带着怜悯。

什么，她竟轮得上让这个还是土巴的女儿来怜悯？她起身把照相本一扔，把元伦带到卧室里一排壁橱前，猛一下掀开壁橱，对元伦说："你上海带来的那几件衣服都不行，在这儿挑几件吧。"

看着元伦对着她一满橱的衣服流露出赞叹不已的神情，琳达终于感到一点安慰。她用一种居高临下的神情抚一下元伦的面颊，那种不是母亲对女儿的疼爱，似乎是得分者在教训失分者："你还年轻，好好再奋斗二十年吧，要学的东西多着呢！"

女儿终于悟到那种抚爱缺乏母性的温暖，她轻轻合上衣橱门说："我以后自己买。你的衣服我穿着不合身。"就捡起扔在沙发上的相册走了。

那一度弥漫在她俩周围的母女情，也因此消失得无影无踪。琳达一直感到，唯有回到过去的时光，她才能接纳元伦为女儿，元伦也能视她为母亲，一回到现实，她俩就是两个拆也拆不开、躲也躲不起的彼此为此怨声载道的女人！一股潜在的敌意，正在她俩间日益滋长。

琳达双手抱着膝盖，蜷坐在沙发上，一点没有吃晚餐的胃口，这是化疗后的反应。她靠在沙发背上，疲乏地闭上双眼。她知道，自己的生命之火，正在一点一点黯然下去，任何外科手术、名医，都挽救不了她。但她又不甘心就此永远打上个句号。她六十岁远未到，按当今的标准，五十来岁，依然还是中年！她还很想很想，重番组织一个两个人的世界。可能，手术能延长她几年的生命，但那笔可观的手术费，对有固定收入的香港人，不过年把时间，凭薪水就可以捞回来了；但对无固定收入的琳达，就是一笔极沉重的额外负担了。当然，如果去政府医院动手术，价钱便宜得多，但琳达怎能想象自己，躺在政府医院的三等病房里，任她圈子里那些早已疏远的友人们，磕磕绊绊地挤进那窄窄的病床之间的通道，接受他们的慰问。等他们从病床出去，天晓得又该如何编派她了。对有钱的年轻女人，住医院也是一种社交场合，躺在布满鲜花、敞亮舒适的头等病房里，披着一件绣花的日本浴衣，娇弱无力地接受着崇拜她的男士们的鲜花，脉脉含情的卡片，殷勤的太太们绵延不绝的问候电话，但对一个贫困而孤独地躺在三等病房里的老女人，却是一大惨事！

她很想找个人问一下，她该怎么办？

她的手搭上电话机。阿钟？自梦绮打电话给他透露了她的病后，似乎从此失踪了。企章？阿钟不可能不把她的病告诉他，他只是装聋作哑而已，再不愿意湿手沾干粉多揽事了。反正范太与梦绮已十分斯熟，不用琳达再穿针引线了。元伦？虽说是女儿，她感到欠元伦已太多，她初来港地，为母亲的不能助她一臂之力，何必再替她增添心理负担呢？手术后还有一大把麻烦事，调理休养，直至以后的谋生之路，何必向女儿袒露出自己是个失败者呢？

"妈妈！"琳达从心里迸出一声，两行泪水顺着日见消瘦的脸颊淌了下来。

她环顾一下漂亮的空无一人的客厅，一个带酒吧的餐厅，一套时髦的白坯餐桌，大三角钢琴，这就是她的全部所有了。是她在上海时，就苦苦幻想过的。现在她拥有了。但人就是这样，就像男人对女人的要求一样，东西一旦到手了，似乎即刻身价大跌。这世界上，究竟有什么能称为"幸福"的标准呢？

电话铃响了，是谁？企章吗？今日刚刚碰到他的太太，所以他打电话来了。似乎在危机边缘，抓到了一道屏障。

她拎起了话筒。

"喂，"她无法控制自己，呻吟般叫了一声"喂"，声音中充满了委屈，充满了求助之情，似乎在恳求着，帮帮我，帮帮我呀！

"是我，妈。你怎么了？不舒服吗？"元伦的声音。

"哦，我有点感冒了。"琳达定了下神，说。

元伦就在附近百佳市场，她说她有点事要过来一下。琳达慌忙走进浴室去重整姿容，无论如何，她不能在女儿前流露出那副落拓样。她重番描了眼影，勾了唇线，即刻戴上了一副风流漂亮的太太的面具。收拾停当后，她莫名其妙、鬼使神差地往甜心花店拨了个电话，要他们在八点钟左右送一束红玫瑰来。"卡片上写……"她咬着手指思索了一下，说，"就写：琳达，甜蜜与温柔伴着你。具名，企章。"完了想想卡片上这样写是否太肉麻了，她到底有一个孙子了，但话已经说出去，也算了。又莫名其妙花了六十元钱自己送自己一束花。

元伦来了，到底年轻人，适应性极强。只见她头上套箍着一条两寸阔的羊毛黑底白条束发带，把一头浓亮的秀发，往后一把拢住，发梢恰到好处地垂及肩膀，一件灰白交织的粗呢大衣敞着，款式及做工都一般，不知元伦哪儿淘的便宜货。不过穿在她身上，配着里面那一身黑羊毛裙，倒很有几分风采。在打扮上，女人无师自会通，元伦俨然已是一个十分有身份的香港小姐了。

"你晚饭吃了吗?"琳达忽地记起,自己也没吃过晚饭,但冰箱里什么都没有,只有几只鸡蛋。

"今天我们公司里一位小姐请客饮茶,我在茶楼里吃过了。"元伦从包里拿出一大包橙子,"今天我们'出粮'(领工资),给你买的。"

她已经有了自己的社交活动,自己支配的薪水,她完全可以立住脚了。但是,当琳达想起那位年龄比元伦大不了几岁的范太,对元伦的状况总有点不满,不懂英文,没有大学学位,能图个什么出路呢。

"妈,我下个月调工作了。我去做车衣工了。"元伦单刀直入地说。这或许就是她今天来的目的吧。

"什么?做车衣工?这万万使不得。"琳达大惊失色。

"我想穿了,"元伦剥开一只橙子,白皙的手指上,指甲修剪得尖尖的,涂着淡紫色的指甲油。她学得真快,"写字间的小姐不过名声好听一点,那两千来块的收入,真叫赚了钱买花戴,全花在身上都不够。你不知我们那儿几位小姐有多厉害,同样的衣服连着穿两次,她们的眼色就不好看了。我宁可做车衣工,今天人家考过我了,我这水平,一个月可开三千多工资呢。"

话是不错,但是,她琳达的女儿,怎能去做车衣女工呢?为了区区三千块月薪!

"反正,在人前我一直叫你安娣,碍不着你什么。"到底资格老了,元伦的态度十分强硬。

"我在香港比你长,待那么二十来年,"琳达款款起身,又摆出一副得分者对负分者的架势,"我知道的比你多。要我是你,轻轻松松做几年写字间小姐,工余再去读英文,读文书会计都可以,你年纪轻,像范太……"

又是范太!这位元伦没见过面的范太,在妈妈嘴里成为一种楷模,用大陆的话,一种样板。她是不错,刻苦自学,留洋深造,现今是个身居要职的女主管,还是个阔太太,好事全给她占了。但元伦可不想在三十好几的年岁上再读 ABC,缘分和幸福本是凭运气去碰的,没有运气,即使 ABC 能倒背过来，又有什么用呢？

"你去做车衣工，将来你接触的人，也只有这些打工仔，你的前景……"妈还试图说服她，且几乎有点讪笑她目光浅短的意思了。

"用不着你向我解释，我心里明白，"元伦将手中的橙子皮忿忿地一扔，"但我早已过了'发梦'的年龄，万事我宁可实际些。我想积点钱，先送弟弟去澳洲深造，他成绩向来好，他读出来会有出息。我还想积点钱，请爸爸来一次'十日游'，替他买一套上等的音响，他一直企望有一套这样的音响。趁着年轻，做到残，能多揾几个钱就多揾几个钱了。"

琳达心里卟咚一下，一个"残"字，地道的香港式用语，让人感到又冷酷又无奈，却是再贴切不过了。

"你来香港有几天了，该晓得这里开销多大：差馆费、看更费、电水费，我现在学生也少了，不比从前，在香港要靠老本过日子，真不容易呵！"琳达长长地叹口气，目光闪烁着不安，垂下来，瞧着自己的指甲说。

"哎呀，谁说过你发财了，谁要求过你什么了！"元伦烦躁地撇撇嘴，那道楔形的深深的唇中，委委屈屈地颤抖着，"我不过对爸爸弟弟尽尽心，你不知道那十年，我们是怎样同甘共苦度过的，你永远体会不到的！"

是的，体会不到！琳达只觉得心口一阵揪紧。她想说，这几十年里，她没少过汇钱和包裹，但她知道，这是说不出口的。这也不能替代什么。

门铃响了，元伦询问地望望琳达，妈妈的生活与她，永远罩着一层蒙蒙的烟纱，在这非约定日的晚上，她一时心血来潮撞了进来，猛不丁听到铃声，她不知该躲到洗澡间去呢还是继续留在客厅里。顿时她很恼火，仿佛自己是个私生女似的。

琳达疲乏地躺在沙发上，对她挥挥手示意她去开门。

"琳达小姐吗？有人送花给你。"

那是一个二十来岁的花店子跑腿，捧着一大束艳红滴露的玫瑰，配着一大束洁白的向四方伸展着的微微颤动着的星星草。

年轻人微笑地对她说，见到花和漂亮的女人，男人的心境总会十分愉快。

未及元伦开口，琳达已赶上去把花拿进来，同时匆匆地在身后把门关上，付了花钱就把小伙子打发走了。生怕元伦会看出其中的破绽。小伙子打了个长长的嗯哨，似乎是说，多厉害的一位母亲，就下楼了。琳达却深为自己这场拙劣又毫无意义的小花招后悔；自己送自己花，在亲生女儿面前，要争回些什么呢？

元伦把头深深埋在花丛中，只感到一种无限温柔和深情的触摸填满了自己内心。这时她发现埋在花丛中一张精美的卡片，"琳达，甜蜜与温柔伴着你。企章即日。"啊，为什么，从来没有先生想到送花给她元伦呢？要是伟民也在香港，他一定会给她送花，一定的。自来港后，她给他去过好几封信，他只寄给她一张圣诞卡，一定就在生产组对面文具店里买的，那冷冰冰的大红铅印字印着"新年快乐"，下面是他的签名。一切都是冷冰冰的。起初她很为此难过，不过渐渐她也习惯了，在香港，她已是迟到的竞争者，犯不着再为自己背上一个包袱。但是……伟民！

妈妈进来了，三下两下，一瓶有独特风姿神韵的瓶花插好了。

"我们煮点咖啡吧，还是要车仔红茶？"妈妈问。

"我要回去了。"元伦套上大衣。

"刚来一会，就要走了。"琳达实在希望，元伦再陪她坐一会，哪怕吵架……

"我本来就是来告诉你，我下个礼拜调工作，你电话不要打到原先写字间了。拜拜！"元伦拉开门就走了。

她生气了？或者说妒忌了？琳达掠一眼那朵朵圆满自足的绽开的玫瑰，在这寂寥空旷的房里，伴着她这么一个韵华已尽、病入膏肓的女人，极不协调，仿佛是一个讽刺。

屋里静寂得让人受不了，她拧开了电视，屏幕上正在转播内地某市京剧团的《四郎探母》，正演到杨四郎面对久别的结发妻子，欲留不成，欲走不忍，只能扑通一下跪在结发妻面前。好久好久，刚刚结婚时，文达陪她看过一出张文涓演的《四郎探母》，看到此时，他曾大发过一番感慨:这杨四郎从今以后总归没有好日子过了,两头放不下,要这样折磨到死呢!但杨四郎好歹有个知疼知热、体贴温柔的铁镜公主,她琳达到如今老病相交之际,又有谁知疼知热呢?她凄凉地看了眼喑哑着的话机。

在一年圣诞节,企章把她带到纽约去,说要让她见识一下真正的"白色圣诞节"。抵达纽约的第二天上午起床,拉开百叶窗,只见满眼一片堆晶砌银、琼花玉枝的雪景。原来隔夜下了一场大雪,她已有好久没见过雪了,但面对着这片雪景,她已失去年少时去雪地徒步、自哀自怜的那种情趣了,她宁可躲在暖融融的房里。由于这场大雪,又令她忆起那场缔造了她不尽如人意的婚姻的那场雪景,虽说现在已不对她存在任何羁绊了,但因那场婚姻而降生的两个孩子:一个女儿一个儿子,她怎么也不能一下子把他们抹得一干二净。特别这时候,她的女儿元伦正在农村里插队落户。就在她临来纽约之前,还收到一封女儿的信:"……妈妈,我苦死了。这几天西北风刮得厉害,我们天天上山砍柴,否则,就没柴火烧了……"人在危急困难时,总会叫"妈妈"的,但她这个"妈妈",因为离儿女隔得太远了,好久没面对面与孩子交流,对怎么以一个母亲的胸怀去温暖陷于绝望的女儿,已经十分陌生了!她唯一能做的事,是汇一笔钱给她。

由于她离开时儿子还不会走路,所以她对儿子印象不深,倒是女儿元伦,她是一直很挂念的。或许,她应该早点把元伦接出来。那时她已有能力抚养她了,但她没有。因为,一个漂亮的单身女人和一个漂亮的、带着女儿的单身女人,在男人们眼里是很不一样的,非常不一样的。自然,琳达的事关男人们什么?但是,琳达没办法,从到香港的第一天起,她就在寻觅一个可以依傍的男人。如果说她到香港来仅仅为了谋生,那还好办。不幸琳达到香港来,为的要寻觅她失却的昔日风光和排场,那就完全是另一回事了。当然,通往这境界也有着一条最现成最容易的途径:就是嫁一个阔男人……不过,又谈何容易?

女儿已成长为一个女人了。同样是女人,她自己伫立在纽约旅馆窗前悠闲地观赏雪景,亲生女儿却在荒僻的农村,连柴火都得自己去捡拾。

用柴火取暖起炊的生活，琳达已是很生疏了。什么皮草大衣、百老汇歌舞，连香水唇膏，对女儿来说，都是隔世一般的遥远，应该说，她对女儿是十分感到亏欠的。

有人轻轻敲门，是侍者送来早餐。在房里享受早餐，是一种高贵奢侈的享受，这样的生活，她在上海时是从不敢奢望的。那时正值自然灾害时期，合家早上七点去附近的西菜馆排队，到十一点开门时，每人只能吃到一份叫做奶油汤的清汤光水的液体和一块炸得焦煳煳的，叫做"炸板鱼"的不知啥东西。她感到在一群人墙的瞠目下进餐，且又是如此糟糕的食物而感到难以进口，丈夫却偏细嚼慢咽的，煞有介事地舞弄着叉刀，那津津有味的模样，那副腔调就和《项链》里那位庸庸碌碌的小文书一式一样。

"幸好，我不曾丢失过一条钻石项链！"她下意识地伸手摸了下颈脖间那条珍珠项链。这虽然是一条人工养殖的珍珠项链，但色泽光莹，可以乱真。琳达由于花钱手气大，上海又有个摊子要她负担，首饰大多是假的。不过，她对自己目前的状况已经很是满足了。

"达琳！"（英语"亲爱的"）企章在浴室叫她。那时候，他总喜欢把琳达叫成达琳，"这么早就把窗帘拉开做啥！"

她忙答应着，一把拉下百叶窗，俨然把她过去那段生活隔绝在她与企章的边界外一样。她现在叫琳达，身份证上填着的也是琳达，她不是林湛秋了。她没有家庭孩子，只是一个单身女人，对家庭没义务，也无须对孩子尽责任。反正，她再也不愿意回到过去了。她匆匆跑进浴室去……

晚上，趁着企章有应酬，她独自一人发了张支票去上海，并在大厅里给元伦发了封短信："回上海吧，妈有能力供养你。户口有什么了不起？有吃有住还要户口做啥？"她毕竟是上海出来的，她对上海最了解了。至于将来，将来的事谁都不会预料，还是度过眼前时光再说吧！

做完这一切，她缓步向著名的第五大街（纽约最著名、繁华的商业区）走去，蓦地见到了圣派屈克大教堂那歌特式的尖顶，皑皑的积雪把这座著名的大教堂点缀得甚是威严肃穆，她信步走了进去，虽说她向来不信鬼神，但烛火荧然之中，自会令人产生一种敬畏之情。她屏声息气地走进一排排座位，屈膝跪了下来，把头抵在前边椅背上，在那幽秘的气氛中，她忽然悟到，她自己已丧失掉某种令人心烦意乱、操心不止，然而对女人来说，又是极其宝贵的天职：那就是母亲和妻子的职责，她实在不甘心失却它。

京戏完了，那熟悉的播音员先生出现在荧屏上，笑容可掬又郑重其事地提醒大家：今天是某个年份出生的女士们换取香港身份证的最后三天。

琳达啪一下关掉了电视。

琳达来到大钢琴前，信手弹起了那曲著名的《甜蜜的道别》。

"有一地比白日更光彩，虽遥远我坚信望得见……"

这是追思礼拜中常唱的歌。恍惚之中，琳达似乎见到公公那位姨太太，那位她向来嗤之以鼻的、扬州堂子里出生的、不知父母为何人的小老婆。她真幸运，与心爱的人，手拉手一起离开这个人世。可怜她这个自恃有 H 大文凭、自诩为新女性的林湛秋，到头来连个姨太太都不及！

琴声高亢激越，势不可挡，进入华彩片断：

"……到那日，乐无比，同众圣聚会在福地，到那日，乐无比……"

四

一年以后的重阳，按中国历法算，又是秋天了。

赤柱公墓。

元伦穿着宽松的绿羊丢外套，扎一条宽大的绿底黄花的领带，娇俏中带着帅气和活泼，与这静穆苍凉的世界很不协调。她身后跟着一位头发斑白的绅士。

碑墓上，琳达穿着一件黑高领毛衣，心满意足地笑着，这可是元伦自己挑选出来的妈的相片。这张与元伦记忆中的妈妈的笑容最吻合，不像妈其他的照片，硬做出一种与年龄不相称的娇媚之态，那硬梆梆挤出来的微笑，让元伦感到怆然。

两束玫瑰，静静地躺在这座不显眼的碑石上。

白玫瑰的卡片上写着：

"妈妈，永远怀念你。元伦"

红的玫瑰卡片上写着：

"琳达，甜蜜与温柔伴着你。企章"

一阵令人心旷神怡的清风，带来芬芳清新的气息。翠绿的草地上，色彩斑斓的彩蝶，在花丛中翩然起舞。西下夕阳，给一切都滚上一道金黄色的镶边。

"这儿真美！"元伦说，心中却感到一片怅惘。

"你跟你妈，真像！"企章瞧着她一头在晚风中飘拂的乌发说。

又不知默默无言地伫立了多久。

"我们回去吧。"企章轻轻说。

"那个星期六，本来是我应去妈那儿吃晚饭的，但为着上次与妈小小地赌了气，我就没去。也没去过电话，要是去个电话，可能会早点发现……"一种深切的悔恨，猛地穿过元伦的心，她痛楚地闭上眼睛。

"不关你事。就是星期六你去了，那么星期天、星期一、星期二……她也会煤气中毒的。"

"那么说，你也认为，妈妈的煤气中毒，不是让沸水扑灭了火而是……"元伦回过头盯着企章问。

企章沉默不语。

"要是你不出国，一直在香港，可以经常去看看妈妈，那么，妈妈也不会死的。即使患了绝症，她也是很乐观的。"元伦戛然住了口。妈妈的骨灰搁在下面。元伦对妈的全部记忆，还是那个年轻、迷人、不快乐的少妇。最后一次分手，是在上海家门口，妈"嘟嘟"往她脸上亲着："元伦乖，妈妈一弄舒齐，就把你接去呵！"但从此，妈妈再没回来过，原来一直静静地躺在这里！

"天晚了，我们走吧！"企章挽着她下了石台阶，暮色中，弯弯曲曲的小径像一条白色的带子，路途两旁，是一丛丛盛开的石竹花，元伦倚着他散发着高雅香味的身子，在白色墓碑间穿行，小路尽端闪亮着一盏街灯。

"别怕。"是企章那稳健宽和的声音，他伸手拉住她的手，他的手掌温热平滑，她不由得又向他靠近了一点，心中顿时涌上一阵怪异的兴奋，当终于看到那道出口处的铁门时，她有点遗憾这段路太短了，几乎同时，一种罪恶感又涌上来。

车子稳稳开着，重番进入高楼林立的闹区，刚刚小径上那一幕，竟犹如一场梦。

"走了那么多地方，还是香港最好！"企章驾着车子，望着窗外的一片灯海，说。

元伦一声不吭，视角里，只见企章一双在方向盘上操纵自如、潇洒灵巧的双手，专心而不紧张，舒展自如。她从没想到，开车也会像骑马一样，也有漂亮的"骑手"。她更没想到，男人开车时所流露出那种男性美，是那般迷人，那般富有魅力。想起上海生产组里那般男士，为了效仿男性美，就留胡子、抽烟、大口喝酒、故意大声讲女人，真是可怜又可笑！

"听说过最后的晚餐这个故事吗？在共进最后的晚餐时，耶稣对他的十二个门徒说：你们中有人也卖了我。于是，十二个门徒一一轮流地问'主呵，是我吗？'其实，出卖耶稣的只犹大一人，但为什么另外十一个门徒都要如此一一紧张地询问呢？"企章炯炯有神的眼睛直逼着元伦，元伦无言以答，迷茫地摇摇头。

"因为，他们每个人都感到，有意无意中，对耶稣是有亏欠的。"企章继续说，"在这个世界上，人们有意无意地伤害我们，我们也有意无意地伤害了别人，没办法，一心做听话的乖孩子的岁月，已经一去不复返了！"说着，他意味深长地对元伦颔颔首。他以为她还在自责自疚。他划开半侧嘴唇对她微笑一下。

"我们吃晚饭去吧。去'天鹅阁'好吗？你妈妈很喜欢那里。"他说。

这个从国外回来的先生，元伦虽则第一次见到他，但她已经十分明白，妈妈为什么会沦到这地步了。怪谁呢？当今就是这样，金钱和女人的拥有量，是男性魅力的刻度。

那么女性魅力的刻度呢？

这次在整理妈的遗物时，元伦发现，好多梦一般漂亮的晚装，裘皮大衣，完完全全是崭新一般，但一旦沦为二手货，简直就跟垃圾一样一文不值。元伦感到简直不知如何处置它们。包括妈那些漂亮的家具、钢琴，就是送人，为着香港人的居室都是有限的，别人也不一定欢迎。眼看妈终身大半所花，从名牌衣服到人造首饰，最终成为一堆留之无用、弃之可惜的废物！最后，倒还是那层空空然的楼，卖了笔钱，却因为里面新近死过人，价钱硬给扣低了。

她从车上的反光镜中打量一下自己，三十来岁，正是时候。现在，轮到她上场了，谁知是成功者还是失败者？或许人世中本没有成功也无所谓失败，所谓成功与失败，不过是扮演的角色而已。

"你现在住哪？"企章问。

"深水埗。我买了一层楼，一次付清，我不喜欢欠债。"元伦回答得很干脆。

"哦，深水埗。"企章沉吟了一下。

"地段自然不及跑马地。不过，这钱是妈辛苦一世留下的，而且……"她打住了话头，接下去说，"不过我想，待我以后发展了，我会再搬回跑马地的。"

会发展吗？不过，人总得有点盼望。元伦现在已不做车衣女工，又回到写字间去做赚了钱买花戴的小秘书，被人尊称为"小姐"。而且，她已拥有信用卡，以前在外国片里才能看到的，付款时，用签信用卡来套现的兑钱方式，她自己也是这样了。

而今，送她花的先生也不乏其人，自从她继承了卖楼后那笔钱后，不知一下从哪儿涌出来这么多年轻先生追随着她。越想越觉得自己市井十足，也稀里糊涂随着潮流追名牌、追信用卡、追时髦。但其他人，又何尝不是如此？

"跑马地房子卖了多少？"企章问。

"卖不高，"元伦报了个数，"我和弟弟两分了，弟弟拿了这笔钱去澳洲深造了。我自己买了一层楼，衣食住行，住是第一大事。"

"那层楼，当初还是我陪你妈去买的。"企章说。

"那你，为什么不娶妈妈？"元伦单刀直入地问。

他摇了摇头，漂亮地打了个拐弯，冷静地回答："人，有时是不能为所欲为的，在这太匆忙太现实太多变的空间里，我们的情绪也只好勉力跟上它们。这个时代，跟我们年轻时不一样，是不允许我们许诺和应诺的。你也不小了，元伦，说过了，做乖孩子的时光已不属于我们了！"他伸出一只手无奈地拍拍元伦膝头，长长地嘘了口气，就紧紧地闭上嘴。

那种大彻大悟的样子，让元伦，也不禁细细反省着自己，她又想起伟民，骑着一辆破旧的黄包车的身影。

然后是一时短暂的沉默。

企章看看元伦，窗外红绿交加的灯火映在她脸上，急骤地变幻着色彩，使她那张唇中深凹的、很有特点的脸时而明亮、时而黯然。

"要来点音乐吗？"企章问。

"有《重逢有日》吗？"

"哦，是《日瓦戈医生》里的插曲吧？很有名，但我这里没有，我喜欢听，老歌，要听《时光流逝》吗？"

"哎，这首曲子我听得老茧都听出来了。"元伦不耐烦地偏偏头。

"那么，来一段当今最流行的，《电话诉衷肠》吧！"

于是，那位盲歌手悲怆、多情的歌喉，填满了车厢。

又是一个漂亮的大转弯，这辆灰蓝色的"奔驰280"，即刻汇入那熙熙攘攘的车队中，消失在一片喧闹的车水马龙之中。

后记

乃珊，我爱你①

  乃珊走得太匆忙，她有许多构思想要付诸文字，但没能如愿。她太热爱写作了，太热爱生活了，她感到写作是她的最大享受，一支笔一张纸为她开拓了一个广阔的天地，任她自由翱翔，所以她说："一天不写几个字，这一天就白活了。"在她生命的最后十六个月中，手写与口述相结合共写了十一万字。她太敬业了。

  她太热爱上海，太热爱静安区了。她出生在静安区，老宅在静安区，嫁到静安区，最后归宿仍在静安区。她写老上海没有做作，没有虚构，没有凭想象，就是像流水荡漾一样从她笔端潺潺流到纸上。看她写的文章就像在听她讲故事一样流畅。她写她的家庭几代人的崛起，在家庭环境的熏陶与感染下，她具备了一个从中产家庭走出来的女性所具有的宽容、率直、善良、睿智、孝顺的品质。因此，她有广大的读者群，她的作品无须刻意的吹捧，读者是最有发言权的。

  她从香港回上海定居后不再是专业作家了，但她毫不在乎。一个好心人对刚回上海的乃珊说："你可以申请专业作家了呀，你原来不

---

① 本文作者严尔纯，是程乃珊一生相濡以沫的丈夫。

就是专业作家吗?"乃珊说:"专业作家是少数人认可,而作品是靠大多数读者认可的。优越的条件会使我变懒。"好心人说:"那么你是为了稿费吧?"乃珊说:"谁不要稿费?我不会装清高,但我要是为生活而写作的话,早就饿死了,稿费要隔两三个月甚至半年一年才付,且稿酬标准又低,你认为我是为糊口而写作吗?我现在的生活水平和生活质量不比你低吧!作家是用作品说话的,我不是街边卖伪劣商品的小贩,要一群撬边模子撬边。"这也是激励她努力写作的动力。她自嘲地说:"我自认是专业作家,是我'爸爸'(丈夫)批准的,是我'爸爸'发工资给我的。我生活得很舒心,我有稳定的家庭,这足够了。我想的不是趋炎附势,而是抓紧有限时间把心里要说的话——流淌在笔端。上海要写的东西写不完,单单静安区还有许多老故事可挖掘,一条老弄堂,一幢老房子,一位老人都有他们的故事。"她观察极为仔细,认真做笔记,收集资料,她从香港回上海后基本上每年出一本书,都能上排行榜。她对自己的作品珍爱有加,每出版一本书,拿到样书后就一直拿在手中反复阅读,疼爱至极。她会在书中看出哪里被改过了,哪里被删了,哪位责编是尽责的,她可以非常准确地指出。在电子通讯不太发达的时期,她的稿子基本上都由我送到出版社,再从责任编辑手中拿回来需修改或修改好的稿子(包括拿稿酬),这些额外的琐事都不需要她操心,她只要安心写作。

夏天,乃珊早上五点左右起来梳洗后即开始写作,我为她准备早餐,待她可告一小段落时即进早餐,用毕后继续写作,直到吃午饭;下午和晚上是访友、采访、娱乐、应酬;晚上是从不写东西的,保证休息。冬天起床稍迟,但写作规律一如既往。她坐到书桌前就会思潮涌动,不容别人打扰,这时如果我要她去吃早饭她就会大发脾气,我只能悄悄地走开,自己识相,等着她来吃早饭。等到她来吃时就会气呼呼地对我说:"谢谢侬,我在写东西时你不要来打岔好哦?!"我只好不响,闷头吃早饭,过一会儿她会主动说:"爸爸,对不起,我不欢喜在写得起劲的辰光有人来干扰……"然后她会说："爸爸你抱抱我。"我们的气氛很和谐。她说："你抱我一下，就像大地母亲给安泰俄斯力量一样，也给了我力量。"

自从乃珊走上写作道路后，她是全身心地投入，一心扑到写作上，生活的料理自然是由我担当。她生活的自理能力较差，她讨厌进厨房，讨厌做繁杂的工作，所以她的鞋带永远系不好。她在香港生活工作的十来年中，很少在家吃饭，与朋友相约聚会为多数，既可采访又可聊天解闷。凡在家里，我不在时，她就只吃水果。每天去中环上班需坐一小时的渡轮，在港外浅码头上岸，走过一条近千米的能避风雨的长廊即到中环，不会经过太阳暴晒和雨淋，但这就需要多多走路。当时她才一百斤多一点，确实很辛苦。但香港的这段生活用她自己的话来说是补上了插队的一课，这为她回沪后写就了一本对比香港与上海的《双城之恋》打下了基础。当时她就提出了社会的稳定要像橄榄一样，中间部分是中产阶级，这部分多了，社会就稳定了。这观点因在当时提出过早，被删除了，而日本的报纸《朝日新闻》上却发表了她的这个观点。

乃珊从香港返回上海后，开始用纪实的笔法来抒发她的感受，首先她用大量图片充实她的文字，既能说明问题，印证文字的真实性，又可提高读者的阅读兴趣。其次，她感到老上海是个写不完的题材，她开始从老上海传承下的许多优秀建筑、历史人物等着手开始她的纪实写作。曾有人说她"写老上海是没有出路的"，但乃珊却认准了这条路，一直走下去。表演艺术家秦怡老师曾说："乃珊是八十年代后小资情调的开拓者。"

乃珊的写作完全是爱好，她曾说："我写的东西只要读者喜欢，我就满足了，我不奢望流芳百世。"但她写的《蓝屋》、《穷街》、《女儿经》对一些六十岁上下的读者来说却记忆犹新，他们常常对乃珊说："我们是读着你的小说一起成长的。"我想，读者是毫无功利的最好的评判员。有位哲人曾说过："群众是真正的英雄，而我们则往往是幼稚可笑的。"乃珊该多留些东西给我们，但她过早地走了，留下的遗憾难以弥补，无可替代。

上海文艺出版社的土壤里培育出了乃珊的《丁香别墅》、《金融家》、《你好，帕克》、《山水有相逢》等作品，这给乃珊踏上文学创作道路夯实了基础。乃珊在天之灵一定会十分感激上海文艺出版社为她的作品做了较系统的回顾，画上了润濡饱满的句号。

从乃珊的作品中可引发我们许多共鸣、思考，激发我们对生活的热爱，拓展我们的思维和胸怀。

乃珊曾说有一句话我从没对她说过，今天我在此白纸黑字写上，你在天之灵一定会感受到的——我爱你，乃珊！！

图书在版编目（CIP）数据

女儿经/ 程乃珊著. -- 上海：上海文艺出版社,2019

（程乃珊小说系列）

ISBN 978-7-5321-7128-6

Ⅰ.①女… Ⅱ.①程… Ⅲ.①中篇小说－小说集－中国－当代 Ⅳ.①I247.5

中国版本图书馆CIP数据核字(2019)第095927号

发 行 人：陈　徽

责任编辑：李　霞

装帧设计：朱云雁

书　　名：女儿经

作　　者：程乃珊

出　　版：上海世纪出版集团　　上海文艺出版社

地　　址：上海绍兴路7号　200020

发　　行：上海文艺出版社发行中心发行

　　　　　上海市绍兴路50号　200020　www.ewen.co

印　　刷：上海盛通时代印刷有限公司

开　　本：890×1240　1/32

印　　张：11.5

插　　页：6

字　　数：319,000

印　　次：2019年7月第1版　2019年7月第1次印刷

Ｉ Ｓ Ｂ Ｎ：978-7-5321-7128-6/I.5699

定　　价：55.00元

告 读 者：*如发现本书有质量问题请与印刷厂质量科联系*　T：021-37910000